D1251454

Fabio Volo

LA STRADA VERSO CASA

MONDADORI

Dello stesso autore
nelle edizioni Mondadori

Esco a fare due passi
È una vita che ti aspetto
Un posto nel mondo
Il giorno in più
Il tempo che vorrei
Le prime luci del mattino

La strada verso casa
di Fabio Volo

ISBN 978-88-04-63357-0

I edizione ottobre 2013

La strada verso casa

A mio padre

"C'è sempre una filosofia per la mancanza di coraggio."

ALBERT CAMUS

"Sono andato a letto cinque minuti più tardi degli altri, per avere cinque minuti in più da raccontare."

FRANCO CALIFANO

Anni Ottanta

Negli anni Ottanta si rideva. Si rideva molto di più.

Si rideva al lavoro, a scuola, con gli amici e soprattutto si rideva in TV. Quegli anni erano un'epoca favolosa. L'Italia vinceva i Campionati del mondo in Spagna, la musica la facevano i DJ e il suo ritmo dance pulsava dalle radio e dalle discoteche. Perfino il papa sciava in quegli anni. Ci si sentiva liberi, sarebbe caduto il muro di Berlino.

Il culto del corpo aveva generato un'esplosione di palestre, corsi di aerobica per donne, body building per uomini, centri di abbronzatura. Bisognava avere un fisico scolpito, color bronzo, da portare in giro in vestiti firmati e occhiali a specchio.

A qualsiasi ora del giorno potevi accendere la televisione e trovare qualcuno che era stato messo lì per farti ridere, per distrarti un po', per regalarti dei premi o anche solo per dirti una serie di frasi divertenti, tormentoni pronti per l'uso. Era piena di gettoni d'oro, di coriandoli, di trombette, di gonnelline luccicanti e di giacche colorate. Era piena di sorrisi splendenti, piena di labbra e di bocche che soffiavano baci ai telespettatori. Era piena di prodotti in vendita. Negli anni Ottanta si aveva la sensazione che si potesse comprare tutto. Anche l'allegria. I poveri potevano sembrare ricchi. Prima degli anni Ottanta nelle case si sentivano frasi come: "Non possiamo permettercelo" oppure "Questa è una cosa fuori dalle nostre possibilità". Gli anni Ottanta sembrava avessero spazzato via tutto questo, insieme alla cultura del risparmio. Quello che guadagnavi spendevi, e se non bastava potevi fare un leasing. La vita non era più costruirsi un futuro ma comprare un grosso biglietto della lotteria. Forse è stato in quegli anni che le parole hanno iniziato a perdere il loro vero significato, a diventare maschere senza dietro un volto. Tutto era accrescitivo e superlativo.

Forse per questo la famiglia Bertelli, padre, madre e due figli maschi, viveva un senso di inadeguatezza. Era una famiglia fuori tempo, fuori *dal* tempo. Loro erano un brano di musica sincopata.

Non tanto per i genitori, quanto per i figli. Avevano proprio la sensazione che, mentre il mondo stava festeggiando, loro a quella festa non fossero stati invitati. E, di fronte a questa convinzione, ognuno di loro reagiva come poteva cercando il proprio angolo di intimità.

Marco, il figlio più piccolo, conosceva due modi per tenersi fuori dal mondo, dentro la sua solitudine interiore. Il primo era starsene a letto ad ascoltare musica. Stanco di canticchiare *La Bamba* da circa un anno aveva sequestrato tutti i dischi del padre e li aveva portati in camera sua insieme a quelli che aveva comprato lui. Stava lì sdraiato sul letto con le cuffie a farsi riempire la testa di musica che per farcela stare tutta doveva cacciare fuori ogni altro pensiero o immagine. Tranne le visioni che la musica riusciva a evocare in lui. Erano sempre immagini di viaggi, di posti che aveva visto in TV o al cinema e che sognava un giorno di vedere realmente: girare la California in moto o con una macchina decapottabile, fare surf in Australia, visitare il Messico zaino in spalla, fumare sigari a Cuba. Quel modo di evadere era un bell'esercizio di fantasia e quando si addormentava era sempre più leggero, come solo un cuore pieno di curiosità e di avventure può essere.

L'altro modo invece era starsene in silenzio, senza suoni se non quelli interiori: dei pensieri, del battito del cuore, del respiro, nel tentativo di ascoltare e origliare se stesso, andando nelle zone più profonde di sé alla ricerca di risposte ultime, come uno speleologo dell'anima, e per sperimentare, se mai ci fosse, un modo di poter nascere due volte. Riuscire ad arrivare nel punto in cui finiscono le voci degli altri e inizia la propria, quella vera. Unica. Incondizionata. Una voce guida, maestra, che potesse aiutarlo ad affrontare inquietudini e perplessità.

Quella sera Marco aveva scelto la via della musica, era sdraiato sul letto e guardava il soffitto, giocherellando con il filo delle cuffie. Era una sera d'estate, una sera di fine luglio. Faceva caldo. La finestra della camera era aperta, l'antifurto di una macchina parcheggiata sotto casa aveva appena smesso di suonare e i cani di abbaiare. Tutto era immobile, tranne i movimenti circolari del filo delle cuffie. Bob Dylan cantava *I'll Be Your Baby Tonight* e quella sera l'uomo dalla voce rugginosa sembrava più malinconico del solito.

Quando ascoltava Bob Dylan, Marco respirava l'aria fredda di New York, la città dove sognava di andare con Isabella, la sua ragazza, e di passeggiare nella neve abbracciati proprio come Dylan e la sua fidanzata Suze Rotolo sulla copertina di *The Freewheelin'*. L'album del 1963 che tanto piaceva a sua madre. L'album in cui era nominata anche Sophia Loren. Gli piaceva quando trovava nomi o pezzi di Italia citati in giro per il mondo. Si inorgogliva come se si trattasse di qualcuno che conosceva. Gli accadeva anche quando nei titoli di coda di film americani leggeva cognomi italiani, e allora immaginava che quelli fossero figli di immigrati che ce l'avevano fatta. Ed era contento per loro.

Quella sera nella sua testa erano entrati dei brutti pensieri. Tutte le paure che stavano dietro l'angolo, nascoste nelle pieghe, lo avevano attaccato, proprio come fa un branco quando vede un animale ferito. Per reagire a quell'oppressione che sentiva sul petto aveva immaginato di alzarsi dal letto con uno scatto deciso, uscire dalla stanza, precipitarsi giù dalle scale e correre più veloce che poteva senza mai fermarsi, attraversare tutta la città e arrivare sotto casa di Isabella. Gridare il suo nome, chiederle di scendere, prenderla e portarla via. Portarla in un mondo più giusto senza le stupide complicazioni degli adulti. Le regole, i disagi e le continue ipocrisie. Era stata una serata difficile, c'era stata tensione durante la cena. In quella casa ormai si respirava male. Avrebbe voluto piangere, piangere e accendersi una sigaretta, ma erano due cose che poteva fare solamente quando era solo. Fumare, un gesto adulto che gli era ancora proibito. Piangere, una debolezza infantile ugualmente vietata. Quella sera si sentiva nella terra di mezzo.

Non era un fumatore, non ancora. Fumava di nascosto quando si trovava in giro con gli amici, in casa praticamente mai, solo qualche rara volta chiuso in bagno con la finestra spalancata. Lo aveva fatto cinque o sei volte, non di più, e dopo avere fumato lanciava la sigaretta il più lontano possibile con il movimento classico tra pollice e medio, poi si lavava subito i denti e si metteva in bocca delle gomme alla menta. La prima volta che aveva fumato in bagno aveva fatto l'errore di buttare il mozzicone nel water, ma tirando l'acqua si era accorto che il mozzicone era ancora lì che galleggiava. Allora aveva provato a buttare della carta e a tirare di nuovo lo sciacquone, ma nulla. Era stato costretto a prenderlo infilando le mani nel cesso e a gettarlo dalla finestra.

Fumare in camera quella sera sarebbe stata proprio tutta un'altra cosa, tutto un altro discorso. In quel caso non sarebbe stato solo per il piacere del fumo inspirato e spinto giù nei polmoni o per il gusto della trasgressione, la giusta ribellione che accompagna le sigarette a quell'età. No, stavolta, se avesse compiuto quell'atto, lo avrebbe fatto per ufficializzare un'identità, una presa di posizione. Varcare un confine e una linea d'ombra. Affermare se stesso.

In casa, nell'altra stanza, c'erano i genitori e in camera con lui Andrea, il fratello più grande di tre anni, che come sempre era seduto alla scrivania.

Niente musica per Andrea, solo studio o lettura, sempre cose complicate. Più erano difficili più le amava. Quello era il suo modo di rintanarsi, il suo modo di difendersi dalla cattiveria del mondo. Da sempre si faceva assorbire completamente dalle formule, dalle equazioni e dalle traduzioni, una vera fissazione.

Andrea aveva un talento innato per gli esercizi di pura astrazione.

Quel suo applicarsi in maniera totale lo aveva portato a essere il primo della classe e l'unico tra i suoi compagni a tradurre dal latino al greco senza passare dall'italiano. Un'acrobazia intellettuale del tutto inutile.

Marco aveva smesso di fissare il soffitto e adesso osservava il fratello, guardava la sua schiena piegata in avanti e si chiedeva chi fosse quel ragazzo che condivideva la camera con lui. Un estraneo. Un alieno. Perché erano così diversi pur essendo fratelli? Figli degli stessi genitori, figli della stessa educazione, dello stesso pudore. Lui per esempio non avrebbe mai appeso sopra il proprio letto l'immagine dell'*Uomo vitruviano* di Leonardo da Vinci, anche se gli ricordava Jim Morrison ritratto in quella fotografia con le braccia aperte. Non che non riconoscesse la bellezza di quel disegno e la genialità di Leonardo, ma gli sembrava solo una scelta da anziano. Come cantare *Nel blu dipinto di blu* di Modugno. Era mai stato giovane? Era nato così?

Ma la questione a cui non riusciva a dare una risposta era cosa fosse successo tra loro due. Solo qualche anno prima suo fratello maggiore per lui era un eroe. Marco voleva fare tutto quello che faceva suo fratello. Lo imitava, era il suo idolo, il suo punto di riferimento. Lui che riusciva a fare tutte e sei le facce del cubo di Rubik in meno di dieci minuti. Marco ripeteva frasi che diceva Andrea, gli rubava certe espressioni, catturava certe parole, certi modi di fare, perfino certi gesti, come muoveva le mani. Era contento di indossare una sua maglietta, come se fosse il costume di un supereroe.

E poi tutta quell'ammirazione era scomparsa. Dov'era andata a finire? Cosa li aveva allontanati?

Il fatto che suo fratello sapesse molte cose non lo faceva

più affascinante agli occhi di Marco, anzi, lo rendeva noioso e pesante. Spesso quando Andrea attaccava con i suoi discorsi da sapientino Marco smetteva di ascoltarlo dopo pochi secondi o, peggio ancora, alla fine delle sue filippiche gli diceva: "Puoi ripetermi quello che hai appena detto, voglio vedere se ascoltando per la seconda volta magari mi interessa". Andrea non si offendeva. Si sentiva superiore.

Marco tornò a pensare alla sigaretta che voleva fumare. Non avrebbe dovuto nemmeno alzarsi per farlo, gli bastava solo allungare la mano, aprire il cassetto del comodino e cercare in fondo, sotto i fogli, il pacchetto di Marlboro rosse che teneva nascosto.

In realtà suo fratello sapeva del suo piccolo vizio e non lo approvava, a volte quando litigavano minacciava di dirlo ai genitori, ma non lo aveva mai fatto.

Mentre Andrea era immerso nella lettura, in sottofondo, come in lontananza, sentiva la voce roca e melodiosa di Dylan che usciva dalle cuffie. Poi il rumore di un cassetto che si apriva, il frusciare di carte, lo sbattere di un cassetto che si chiudeva e dopo pochi secondi un paio di *click click* di un accendino. Quel suono catturò l'attenzione di Andrea che, girandosi, vide una brace rossa incandescente e il profilo della faccia di suo fratello dalla cui bocca usciva del fumo.

«Sei matto, che fai?»

Marco non sentiva e continuava a guardare il soffitto aspirando di gusto un'altra boccata a occhi chiusi. Solo dopo aver soffiato fuori tutto quello che aveva sparato nei polmoni aprì gli occhi e si accorse che Andrea era lì in piedi che stava ripetendo la stessa domanda. Stavolta, anche se non l'aveva sentita, la lesse dal labiale.

«Che novità è? Oggi hai deciso che inizi a fumare anche in casa?»

Sì, da oggi fumo anche in casa. A te che cazzo te ne frega? Non mi va più di nascondermi, ho sedici anni e se mi va di fumarmi una sigaretta me la fumo. Fottiti e vaffanculo, avrebbe voluto rispondergli ma non aveva voglia di parlare e di discutere.

«Se vuoi fumare in casa te la vedi tu col papà, ma in camera mia non fumi.»

Veramente è anche camera mia. Questa la risposta. Sempre se avesse avuto voglia di ribattere.

«È inutile che mi guardi e non dici nulla, quando ci sono io non fumi perché a me dà fastidio. Questa l'hai accesa e puoi finirla alla finestra. Ma che non si ripeta più.»

A quel punto Marco, stanco della discussione a cui non aveva partecipato, andò alla finestra e spense la sigaretta strisciandola sul davanzale, lasciando la traccia di una striscia nera come il graffito di un carboncino. Poi le fece fare un salto, lanciandola il più lontano possibile.

«Vuoi sempre fare quello che ti passa per la mente. Se c'è anche una piccola possibilità di fare una cazzata, tu la devi cogliere subito. Cos'hai nella testa?»

Ormai Marco era in piedi e, tornando dalla finestra verso il letto, ne approfittò per fermare il giradischi e cambiare musica.

Questa volta mise sul piatto non un disco di suo padre ma uno comprato da lui, *Combat Rock* dei Clash, e appoggiò la puntina sulla canzone *Should I Stay or Should I Go.*

Si distese di nuovo sul letto mettendosi in bocca una gomma alla menta di quelle lunghe e strette che prima di masticarle si piegano in due come un'onda del mare. Andrea era tornato a studiare.

All'improvviso il suono lacerante di un antifurto ricominciò a rompere con la sua fastidiosa litania. Non era la prima sera che succedeva. Da circa un paio di mesi un vicino che abitava nel palazzo di fronte aveva comprato la macchina nuova, una Ritmo Cabrio metallizzata, e l'aveva accessoriata con un antifurto che in quei due mesi aveva già suonato varie volte.

«Non ci posso credere, ancora quella stupida macchina. Questa sera chiamo la polizia, è disturbo della quiete pubblica» disse Andrea.

In una sera qualunque, dopo essersi lamentato, Andrea sarebbe tornato alle sue letture, ma quella era una sera diversa. Si alzò e andò nel corridoio dove c'era il telefono grigio di casa. Chiamò il 113.

Il telefono squillava. Andrea nell'attesa si guardava allo specchio e cercava di fare una faccia da uomo serio, anche se al telefono non serviva. Aveva diciannove anni ma era più grande, più maturo e responsabile dei ragazzi della sua età. Gli piaceva da matti quando qualcuno glielo diceva, qualche professore o genitore di amici.

«Pronto, questura, dica.»

«Salve, sono Andrea Bertelli e chiamo per un problema...»

Mentre spiegava la questione al poliziotto, si guardava dritto negli occhi riflesso nello specchio, quasi parlasse a se stesso.

Dall'altra parte della linea la voce diceva: «... E poi se chiamerebbero tutti quelli che sentono un antifurto sotto casa...».

Quel congiuntivo sbagliato trafisse Andrea nella carne, per lui era come sentire il suono delle unghie sulla lavagna.

«Comunque se conosce il proprietario dell'autovettura fa prima a suonargli il campanello e a chiedergli di spegnerlo. Oppure se aspetta un po' smette da solo.»

«Sì, lo so che smette da solo ma poi dopo un po' ricomincia.»

Andrea ringraziò con sarcasmo il poliziotto e decise di tornare in camera per raccontare la telefonata a suo fratello.

Marco non era interessato.

«A te non importa mai di nulla, eppure lo sai anche tu perché dobbiamo fare smettere questo cavolo di antifurto.»

Come previsto, l'antifurto smise di suonare, e poco dopo riattaccò.

Andrea decise di fare come aveva consigliato il poliziotto, andare dal vicino e suonargli il campanello. Mancavano pochi minuti a mezzanotte.

«Se il papà ti chiede dove sono, spiegaglielo tu.»

Andrea uscì dalla camera, passò davanti a quella dei genitori e appoggiò l'orecchio alla porta per cercare di capire se fossero svegli: tutto era in silenzio tranne il rumore di un ventilatore, uno di quelli che ruotano a destra e sinistra. Uscì di casa. Mentre scendeva le scale, si accorse di essere molto agitato, forse aveva paura della reazione del proprietario, non voleva essere aggressivo o scortese, voleva solo che intervenisse e che facesse smettere quel suono fastidioso. Si stava chiedendo se avesse dovuto spiegare perché per lui era un problema serio, ma decise che non era il caso di raccontare cose personali, problemi famigliari. Mentre cercava le parole giuste, si ritrovò sul marciapiede sotto casa, proprio davanti alla macchina che ancora stava suonando. Si avvicinò al finestrino e, mettendo una mano di taglio per proteggersi dalla luce del lampione, guardò dentro, anche se non c'era un motivo reale, un po' come quando ti si ferma la macchina e anche se non sai nulla di motori apri il cofano e guardi dentro.

Dopo quella inutile perlustrazione si avviò verso la palazzina. Fissava già da lontano la colonnina con i cognomi illuminati.

Il proprietario della macchina si chiamava Pezzini, Andrea lo sapeva perché il padre lo aveva già incontrato e gli aveva chiesto se era necessario disturbare così tanto i vicini per una macchina.

Il signor Pezzini, un uomo sulla cinquantina, un po' sovrappeso e non molto alto, aveva risposto che era dispiaciuto ma la macchina era nuova e lui non poteva rischiare. "... E poi l'antifurto si sente le prime volte, poi non ci si fa più caso. Serve solo a far scappare i ladri, ma dopo un po' il suono diventa familiare e non sveglia più nessuno. Come le mogli che non sentono più la sveglia del marito al mattino e continuano a dormire."

"Mia moglie la sveglia la sente sempre e anche se non deve svegliarsi lo fa ugualmente per salutarmi."

"Beato lei, è un marito fortunato, la mia non mi fa nemmeno il caffè al mattino. Porti pazienza qualche volta ancora, la macchina è un modello che va a ruba nel vero senso della parola e purtroppo io un garage non me lo posso permettere. E comunque è legale avere un antifurto."

Andrea era arrivato alla palazzina. Lui e la scritta SIG. PEZZINI sul campanello si fissarono per un po'. Decise di suonare, aveva la bocca secca e sudava, non solo per il caldo. Mentre aspettava di sentire la voce dal citofono, si era girato e così riusciva a vedere la luce accesa in camera sua, immaginando quel testa di cazzo di suo fratello che ascoltava musica stravaccato sul letto, probabilmente fumandosi un'altra sigaretta.

Se quando torno lo becco ancora che fuma mi sente. La finestra della camera dei genitori invece aveva le tapparelle abbassate.

Andrea non poteva sapere che Marco non era in quella stanza, che il letto era vuoto, che nel tempo in cui lui aveva percorso il tragitto per arrivare al citofono del vicino Marco aveva preso una decisione importante. Andrea non sapeva che suo fratello di tre anni più piccolo si era alzato dal letto con uno scatto, era passato davanti alla porta della camera dei genitori, era uscito di casa e aveva iniziato a scendere le scale di corsa, con i piedi di traverso e aggrappandosi al corrimano. Si era precipitato giù dalle scale con una rabbia e una velocità da far tremare il palazzo a ogni salto. Saltava per scappare da quel mondo, da quella vita, da quella famiglia. Saltava contro la cattiveria di Dio, contro tutte le ansie e la sfortuna. Saltava per la voglia di un'altra vita, la voglia di respirare, di rompere tutto ciò che non gli andava più.

Il signor Pezzini aveva ignorato il primo squillo del citofono pensando che fosse uno scherzo, ma al secondo si preoccupò. Si alzò e sciabattando arrivò alla cornetta. «Chi è?»

«Salve, mi chiamo Andrea e abito qui di fronte, proprio dove ha parcheggiato la sua macchi...»

Stava per finire la frase quando il portoncino di casa sua si spalancò con un forte rumore. Andrea si girò e vide suo fratello camminare con passo deciso. Notò che aveva qualcosa in mano. Ci mise una frazione di secondo per capire che si trattava della sua mazza da baseball. Suo fratello in pochi secondi si scatenò come una furia sull'automobile suonante: fanalini, fiancata, vetri e ripetute mazzate sul cofano. Le finestre delle palazzine iniziarono a riempirsi di sagome, attirate dal baccano, mezzi busti inquadrati come se le finestre fossero grandi televisori. Poi alcune persone che erano scese riuscirono a fermarlo. Quando il proprietario scese per strada, ci vollero tre uomini per tenerlo. Gridava, si dimenava e minacciava di morte Marco. Arrivò il padre. Arrivò la polizia.

Il padre parlò con i poliziotti, ma non ci fu nulla da fare, Marco fu ammanettato e fatto sedere sul sedile posteriore della volante.

Non parlava, il suo viso era rosso, pieno di lacrime. Prima che la macchina lo portasse in questura, per un istante ebbe la sensazione che dalla finestra sua madre lo stesse osservando. Ne era certo. Si girò lentamente e guardò in alto. Le tapparelle erano abbassate. Marco disse a se stesso che doveva smettere di credere ai miracoli. Due giorni dopo quell'incidente sua madre era morta.

Londra

In Charlotte Street c'era un buon odore di fine inverno. Tutto era tranquillo, la pioggia londinese cadeva leggera e vaporosa su ogni superficie incontrasse: tetti, cabine del telefono, auto. E i rari passanti. La luce dei lampioni era gialla e soffusa nell'aria densa di umidità.

Marco aveva da poco chiuso il ristorante che si trovava circa a metà di quella via, un ristorante italiano di cui era socio e che gestiva da qualche anno. Stava finendo di fare i conti e di sistemare le ultime cose prima di andarsene.

«Adriano, ti va un bicchiere di rosso?» chiese al cuoco che era ancora in cucina.

«Grazie, arrivo.»

Mentre andava verso il bancone del bar per versare i due bicchieri, si fermò a metà strada. «Musica!» Aveva preso l'MP3 collegato all'impianto stereo e iniziò a far girare il pollice in senso orario alla ricerca della giusta playlist: *Inspiration's Muse.* Qualche secondo dopo il ristorante si riempì delle note di *Something* e lui andò a versare il vino.

Mentre aspettava Adriano, Marco si guardò intorno, aprì i frigoriferi e controllò che i ragazzi avessero fatto tutte le cose per bene. Aveva un buon rapporto con i suoi dipendenti, era simpatico e amichevole, ma tutto doveva funzionare alla perfezione.

Un conto è la vita, un conto il lavoro, e su quello era poco tollerante.

Dopo un istante arrivò Adriano e si sedettero a un tavolo con i due bicchieri di vino e la bottiglia stappata.

Marco si accese una sigaretta e sventolò la mano col fiammifero per spegnerlo.

«Che ore sono?» chiese Adriano. «Ho lasciato il telefono in cucina.»

«Un quarto all'una.»

«Secondo me non vengono più.»

«Vengono, vengono, cinquanta sterline che entro un quarto d'ora sono qui?»

«Cinquanta no, venti?»

«Venti.»

«È la prima volta in vita mia che scommetto sperando di perdere» disse Adriano prima di far risuonare nell'aria i due bicchieri di vino in un brindisi scaramantico. Era lo chef del ristorante, romano, un fuoriclasse della cucina. Di solito non rimaneva mai fino alla chiusura, ma quella sera aveva una buona ragione per restare.

Marco diede una piccola sorsata e poi, come se in quel momento si fosse ricordato di qualcosa, disse: «Ah... senti, la settimana prossima è il mio compleanno, pensavo di fare una festa qui domenica pomeriggio. Cucino io, ho solo bisogno che mi ordini il necessario».

«Certo, cucini tu, come l'altra volta che ho dovuto pulire trenta branzini. A meno che vuoi cucinare perché non sono invitato.» Aggiunse sorridendo: «Quanti anni compi a 'sto giro?».

«Quaranta» rispose Marco scuotendo la testa come se fosse una cosa grave.

«Auguri, tra cinque anni tocca a me» disse ancora Adriano.

«Pensavo di fare una cosa tranquilla: formaggi, affettati, un primo e un dolce.»

«Ammazza che fantasia! Quante persone inviti?»

«Una ventina, non di più.»

«Cosa vuoi per regalo?»

«Niente.»
«Che palle, mo' mi tocca farmi venire un'idea, dài, dimmi cosa vuoi? Tanto lo sai che un regalo sono costretto a fartelo.»
«Va bene, ci penso. Mi rompe mettere il quattro davanti al numero dei miei anni. È un passaggio importante.»
«È solo psicologico, in realtà non cambia molto.»
«Col cazzo. Cambiano un sacco di cose, ti senti a un giro di boa. Sai di non essere più giovane. Inizia a calare la vista, ti devi alzare la notte per andare a pisciare e se esci con una sotto i trenta quel suo due davanti e il tuo quattro suonano lontanissimi.»
«Perché, a te capitano ancora ragazze sotto i trent'anni? A me nemmeno mi vedono più.»
«Quello perché sei un pelato del cazzo, guarda che ciuffo che ho io.» E si passò le mani tra i capelli.
«Il ciuffo ce l'hai, ma dietro stai andando in piazza anche tu.»
«Non sto andando in piazza, è una rosa.»
Adriano scoppiò a ridere.
«E comunque è tanto che non mi capita una sotto i trenta. L'ultima è quella che è venuta qui una sera, ti ricordi? Era quella col drago tatuato che ti piaceva, quella bellina.»
«Bellina? Era una gran figa. Io una così posso scoparmela solo se all'appuntamento mi porto del cloroformio.»
Scoppiarono a ridere di nuovo.
«Ma questa appena finita non era *Something* dei Beatles?»
«Sì, ma è la versione fatta da Ray Charles.»
«Bella, non la conoscevo.»
«L'ha scritta George Harrison per Pattie Boyd, sua moglie. Ho fatto una playlist di canzoni scritte per le muse ispiratrici del rock. Questa è *Layla* di Eric Clapton, scritta sempre per lei.»
«Clapton ha scritto una canzone per la moglie di Harrison?»
«Più di una.»
«E lui non si è incazzato?»

«Non so se si è incazzato per la canzone, sicuramente un po' gli saranno girate le palle quando gliel'ha scopata.»
«Non è vero.»
«Verissimo, poi se l'è anche sposata.»
«Cazzo, che amico.»
«Pensa, Clapton chiamava a casa di Harrison per parlare con la moglie e le suonava *Layla* al telefono. La martellava così. Assolo di mano lenta compreso.»
«Povero Harrison. Infatti era il buono dei Beatles, quello tutto spirituale.»
«Beh, insomma, più o meno, dài. Quando Clapton corteggiava Pattie Boyd, lui in quel periodo si scopava la moglie di Ringo.»
«Ringo il batterista?»
«Sì, era fissato con la meditazione e aveva fatto fare una stanza apposta. Spesso ci andava con la moglie di Ringo e, tra una meditata e l'altra, la bombava. Spiritualmente e soprattutto fisicamente.»
«Ammazza che bel gruppetto di amici, fortuna che andavano in giro per il mondo a parlare d'amore.»
«Infatti si amavano tutti. Si dice che Pattie Boyd si sia scopata anche John Lennon e Mick Jagger prima di mettersi con Clapton, ma lei ha sempre negato. Mick Jagger nel frattempo si scopava David Bowie e sua moglie.»
«Però.» Adriano bevve un goccio di vino, poi aggiunse: «Pensa che io l'anno scorso ho beccato il chitarrista dei Rolling Stones in metropolitana».
«Ma chi? Keith Richards?»
«Sì.»
«Ma che cazzo dici? Keith Richards in metropolitana? Quello non sa neanche che esiste la metropolitana a Londra.»
«Ti dico che era lui. Sarà stata più o meno mezzanotte, io sono salito a Finsbury Park e lui era seduto di fronte a me. Sul vagone eravamo solo noi due.»
«Sarà stato uno che gli somigliava, figurati se Keith Richards a mezzanotte prende la metropolitana da solo.»
«Che cazzo vuol dire? Perché, deve sempre essere con

qualcuno? Cioè lui non può farsi un giro in metro da solo? Magari voleva farsi i fatti suoi, magari aveva bisogno di ispirazione. Io ho un sacco di ispirazioni in metropolitana. È mentre sono in treno che mi viene l'idea di un piatto nuovo. È lì. O mentre sono al cesso.»

«Chissà cosa ti eri preso. Secondo te, Keith Richards per ispirarsi si fa un giro in metropolitana? Quello tirerà delle righe di coca che a guardarle sembrano delle lepri morte sdraiate sul tavolo. Altro che metropolitana... Ma tu lo sai che lui si è pippato suo padre?»

«Come, si è pippato suo padre?»

«Sì, l'ha detto lui. Si è fatto una riga con le ceneri del padre.»

«Comunque ti dico che era lui, pensa che a un certo punto mi sono messo a fischiettare l'inizio di *I Can't Get No Satisfaction* e lui non ha mai alzato lo sguardo una volta. Capisci? Faceva finta. Non voleva che gli rompessi le palle. Sai come sono quelli lì famosi. Un altro avrebbe per lo meno guardato, tirato su la testa per curiosità, non credi?»

«Ma vaffanculo! Questa è una delle tue solite cazzate, come quando racconti che hai incontrato il papa che passeggiava da solo in un vicolo di Roma con in mano una borsa nera sfondata e piena di documenti, o di quella volta che sei andato a mangiare il sushi e il cuoco tagliava un pezzo di pesce e poi lo ributtava nell'acquario così rimaneva fresco. Sempre più magro, ferito ma fresco. La verità è che tu sei un cazzaro di Roma.»

E sulla fine della frase qualcuno bussò alla vetrina del ristorante.

Marco si alzò per andare ad aprire.

«Sono loro, mi devi venti sterline. *Welcome back*» disse aprendo la porta alle due argentine.

A volte durante la serata succedeva che a un tavolo si sedesse una coppia di ragazze, allora Marco se ne occupava personalmente, cercava di capire se erano turiste, quanto si fermavano, da dove venivano. Ci sapeva fare con i clienti, soprattutto se erano donne. Se scattava qualcosa, avvisava

Adriano in cucina e a metà serata lo presentava come uno degli chef italiani più quotati al mondo. Chiacchieravano un po' e, al momento di pagare, il vino era sempre offerto dalla casa. Poi, prima che le ragazze lasciassero il ristorante, le invitava a tornare dopo la chiusura per un bicchiere. Le turiste di passaggio a Londra erano le preferite: si evitava una serie di complicazioni.

Funzionava così: se tornavano, era un buon modo per chiudere la giornata, altrimenti nulla di grave.

Le ragazze di quella sera erano di Rosario, vicino a Buenos Aires, avevano poco più di trent'anni e si chiamavano Lupe e Celeste. Lupe aveva un viso molto bello su un corpo un po' rotondo, Celeste un viso meno bello su un corpo da schianto, il culo piccolo, sodo e invitante.

«Vi possiamo offrire un bicchiere *de vino tinto*?»

«Sì, grazie, anzi, se si può qualcosa di più forte.»

«*Claro que sí*, whisky? Vodka? Rum? Abbiamo tutto.»

«Un margarita si può?»

«Perfetto, abbiamo la tequila migliore della città. Due?»

«Sì, grazie.»

«Con i cubetti di ghiaccio o un frozen?»

«Frozen.»

«Allora vado, quattro frozen margarita.»

Marco andò al bancone mentre Adriano intratteneva le due ragazze. Parlavano un miscuglio di inglese, spagnolo e italiano. Le due argentine si muovevano con naturalezza, come se conoscessero quel ristorante da sempre.

Meglio quella carina cicciottella o la bruttina con quel culo da urlo? si chiedeva Marco mentre prendeva il ghiaccio. Lui e Adriano non avevano una regola, sapevano che le ragazze quasi sempre avevano già deciso. Sono sempre le donne a decidere.

Infatti dopo qualche minuto una delle due si avvicinò al bancone: quelle erano le coppie. A lui la bruttina col culo da urlo, Celeste.

«Da quanto tempo vivi a Londra?»

«La prima volta che sono venuta avevo meno di vent'anni, andavo e tornavo. Sono fissa qui da circa dieci. I miei nonni erano italiani.»

«Di dove?»

«Padova.»

Mentre parlavano, Marco versò nel frullatore il ghiaccio, cinque decimi di tequila, due decimi di succo di lime e tre decimi di Cointreau. Prese quattro coppe dal freezer, passò una fetta di limone sul bordo che poi tuffò nel sale.

Celeste lo guardava, con uno sguardo profondo e diretto. Gli piacevano le sue mani, come le muoveva.

Dopo qualche secondo Marco versò tutto nelle quattro coppe e, raggiunti gli altri, fece vibrare i bicchieri nell'aria.

Un altro brindisi. «Viva Maradona» gridò Adriano.

Poi Marco preparò un secondo giro e le due coppie iniziarono a ritagliarsi un angolo del ristorante seguendo un rituale che le argentine assecondavano.

Di solito Marco andava in fondo alla sala dove c'era un tavolo grande con una panca e dei cuscini. Adriano, invece, usava la scusa di mostrare la cucina.

Celeste indossava una camicia rosa antico, semitrasparente, abbottonata fino al collo.

Marco la guardava negli occhi, profondi e scuri, e senza dire nulla partendo dall'alto cominciò a passare i bottoni nelle asole per liberarli. Senza fretta, senza incertezze, alla fine aveva sfilato la camicia dai pantaloni. A quel punto iniziò a guardarle il seno, piccolo, e lo afferrò con le mani. Le strinse i capezzoli.

In pochi secondi Celeste era sdraiata sul tavolo del ristorante. Marco le infilò le mani sotto la gonna e le tolse le mutandine. Iniziarono a scopare. Dalla cucina arrivavano i rumori di un altro piacere.

Sull'angolo del tavolo, vicino al bordo, Celeste aveva lasciato il secondo bicchiere di margarita. A ogni movimento del tavolo si spostava e Marco pensò che di lì a poco sarebbe caduto a terra andando in frantumi.

Guardava il bicchiere ed era distratto, non sapeva cosa fare, non poteva certo fermarsi e spostarlo, sarebbe sembrato una vecchia casalinga repressa. L'idea lo faceva ridere, ma si trattenne dal farlo.

Provò a rallentare l'intensità e la forza dei movimenti, era inutile. Il bicchiere era arrivato sul bordo vicino al salto.

Ma sei scemo? Ma che cazzo ti frega del bicchiere? Guarda quanto è figa lei, si disse. Decise di non pensarci e di concentrarsi sulla ragazza.

Chiuse gli occhi e iniziò a spingere con più violenza finché il rumore del bicchiere che andava in mille pezzi lo costrinse ad aprirli. *'Fanculo,* disse tra sé e sé.

A parte quel piccolo inconveniente, si stava divertendo. Celeste, che lui pensava si chiamasse Lupe, era davvero una scopata divertente. Come lo guardava, quello che diceva, come si muoveva, era coinvolgente.

In passato era successo che alcune ragazze avessero lasciato intendere che era possibile anche uno scambio. *Chissà se questa è la serata per lo* switch*?*

Si eccitò all'idea di scoparsi l'altra subito dopo. Su quel pensiero, il cellulare di Marco iniziò a suonare.

A quell'ora poteva essere solo la sua amica Jane che gli chiedeva di passare da lei prima di andare a casa.

Il telefono era su una sedia poco lontana, e Marco decise di non rispondere. Dopo qualche secondo squillò di nuovo. Quella insistenza rivelava qualcosa di insolito, un'emergenza o un amico ubriaco che aveva bisogno di aiuto.

Riuscì a spostarsi un po', giusto per vedere il nome sul display. Fu sorpreso, era suo padre. Non lo chiamava quasi mai, Marco non ricordava nemmeno quando fosse stata l'ultima volta.

Era sempre lui a telefonare, un paio di volte al mese, anche meno.

Il cellulare continuava a squillare e l'insistenza cancellava ogni dubbio: era successo qualcosa di grave.

La concentrazione e il piacere se ne erano andati.

Avendo il preservativo, pensò di fingere un orgasmo, ma una sorta di ancestrale orgoglio maschile gli imponeva di durare almeno fino all'orgasmo di lei.

«Dove vai? Non fermarti, non adesso. Torna qui» disse Celeste. Era incazzata, stava per venire.

Marco era dispiaciuto per aver interrotto tutto, la vanità sessuale era una cosa reale per lui.

Chiamò il padre, tenendo il telefono tra la spalla e la testa, cercando di infilarsi i pantaloni. Al secondo squillo il padre rispose.

«Papà, che succede?»

Si sentivano rumori strani, anche degli ansiti.

«Papà... papà, mi senti? Che succede... papà? Stai bene?»

Dopo qualche secondo il padre rispose: «Marco, Marco... finalmente ti ho trovato».

Di nuovo insieme

Mentre Andrea camminava nel corridoio insieme a Marco, pensava che l'odore tipico dell'ospedale non gli dispiaceva affatto, odore di alcol e disinfettante.

A essere sinceri, era l'ospedale in sé a non dispiacergli affatto: il viavai di dottori, di infermieri, e poi l'organizzazione, la colazione presto al mattino, il pranzo sempre alla stessa ora, la cena il pomeriggio tardi e la camomilla prima di andare a dormire. Tutti appuntamenti che creavano la giornata. La ripetitività, la routine erano rassicuranti. E poi gli piacevano da matti gli zoccoli bianchi con i buchini. Avrebbe sempre voluto comprarne un paio, e chissà perché non lo aveva mai fatto.

C'erano dei momenti, soprattutto d'inverno, in cui l'idea di passare tutto il giorno in ospedale in pigiama gli sembrava un'alternativa interessante: stare a letto, riposare, essere servito, scambiare battute con gli infermieri, fare le parole crociate e sottoporsi a un check-up completo.

Marco voleva uscire da quel posto il prima possibile.

Erano passati due giorni dalla telefonata del padre, dalla serata in cui si era dovuto scusare con Celeste. Lei aveva capito la situazione, c'era rimasta male solo quando lui le aveva detto: "*I'm sorry, Lupe*".

Marco camminava di fianco a suo fratello nel corridoio bianco, pieno di luce, portava gli occhiali da sole. Era arrivato da Londra con un aereo al mattino presto e la notte aveva dormito poco.

Dovendo partire all'improvviso aveva trovato un volo con una compagnia low cost, una di quelle che costano meno solo se non commetti nessun errore. Se per sbaglio la valigia pesa mezzo chilo in più, hanno il diritto di andare a casa e svaligiarti l'appartamento.

Marco aveva fatto tutto il viaggio con le ginocchia contro lo schienale di fronte. Su quei voli non sei seduto, sei incastrato. I posti non sono assegnati, ti siedi dove trovi, come su un autobus, come in metropolitana. Per questo la gente cammina veloce per arrivare prima degli altri. Marco non aveva partecipato a quella timida gara e, quando era salito, aveva trovato un posto nel mezzo tra due persone. Durante i voli non sopportava i vicini allegri e socievoli, per questo aveva occhiali da sole e cuffiette per la musica.

L'uomo alla sua sinistra e la donna alla sua destra avevano già piazzato i gomiti sui braccioli, e lui era stato costretto a tenere le braccia sulle gambe.

Negli anni aveva imparato a risolvere quel problema. Bisognava solo non distrarsi. Non c'è nessuno che resista tutto un viaggio senza mai grattarsi un secondo la faccia, prendere una rivista, qualcosa da bere, una penna dalla giacca o qualcosa dalla borsa. Sotto gli occhiali Marco era vigile come un gufo nella notte. Quasi sempre il primo a commettere l'errore è quello che siede alla sinistra. Perché è più facile trovare persone destre che mancine. Infatti così era stato.

Solo pochi minuti dopo il decollo l'uomo alla sua sinistra aveva preso la rivista per scegliere la colazione e si era trovato il braccio di Marco sul bracciolo, già posizionato, mentre con la testa un po' piegata fingeva di dormire. Quando erano passati per il caffè, lui aveva piazzato l'altro braccio. A quel punto non li avrebbe più spostati fino all'arrivo. Anche quando gli prudeva il naso e stava impazzendo, aveva saputo resistere. Come un monaco tibetano, come un ninja di Milano.

Adesso era all'ospedale e aveva sonno.
La telefonata con il padre gli martellava ancora in testa.
"Pronto, che succede?"
"Marco... Marco..."
"Che c'è, papà? Che è successo?"
"Non c'è la televisione in cantina."
"Cosa?"
"In cantina, sono in cantina e non c'è la televisione. Bisogna che me la porti."
"Papà, cosa stai dicendo? Dove sei?"
"Sono in cantina."
"Cosa fai in cantina a quest'ora? E poi cosa vuol dire che non c'è la televisione? Papà, stai bene?"
"Ce l'hai tu la televisione, vero? Me la puoi portare?"
"Ma di che televisione stai parlando? Io non ho nessuna televisione."
"La mamma mi ha detto che la televisione era qui in cantina e che se non c'era ce l'avevi tu."
Una fiammata di calore aveva investito il corpo di Marco, incendiandogli la faccia. La madre era morta più di vent'anni prima.
"Papà, torna in casa, chiamo Andrea che viene a prenderti. Va bene?"
"Non posso andare in casa, sono per terra."
"Come, per terra? Sei caduto?"
"Sì."
"Non riesci a rialzarti?"
"No."
"Va bene, stai tranquillo, adesso chiamo Andrea e viene lui ad aiutarti."
"Sì, ma tu quando torni? Ce l'hai tu la televisione?"
"Sì, ce l'ho io, ce l'ho qui davanti a me. Adesso stai tranquillo, domani te la porto."
"Non puoi portarla adesso?"
"Ci provo, ma lo sai che sono a Londra."
"Va bene, allora ti aspetto domani. Grazie, Marco."
Il padre era rimasto per terra a guardare il soffitto senza

dire una parola, fino a quando aveva sentito i passi di qualcuno che stava correndo. Era suo figlio Andrea.

«Scusi, avremmo appuntamento con il dottor Moro» chiese Marco a un'infermiera molto carina.

«Guardi, la stanza è quella lì. In questo momento sta visitando un paziente, accomodatevi pure, vi chiamerà appena ha finito.»

Si diressero verso le sedie di fronte alla stanza. Andrea accavallò le gambe e appoggiò la busta gialla contenente i documenti, le analisi e le diagnosi delle visite recenti del padre. Era silenzioso, continuava a pensare alla cosa che da due giorni gli martellava il cervello e gli rovinava l'umore: *Perché ha chiamato Marco che vive a Londra e non me che sto a pochi metri da casa?*

Marco rimase in piedi e dopo qualche secondo si diresse di nuovo verso l'infermiera. «Secondo lei per quanto ne avrà?»

«Non lo so, dipende, non molto comunque.»

Che senso avrà questa domanda? si chiese Andrea interrompendo i suoi pensieri. *Non può aspettare e basta? Dove deve andare?*

«Andrea, vuoi un caffè?»

«No, grazie, guarda che magari ci chiamano. Non puoi berlo dopo?»

«C'è la macchinetta in fondo al corridoio, ci metto un secondo.» Poi allungò la mano aperta verso suo fratello. «Mi dai della moneta?»

Andrea si tirò indietro piegandosi da un lato per fare entrare meglio la mano nella tasca dei pantaloni, poi gli diede tutte le monete che aveva trovato. «Tieni il resto» aggiunse ironicamente.

Con passo deciso Marco e i suoi occhiali da sole si diressero alla macchinetta del caffè.

A4 CAFFÈ LUNGO. Mentre aspettava che finisse di scendere, guardò da lontano Andrea. Non si vedevano da quasi un anno, si sentivano ogni tanto per parlare più che altro del padre, telefonate formali, brevi. Senza complicità. Erano due uomini diversi. Qualche mese prima, mentre si fumava una sigaretta da solo sui gradini di casa, Marco aveva addirittura avvertito la mancanza di suo fratello. Non gli era mai successo e ne era rimasto sorpreso. Aveva iniziato a pensare che gli sarebbe piaciuto un rapporto più intimo. Fraterno. Un rapporto di complicità famigliare. Avrebbe voluto parlare con lui, chiarirsi, dimenticare i vecchi rancori.

Quella sera, mentre aspirava lunghe boccate dalla sigaretta, aveva avuto il forte desiderio di chiamarlo e chiedergli come stava, come stava veramente. Ma sarebbe stata una telefonata difficile da interpretare nella sua onestà. Temeva che, se l'avesse fatta davvero, Andrea gli avrebbe chiesto se fosse ubriaco o se avesse ricominciato a drogarsi. Lui che aveva scelto di vivere sempre dal lato sbagliato.

Alla fine quel conflitto nella sua testa si era concluso con la scelta di mandargli almeno un messaggio sul cellulare. "Ciao... volevo sapere come stai, se va tutto bene e se tu e tua moglie venite a trovarmi a Londra come mi avete promesso una volta. Mi farebbe molto piacere."

Mentre stava per finire di digitare l'SMS, il telefono aveva iniziato a squillare. Era Jane, voleva passare da lui per un saluto veloce e una birra. Dopo quella telefonata, la sensazione di calore verso il fratello era svanita. Marco aveva cancellato il messaggio e messo in tasca il cellulare.

Un piccolo *bip* nel corridoio dell'ospedale segnalò a Marco che il caffè nel distributore era pronto. Prima di tornare da Andrea decise di spendere il resto delle monete in acqua.

«Tieni» disse allungando una bottiglietta a suo fratello.

«Grazie.»

«È uscito qualcuno?»

«Non ancora.»

Dopo il caffè Marco si alzò e andò a cercare un angolo dove poter fumare.

Proprio in fondo al corridoio c'era un balconcino pieno di scope, padelle e altre attrezzature ospedaliere. Sul muro c'era un cartello: VIETATO FUMARE, sotto c'era un posacenere straripante di mozziconi.

Marco se ne accese una, la seconda della giornata.

Andrea lo vide fumare sul balconcino. In quel fumo che lo avvolgeva c'erano tutta la confusione e il disordine di suo fratello. Era sempre stato così. *Siamo qui da dieci minuti e non è ancora riuscito a sedersi e stare calmo un attimo.*

C'erano stati dei giorni in cui non sopportava tutta quell'agitazione, altri in cui provava un senso di colpa per non essere riuscito ad aiutarlo, per non essere stato un bravo fratello maggiore. Ce l'aveva messa tutta, ma Marco non gli aveva mai dato retta. Non aveva mai dato retta a nessuno. Solo a se stesso.

Si ricordava le volte in cui l'aveva recuperato e riportato a casa ubriaco o fatto di qualcosa, cercando di non farsi scoprire dal padre. O quando si svegliava al mattino e lo vedeva dormire completamente vestito con la faccia affondata nel cuscino.

Lo guardava fumare sul balcone e pensava che in fondo non era cambiato poi tanto. Era sicuramente più responsabile di un tempo, non era più così scalmanato, ma in fondo era solo la versione più adulta di quel ragazzo. Lo aveva anche invidiato, per le stesse cose che disapprovava e lo innervosivano. La sfacciataggine, l'abilità di prendersi ciò che voleva, l'incapacità di accettare qualsiasi forma di autorità. Il fumare una sigaretta sotto la scritta VIETATO FUMARE.

Mentre Marco era sul balconcino, lo raggiunse un signore anziano in pigiama che si portava dietro un'asta per la flebo.

«Mi offre una sigaretta?» gli chiese.

«Certo, volentieri.» Marco lo fece accendere.

Mentre l'uomo aspirava, con il pollice dell'altra mano chiudeva un buco che aveva alla gola. Marco non diceva nulla.

Dopo meno di un minuto, dal corridoio un'infermiera iniziò a sbraitare verso l'anziano. «Quante volte le ho detto che non può lasciare il reparto e che non deve assolutamente fumare! Non so più come dirglielo. Lo capisce che non è uno scherzo? Stiamo parlando di cose serie, dove l'ha presa questa sigaretta?»

E guardò Marco che continuava a fumare serenamente.
«Spero non sia stato lei!»
Lui non rispose.
«Ma non lo vede che è malato? Non gliela deve dare la sigaretta e poi qui c'è anche scritto che è vietato fumare, o non sa leggere?»
Mi sembrava una persona adulta e, in quanto fumatore, mi astengo dal dire alle persone che fumare fa male... sa, noi fumatori lo sappiamo. Per quanto riguarda il cartello, ho visto il posacenere pieno e non sapevo a chi dare ragione e alla fine ho scelto il posacenere. Avrebbe voluto rispondere così, ma non aveva molta voglia di parlare e preferì incassare dicendo solo un: «Mi scusi».
L'infermiera sembrava arrabbiata sul serio e brontolando si portò via il vecchietto. Marco tornò a sedersi vicino a suo fratello.
«Sei qui da un quarto d'ora e c'è già gente che grida. Un vero record.»
Ora avevano entrambi le gambe accavallate, ma in maniera diversa. Andrea teneva un ginocchio sopra l'altro con le mani intrecciate appoggiate sopra. Guardando suo fratello, a Marco era tornato in mente quando a scuola si diceva che chi accavallava le gambe così era gay.
Nel corridoio dell'ospedale Marco sorrise ripensando alle cazzate che si dicevano a quei tempi: se ti sfilavi la maglietta prendendola dalla schiena era ok, ma se lo facevi incrociando le mani e prendendola dai fianchi eri gay. Se indossavi lo zaino in maniera corretta, infilando le due bretelle, eri gay, se usavi una sola spalla eri ok.
«Quando hai il biglietto di ritorno per Londra?»
«Dopodomani, ma è una data provvisoria, in base a quello che dirà il dottore lo sposto e mi organizzo.»
«Forse non ce n'è bisogno.»
«Speriamo» e nel dire quella parola ebbe la sensazione di doversi spiegare meglio. «Speriamo che non sia nulla di grave, intendo.»
«Speriamo.» Dopo qualche secondo di silenzio Andrea ap-

poggiò la schiena e incrociò le braccia. «Non capisco perché abbia chiamato te e non me. Io abito a cinquecento metri.»

«Non era molto in sé.»

«Lo so ma io abito vicino, passo a chiedergli se gli serve qualcosa due, tre volte a settimana. Poi sta male e invece di chiamarmi chiama te. Non lo capirò mai.»

«Ti ho già detto perché. Parlava di una televisione che avevo io e che non c'era in cantina.»

«Peggio ancora.»

Marco avrebbe voluto continuare ma aveva capito il senso di quelle parole e non aveva voglia di entrare nelle paranoie di suo fratello.

Poi finalmente arrivò il loro turno. Il dottore li fece accomodare nello studio.

Il medico aveva più o meno la loro età, giusto qualche anno in più. «Allora, vostro padre è caduto e si è fratturato il femore. Domani mattina presto lo operiamo. Contemporaneamente stiamo facendo degli accertamenti per capire le ragioni della caduta. Nulla di preoccupante, sono controlli di routine soprattutto in persone di questa età. Con chi ho parlato al telefono?»

«Con me» rispose Andrea. «Come le dicevo, è già da qualche mese che ogni tanto dice cose strane.»

«Come, dice cose strane?» chiese Marco stupito.

«Sì, ogni tanto dice cose senza senso o ripete la stessa domanda più volte.»

Marco guardò Andrea infastidito.

«Adesso qui è tranquillo ed è assistito bene» continuò il dottore, poi iniziò a spiegare che tipo di esami avevano già fatto e quali avevano in programma.

Marco non capiva tutto, era un misto di parole che conosceva e altre mai sentite: TAC con liquido di contrasto, RM con gadolinio, edema.

«Prima cerchiamo di rimetterlo in piedi. Dopo l'operazione ci sarà un periodo di riabilitazione e capiremo meglio nei prossimi giorni se ci sono coinvolgimenti a livello neurologico.»

«Grazie mille» disse Andrea, poi si salutarono stringendosi la mano.

Uscirono dallo studio del medico e andarono dal padre. Guardava fuori dalla finestra.

«Come va?» chiese Andrea.

Si girò verso i figli. «Quando vado a casa?»

«Non puoi andare a casa, domani ti devono operare al femore e poi c'è la riabilitazione. Devi rimetterti in piedi per tornare a casa.»

Il padre girò nuovamente la testa verso la finestra.

«Hai bisogno di qualcosa? Ti porto dei giornali? Dei biscotti?»

«Non ho gli occhiali, non posso leggere» rispose lui continuando a guardare fuori.

«Passo da casa e te li porto coi giornali.»

Andrea doveva tornare al lavoro e Marco voleva farsi una doccia e stendersi un attimo. Rimasero ancora pochi minuti, durante i quali si creò un silenzio imbarazzante che nessuno era in grado di rompere.

«Devo andare al lavoro» disse Andrea. «Tu che fai, rimani?»

Marco non sapeva cosa rispondere.

«Non c'è bisogno che resti qualcuno, andate pure» rispose il padre in quella pausa di indecisione.

Salirono in ascensore, Marco, Andrea e una signora anziana. Dal corridoio spuntò un uomo molto grasso. Si incamminò verso di loro, lentamente.

Marco iniziò a sperare che le porte si chiudessero immediatamente, se non fosse stato in una posizione così centrale da essere visto, avrebbe schiacciato il pulsante di chiusura. All'improvviso, un attimo prima che le porte si toccassero, Andrea infilò la mano nella fessura. Come un sipario le due porte si riaprirono.

«Faccia con calma, la aspettiamo» disse Andrea tenendo la mano sulla fotocellula.

«Grazie, molto gentili» rispose l'uomo.

Ma che cazzo, pensò Marco.

Da dietro gli occhiali, senza farsi accorgere, in maniera automatica lesse la targhetta che indicava la portata massima e iniziò a fare un calcolo veloce. Quando si fa quel conto, quelli come quell'uomo valgono doppio.

L'uomo sudava molto, aveva il respiro affannato e non aveva il mento. Dalla fronte al collo un pezzo unico.

Quando incontrava uomini o donne senza mento, Marco si chiedeva sempre come facevano a infilare le federe nei cuscini o a piegare le lenzuola. Il mento, come le ascelle, serve a reggere le cose quando le mani sono finite.

Nel parcheggio, prima di raggiungere l'auto di Andrea, Marco gli chiese: «Perché non mi hai detto che il papà già da un po' di tempo dice cose strane e sconclusionate? Cosa aspettavi a dirmelo? Quando ci sentiamo al telefono mi assicuri sempre che va tutto bene».

Andrea non voleva che Marco pensasse che gli aveva tenuto nascosto cose importanti, per questo cercò di minimizzare. «Perché non mi sembrava un fatto preoccupante, pensavo fosse perché sta invecchiando.»

Marco in realtà aveva capito perché suo fratello non gli aveva detto nulla, era la solita storia, ma non aveva voglia di discutere. «Come sta Daniela? È sempre una moglie felice?»

«Daniela sta bene, non so se è felice ma sta bene.»

«Com'è che non vedo ancora seggiolini per bambini su questa macchina? Quanto deve aspettare il papà per diventare nonno?» chiese Marco.

Andrea non rispose, ignorò la domanda. «Apri il cassettino portaoggetti, ci sono un po' di CD se vuoi mettere della musica.»

Marco lo aprì, era il portaoggetti più ordinato che avesse mai visto. Prese qualche CD e iniziò a sfogliarli. Alla fine scelse quello degli U2.

«Ma tu che vivi a Londra come li chiami quando sei in Italia, "U-due" o "U-two"?»

«Bella domanda, di solito lo dico in italiano ma in questo caso si perde il senso, perché se lo pronunci in inglese significa U2 come l'aereo americano a cui si sono ispirati, e "anche tu", "anche voi" e "voi due". Però di solito quando sono qui dico "U-due". Quando sono in Italia traduco tutti i nomi. Ieri sera ho visto un film con Tommaso Crociera, Tom Cruise, oppure un film con Nicola Gabbia, Nicholas Cage, o ascolto un disco di Kilometri Davis, Miles Davis.»

Andrea sorrise.

«Marco, scusa se non ti invito a stare da me e Daniela, ma in questi giorni c'è sua madre e la stanza degli ospiti è occupata.»

«Vado più volentieri a casa, hai tu le chiavi?»

«Tieni.»

«Adesso devo tornare al lavoro, se ti va questa sera ci vediamo per cena e parliamo un po'.»

«Di cosa?»

«Come, di cosa? Del papà, per organizzarci, capire che fare. Io sentirei il parere di un secondo medico, tu che dici?»

«A me questo sembra bravo e poi c'è poco da sentire. Non credo ci siano altri problemi oltre quello che ci hanno detto. Poi ieri notte non ho dormito e mi sa che me ne vado a letto presto. Mi faccio una doccia e mi butto in branda.»

«Va bene.»

Erano anni che Andrea e Marco non si trovavano nella stessa auto sulla strada verso casa. Il percorso era emozionante, soprattutto per Marco.

Non tornava da quasi un anno e non si distraeva mai quando faceva quella strada dopo tanto tempo.

Controllava con attenzione tutti i cambiamenti, tutte le cose nuove e quelle che erano sempre state lì. Negli ultimi tempi c'era stata un'invasione di rotonde, la panetteria dove andava da ragazzino a comprare la pizza era stata sostituita da un negozio di telefonia.

In una via dove c'erano sempre state delle fioriere adesso c'era una fila di biciclette del comune che si potevano affittare. Le piante nel viale alberato erano state tagliate tutte allo stesso modo per dare alla strada una prospettiva più pulita. Marco amava pensare che quello che avevano fatto a quelle piante era quello che la società voleva fare anche con gli uomini. Tutti dritti, ordinati e soprattutto uguali.

«Ti scoccia se fumo una sigaretta?»

«Fai pure. Quanto fumi?»

«Un accendino a settimana.» Era una risposta standard che dava sempre a tutti quelli che gli facevano quella domanda.

«Come, un accendino a settimana?»

«Meno di un pacchetto al giorno.»

Dopo circa mezz'ora arrivarono sotto casa.

«Se hai bisogno di qualcosa chiama. Ci sentiamo domani. Stasera passo io dal papà» disse Andrea sporgendosi un po' verso il sedile di Marco mentre lui era già sul marciapiede pronto a chiudere la portiera.

«Ok, grazie.»

Fratelli

Nel cucinino il rubinetto dell'acqua perdeva da qualche giorno.

Andrea, seduto al tavolo, lo fissava, guardava attentamente la goccia formarsi piano piano finché non si staccava. Nessuno aveva ancora chiamato per farlo riparare. Mentre osservava quel ripetersi di cadute, si chiedeva quanta acqua fosse scesa goccia dopo goccia.

Non ne faceva una questione di spreco, era solo interessato al numero esatto. Era una fissa che aveva da quando era ragazzino, avrebbe dato qualsiasi cosa per sapere il numero esatto delle cose: quante volte è stata toccata quella maniglia? Quante volte è stata aperta quella porta? Quante mani hanno toccato quel cassetto? Ogni oggetto si portava dentro un numero che nessuno conosceva eppure quel numero c'era. Da qualche parte il numero esatto, anche se sconosciuto, esisteva. Come un pianeta non ancora scoperto. *Quanta acqua avrò bevuto in tutta la mia vita?*

Ogni rubinetto aveva un suo destino, un numero prestabilito di litri di acqua prima di rompersi.

Così capitava che Andrea potesse fissare una finestra, una sedia, un gatto e iniziare a farsi infinite domande.

Lo faceva anche con le persone, si chiedeva quante volte nella loro vita avessero detto la parola "buongiorno", quante volte si fossero lavate la faccia, quanti passi avessero fatto.

Quella mattina, mentre fissava il rubinetto, aveva smesso subito di fare quel gioco. Era preoccupato per suo padre.

Aveva appena accompagnato a casa suo fratello ed era tornato in ufficio. Andrea era un ingegnere.

Prima di tornare al lavoro si era concesso dieci minuti da solo nel cucinino dell'ufficio. Le gocce che cadevano lo aiutavano a concentrarsi.

Cercava di capire se c'era qualcosa che potesse fare, se c'era un modo per aiutare il padre, in quel caso sarebbe toccato a lui, era il suo ruolo in casa.

Andrea era sposato da dodici anni con Daniela. Si erano conosciuti a un matrimonio, erano seduti allo stesso tavolo, il tavolo dei single. Quando lei era arrivata, l'aveva notata subito, ai suoi occhi era bellissima.

Era stato sedotto dal modo in cui parlava, da come si muoveva e si esprimeva. Era sobria, elegante, solenne e pallida. La sua pelle era bianca e Andrea se ne era innamorato al primo sguardo. Era il pezzo mancante nella sua vita e gli era parso che gli somigliasse. In lei aveva visto il futuro che aveva sempre desiderato, aveva avuto una visione totale, d'insieme. Era perfetta per lui, per questo aveva suscitato in Andrea un desiderio immediato, non tanto sessuale quanto di una vita da condividere.

Aveva avuto da subito un forte impulso a prendersi cura di lei. Le emozioni che aveva provato parlando con lei gli avevano dato il coraggio di comportarsi in una maniera inaspettata: le aveva chiesto di poterla accompagnare a casa e lei aveva accettato. Quando in macchina si era voltato verso di lei, nel vederla seduta lì non aveva avuto più nessun dubbio: quel posto era suo, lo era sempre stato.

Nei giorni seguenti l'aveva chiamata diverse volte, poi l'invito per un caffè, poi una cena e piano piano avevano iniziato a frequentarsi. Un giorno, dopo un lungo bacio, uno dei primi, aveva pensato che la sua vita non sarebbe più stata quella di prima.

Dopo meno di un anno le aveva chiesto di sposarlo e lei aveva accettato. Avevano trovato l'uno nella vita dell'altra lo spazio per accogliersi, per questo erano stati da subito un incastro perfetto, senza aggiustamenti. Fissati nella reciproca volontà prima ancora di incontrarsi.

Un giorno, tornando a casa dal lavoro nel periodo in cui stavano organizzando il matrimonio, Andrea aveva trovato un cartello di un appartamento in vendita. Dopo averlo visto e averne parlato per una notte intera, immaginando dove mettere il divano, l'armadio, il tavolo, avevano deciso di prenderlo.

Così era stato per loro, senza nessun entusiasmo particolare, senza intoppi, come se fosse la cosa più naturale del mondo.

Anche col lavoro era andata così, Andrea lo aveva deciso da ragazzo. Suo padre era un ingegnere e voleva esserlo anche lui. Amava la borsa di pelle marrone che appoggiava quando entrava in casa e ne desiderava una uguale. Amava il soprabito, amava le camicie bianche che il padre portava con le maniche arrotolate fino ai gomiti, i fogli con i numeri, i disegni, gli appunti scarabocchiati sugli angoli. E così era la sua vita: portava camicie bianche, d'inverno il soprabito e il cappotto, la ventiquattrore di pelle e nonostante il computer era pieno di fogli.

Mentre, ipnotizzato dalle gocce d'acqua, pensava a suo padre e a cosa avrebbe dovuto fare, entrò nella stanza Irene per dirgli che erano pronti. Lavorava con lui da qualche mese, insieme seguivano un nuovo progetto, il piano regolatore di un paese delle Marche.

«Arrivo subito.»

Si alzò e pensò di chiamare suo fratello per sapere se andava tutto bene, se gli serviva qualcosa, ma alla fine non lo fece. Qualcosa lo trattenne, forse non voleva essere troppo invadente.

Quando era sceso dalla macchina, Marco era rimasto qualche secondo sul marciapiede prima di entrare nel palazzo. Si era guardato attorno con calma, tornare a casa era una cosa che non voleva fare distrattamente. Anche i suoni erano importanti dopo tanto tempo: il portoncino, il rumore del vecchio ascensore, il cancellino di ferro.

Ma erano soprattutto gli odori a scatenare le emozioni più forti.

Tutto quello che i suoi sensi gli comunicavano lo riportava indietro nel tempo e infiniti ricordi attraversavano la sua mente come una cascata di palline colorate.

Entrato in casa, buttò la borsa in un angolo e andò subito in bagno. Alzò la tavoletta e, mentre faceva la pipì, si guardò intorno. Tutto sembrava fermo, ogni oggetto, ogni barattolo, ogni spazzola sembrava fosse lì da sempre. Tutto sapeva di immobilità. Tutto era immutato.

Nella sua vecchia camera notò piccoli cambiamenti: un vecchio televisore appoggiato a terra, stracci, coperte e tappetini piegati su una sedia, una serie di scarpe di suo padre. Solo il letto di Andrea era libero. Si capiva che ogni tanto ci dormiva ancora quando si fermava a fare compagnia al padre.

Da anni ormai Marco dormiva in un letto matrimoniale, quasi sempre solo. Vedendo la piccola brandina pensò di dormire nel letto del padre, ma quel pensiero durò una frazione di secondo. Non sarebbe mai riuscito a dormire in quella stanza, qualcosa glielo impediva.

Così come non riusciva a usare lo spazzolino da denti di un'altra persona, nemmeno quella più intima. Poteva stare con una donna, infilare la sua bocca e la sua lingua in ogni angolo, ogni insenatura e cavità del suo corpo, ma lo spazzolino da denti non riusciva a condividerlo.

Marco avrebbe dormito nel suo letto. Aprì la finestra e iniziò a fare un po' di ordine.

Ogni volta che tornava si diceva che avrebbe dovuto buttare un sacco di cose inutili ma alla fine non ci riusciva. Ogni oggetto era una porta verso un mondo lontano, difficile da gettare via. C'era anche una pila di riviste vecchie di vent'anni. Sfogliarle era un viaggio divertente.

Ne prese una e alla quarta pagina vide la fotografia di Bárbara Palacios, una bellissima venezuelana ventiduenne che in quell'anno, il 1986, aveva vinto il titolo di Miss Universo.

Marco si ricordava ancora quando l'aveva vista per la prima volta su quel giornale, si ricordava anche cosa aveva pensato. Aveva tredici anni e le ragazze in quel periodo creavano scompiglio dentro di lui. Vedendola la prima domanda era stata: "Chi sarà il fortunato che se la porterà a letto?". La seconda: "Ma io mi scoperò mai una ragazza così nella mia vita?".

Quella sera, mentre Marco stava per andare a dormire, si era aperta la porta e sulla soglia, invece di suo fratello, era apparsa lei: Bárbara Palacios, ancora vestita come durante la premiazione, come nella foto della rivista. Gli si era avvicinata e con voce suadente gli aveva chiesto: "Marco posso entrare nel letto con te? Ho molto freddo".

"Certo, Bárbara, entra pure" aveva risposto lui alzando le coperte. "Che piedi freddi che hai."

"Lo so, scusa."

"Come stai? Sei contenta di aver vinto?"

"Sì, ma sono molto più contenta di essere qui con te, finalmente. Scopiamo, ti prego, facciamolo adesso. Subito."

"Sei sicura? Non vuoi che parliamo un po'?"

"Un'altra volta, dài, ho troppa voglia di te, Marco, lo sai che mi piaci da impazzire. E poi ho paura che il mio fidanzato mi scopra."

Marco aveva sentito un brivido. "Va bene" aveva detto mestamente.

Avevano iniziato a baciarsi, lui sentiva il calore delle cosce che sfioravano le sue, le mani di lei che afferravano il suo sesso duro, pronto a esplodere.

Lo aveva baciato sulla bocca, poi sul collo, sul petto, sulla pancia e prima di arrivare dove entrambi desideravano lui l'aveva fermata un istante. Lei aveva alzato lo sguardo e i suoi occhi erano entrati in quelli di lui. "Non vuoi che ti baci lì? Se non vuoi mi fermo."

"Certo che voglio, ma prima togliti la corona altrimenti mi graffi l'interno coscia."

"Grazie, Marco, sei un ragazzo educato e gentile, ma ora facciamo presto prima che arrivi tuo fratello o il mio ragazzo."

A Marco non era restato che farle fare ciò che desiderava. Lei glielo aveva preso in bocca, la bocca calda della ragazza venezuelana più bella dell'universo.

"Ma che figo sono, tra poco mi scopo Miss Universo."

In realtà non c'era riuscito perché in pochi secondi era venuto.

"Di già?" aveva chiesto lei un po' delusa.

"Scusa, di solito duro di più. Sarà l'accento sudamericano."

"Hai fatto bene a venire se è quello che volevi, però promettimi che uno di questi giorni faremo l'amore."

"Te lo prometto" aveva detto lui con voce tremante.

Quando Marco aveva aperto gli occhi si era sentito solo nella cameretta. Aveva guardato le labbra di Bárbara che nel frattempo erano diventate il suo calzino. Come per Cenerentola, tutto era tornato alla normalità.

Si era sentito usato da lei, che se n'era andata via velocemente, senza dire nulla. Ma Marco aveva promesso che si sarebbero visti ancora. Lui faceva così, non era uno da una scopata e via.

Si legava per un po', era già successo con Samantha Fox e soprattutto con Kim Basinger dopo aver visto *Nove settimane e mezzo.*

Ora, dopo più di vent'anni, Marco rideva ancora al pensiero di come sceneggiava le sue seghe da ragazzino. Dopo aver rimesso la rivista al suo posto, andò in cucina, guardò nel frigorifero, aveva fame. Non c'era molto. Trovò del pancarrè, del formaggio e dei cetriolini sott'aceto. Si fece un panino. Dopo l'orrendo spuntino si fece una doccia e con l'asciugamano legato in vita si buttò sul letto e si accese una sigaretta.

Era il letto dove aveva sognato mille vite, mille vie di fuga, il letto di ansie adolescenziali ed esistenziali, nel quale aveva cercato mille risposte. Per un certo periodo della sua vita aveva anche odiato quella stanza, gli sembrava una cella che gli impediva di essere un ragazzo libero, una prigione da cui doveva scappare se voleva salvarsi.

Adesso, quando gli capitava di tornare dopo una vita vissuta altrove, le pareti di quella stanza erano amichevoli, regalavano una buona sensazione, si sentiva protetto e tutto quello che vedeva lo riportava a cose intime.

Senza muovere la testa fece una panoramica con lo sguardo. Appesa davanti a lui c'era una bacheca in sughero: un biglietto di un concerto dei Pink Floyd, una fotografia dei grattacieli di New York e una Polaroid di lui e Isabella in una mansarda di Parigi. Lei era stata la sua prima fidanzata, aveva quindici anni quando si erano conosciuti, era la ragazza con cui aveva fatto l'amore per la prima volta. Ancora oggi era la donna che lo conosceva meglio, a cui aveva confidato i segreti più intimi e forse l'unica che aveva amato in tutta la sua vita. Nella foto sorridevano abbracciati nel letto. Se l'erano fatta da soli.

Erano passati più di vent'anni, eppure Marco si ricordava perfettamente quell'attimo. Si ricordava perfettamente cos'era successo prima e dopo quel *click*. Faceva parte delle perle di bellezza che brillano nelle pieghe della nostra memoria, che ogni tanto andiamo a rievocare per riassaporarle e stare bene.

La foto era stata scattata al mattino presto, dopo una lunga notte. Le notti in cui rimani sveglio a fare l'amore, chiacchierare e ridere fino all'alba, in cui ci si confessano cose intime, cose di cui ci si è sempre vergognati. Sono le notti in cui ti senti così vicino che nessuna distanza ti separa dalla persona al tuo fianco. Si è complici in tutto. Le notti in cui la bellezza dilata il tempo, in cui il presente è così perfetto e lo si indossa così bene che si cominciano a fare promesse, giuramenti, patti, perché quella bellezza fa sentire dentro di sé una spinta verso il futuro.

Quelle notti in cui è giorno all'improvviso e si rimane stupiti. E senti che hai fame, fame di tutto: pane, burro, marmellata, soprattutto fame di Vita.

In quelle notti è tutto così bello e si è così felici che, quando ci si gira su un fianco per addormentarsi, in qualche angolo profondo di sé si avverte una punta di dolore. Un dolore primordiale, ignoto, che appartiene a tutti.

Quel giorno Marco e Isabella si erano promessi tutto, tutto quello che due persone innamorate non ancora ventenni possono promettersi: "Non ci lasceremo mai, faremo un sacco di bambini, vivremo insieme felici a Parigi".

"Marco, se dovessi cadere e farmi male, tu saresti in grado di aiutarmi a rialzarmi, di prenderti cura di me?"

"Sarò lì prima che tu cada per afferrarti in tempo."

Dopo qualche mese da quella foto si erano lasciati. Promettere è l'errore più facile da commettere quando si è felici.

Più volte nella vita Marco si era chiesto come sarebbe stato se avessero davvero mantenuto quelle promesse.

Sarei più felice adesso? Quanti figli avremmo?

Di lì a qualche giorno era il suo quarantesimo compleanno e ancora aveva il vizio di riempirsi il cervello di domande.

Chissà che faccia avrebbe avuto nostro figlio.

Dopo qualche minuto sentì montare una stanchezza a cui non poteva opporsi. Erano le quattro del pomeriggio. *Mi riposo dieci minuti poi vado a fare la spesa,* si disse. Iniziò a pensare che era stato uno stupido a mangiare tutti quei cetriolini perché adesso aveva un bruciore insopportabile allo stomaco. Poi si addormentò. Si svegliò nel cuore della notte e per qualche secondo non riconobbe la stanza e non riuscì a capire nemmeno dove fosse.

Ah... sono a casa!

Lucia la madre

La madre si chiamava Lucia. Era una donna molto dolce, riservata e gentile. Odiava i pettegolezzi e tutto ciò che era detto a bassa voce se lo si diceva per escludere gli altri. Lavorava nello studio di un commercialista tre giorni a settimana e si occupava della casa, dei due figli e del marito. Le sue giornate sembravano durare un tempo infinito, non si lamentava mai. Quando capitavano momenti in cui si sentiva triste, lo si intuiva dai suoi prolungati silenzi. Erano momenti rari.

Aveva sempre desiderato una famiglia. Amava leggere, quando riusciva a trovare il tempo, e andare al ristorante, non per forza un ristorante elegante, si accontentava anche di una trattoria. Adorava uscire a mangiare con il marito e i figli, soprattutto la domenica. Era un'abitudine di suo padre che le era rimasta cara e che portava avanti come una tradizione.

Quando Andrea aveva quindici anni e Marco dodici, qualcosa in lei iniziò a cambiare. Si sentiva sempre stanca, non riusciva più a fare tutto quello che aveva sempre fatto, ogni tanto era costretta a sedersi per riposare. Aveva preso l'abitudine di fare piccoli riposini sul divano durante il pomeriggio.

"Stai bene, Luce?" Suo marito la chiamava così.

"Sì, mi sa che sto solo invecchiando."

Nessuno si preoccupava veramente, pensavano fosse stanchezza accumulata.

Una domenica, mentre tutti erano pronti per andare al ristorante, lei aveva proposto di rimanere a casa. Dopo pranzo si era sdraiata sul divano per leggere un po'. Andrea e Marco erano scesi in strada a giocare. Si era addormentata con il libro in mano e al risveglio aveva detto al marito che non riusciva a vedere bene da un occhio.

"Sarai stanca, succede anche a me a volte."

"Sì, sarà così."

"Hai mal di testa?"

"No."

Non voleva preoccupare nessuno, minimizzava sempre tutto, ma il giorno seguente aveva chiamato un amico medico e gli aveva raccontato cosa era successo. Lui le aveva prescritto delle analisi e aveva aggiunto che poteva essere una semplice cefalea con aura, con disturbi transitori della vista.

Dopo le analisi aveva detto ai figli e al marito che non era nulla di grave, ma le cose erano peggiorate velocemente.

Stava sempre di più a letto. I tre uomini si dividevano i compiti e riusciva a mandare avanti la casa. Ogni tanto spuntava la nonna materna. I nonni paterni erano già morti.

Con il tempo le sue visite si erano fatte più frequenti, ogni tanto si fermava anche a dormire, la nonna e Marco in camera, Andrea sul divano.

Le mani della madre disimparavano giorno dopo giorno ad afferrare gli oggetti e quando ci riusciva spesso li lasciava cadere. Col passare del tempo al risveglio le sue dita erano rigide e per riaprirle ci voleva un po'. Camminava lentamente e ogni passo era diventato una fatica e un azzardo. Il suo corpo rispondeva sempre meno ai comandi, si irrigidiva, procedeva a scatti.

Andrea e Marco avevano imparato a rifare il letto prima di andare a scuola, a mettere i piatti nel lavandino dopo aver mangiato, a buttare i panni e gli indumenti sporchi nella cesta del bagno e a tenere in ordine la stanza.

Erano cambiate molte cose: non si poteva più giocare in casa, spesso il telefono veniva staccato e niente musica o televisione a volume alto. Andrea e Marco avevano imparato anche a litigare a voce bassa.

La madre odiava i cambiamenti, i riguardi nei suoi confronti, e viveva le cortesie come umiliazioni. Odiava il silenzio che cercavano di rispettare, odiava che facessero di tutto per non disturbarla, odiava quella quotidianità bisbigliata e soffocata. Finché era viva voleva sentire la vita scorrere, voleva sentire le cose cadere e rompersi.

Tutti si sentivano braccati e messi in gabbia, senza che se ne rendessero conto erano diventati più tristi.

La malattia aveva portato con sé molte novità, nomi nuovi che prima non si conoscevano: nomi di medicinali che diventavano consueti, di professioni mediche, di dottori che sembravano via via diventare membri della famiglia.

Sulla cassettiera in camera della madre c'erano sempre stati delle foto, un portagioielli e una statuina di ceramica. Nei mesi della malattia la cassettiera era diventata una piccola farmacia: medicine, ricette, appuntamenti con i medici, fogli con prescrizioni.

Il padre, la nonna e i figli erano diventati dei piccoli infermieri improvvisati. A volte non si ricordavano se la madre avesse già preso le pastiglie, allora il padre aveva preso dal freezer lo stampo per i cubetti di ghiaccio e in ogni cavità aveva scritto l'iniziale dei giorni della settimana. Usava quel sistema come agenda, riempiendo i buchi per fare il ghiaccio di pastiglie colorate.

Gli adulti e i parenti stretti sapevano che non c'era possibilità di guarigione per lei. Quando venivano in visita, si sentivano in dovere di rallegrare Andrea e Marco, per questo spesso ostentavano un'improbabile euforia. Era un comportamento che nessuno di loro tre amava. Era come se facessero pena e non volevano la pietà di nessuno.

Gli adulti sapevano che la malattia aveva gettato un'ombra lunga sulla vita dei due ragazzi, la condizione della madre aveva condannato i figli.

Una domenica mattina il padre, d'accordo con la madre, aveva portato Andrea giù in cantina con la scusa di alcuni lavori.

Andrea era contento, era sempre contento quando poteva stare solo col padre.

"Devo dirti una cosa importante."

"Dimmi, papà."

"Ho bisogno che mi prometti di essere forte."

"Te lo prometto."

"Bravo, non devi dire questa cosa a nessuno, nemmeno a tuo fratello, è un segreto mio, tuo, della mamma e della nonna. Me lo prometti?"

Andrea aveva sentito un'emozione grandissima. L'idea di poter condividere un segreto con il padre lo faceva sentire speciale.

"Certo che te lo prometto, non lo dirò a Marco."

Il padre aveva appoggiato le mani sulle spalle di Andrea. "La mamma è molto malata, lo hai visto anche tu. Non guarirà." Non era riuscito a proseguire la frase. Gli occhi di suo figlio erano così spaventati da bloccarlo.

Andrea aveva capito. "La mamma sta morendo, vero?"

Il padre aveva fatto sì con la testa. Andrea aveva cominciato a piangere.

"Mi hai detto che saresti stato forte, me lo hai promesso."

"Lo so, papà, scusami" ma non riusciva a smettere e si odiava per questo.

Quando erano risaliti in casa, Andrea si era chiuso in bagno con la faccia affondata nell'asciugamano per non farsi sentire. Un dolore forte allo stomaco lo aveva costretto a piegarsi finché non aveva smesso di piangere.

Più tardi la madre gli aveva detto: "Lo so che non è facile essere il fratello maggiore, ma tu sei forte e sono più serena sapendo che ci sei tu, sapendo che starai attento a tuo fratello e che aiuterai il papà".

Quelle parole gli erano entrate nella carne. Aveva provato un dolore fisico e interiore. Non stava bene. Sentiva di non essere sincero con lei, di non esserlo stato nemmeno col padre. Si era reso conto di non essere così forte come aveva detto.

Non aveva detto nulla a Marco, a volte lo guardava e pensava: *Se solo sapessi quello che so io.*

Andrea faceva i compiti in camera con la madre, gli piacevano il silenzio, la delicatezza e la tranquillità della stanza. Lei dormiva, tentava di leggere, guardava suo figlio così impegnato nello studio.

Andrea amava alzare lo sguardo e vedere il viso di lei che lo osservava, si sorridevano.

"Hai bisogno di qualcosa, mamma?"

Lei faceva no con la testa.

A volte, quando si sentiva osservato, faceva piccole smorfie, si mordeva il labbro, aggrottava la fronte, per fingere concentrazione e farle capire che si stava davvero impegnando. Voleva che lei fosse orgogliosa di lui.

"Sei proprio bravo, Andrea, sei proprio un bravo ragazzo."

Quando gli diceva così, dentro di lui esplodeva la felicità, come se fosse rimasto lì tutto il tempo solo per sentire quelle parole.

Parlavano molto in quel periodo, erano molto vicini, la malattia aveva donato loro del tempo insieme. Andrea era consapevole che quei pomeriggi erano un grande tesoro.

"Chissà che faccia avrai quando sarai più grande. Come sarai con i capelli bianchi? Chissà come sarà tua moglie. Ti sposerai? Trovati una brava ragazza, una che ti voglia bene veramente... C'è già qualcuna che ti piace?"

Andrea a volte restava a guardare la madre dormire, in quei momenti non sembrava malata. Era un'immagine così delicata e dolce che era difficile pensare a quello che stava vivendo.

Avevano considerato di farsi aiutare da qualcuno esterno alla famiglia, ma avevano capito che per lei era difficile accettare un estraneo per quelle mansioni. Avevano deciso di arrangiarsi finché fosse stato possibile.

Solo il fisioterapista veniva due volte a settimana per gli esercizi. Poi avevano deciso di prendere una donna per le faccende di casa, non se ne poteva fare a meno. La signora Anna era una donna molto discreta e seria, capace di capire la situazione. In poche settimane si era conquistata la simpatia e la stima di tutti. Anche se non era nei suoi compiti, spesso aiutava anche la madre. C'era voluto del tempo ma alla fine era entrata nella cerchia ristretta degli affetti. Una di famiglia.

I figli erano esclusi dalle pratiche più intime, erano la nonna e il padre a lavarla. Quando era a letto la giravano e usavano un panno bagnato per pulirla, ogni tanto la facevano sedere nuda nella doccia e chi si occupava di lavarla entrava con lei.

Il dolore che stava consegnando al marito, ai genitori e soprattutto ai figli l'angosciava. Aveva la consapevolezza di aver alterato il loro futuro e compromesso la loro autenticità.

Un figlio non dovrebbe mai smettere di poter dire "mamma", aveva pensato un giorno.

Andrea guardava quello che faceva il fisioterapista e ogni tanto quando rimanevano soli lo imitava, massaggiava i piedi della madre, i polpacci, le braccia, le piegava le gambe.

La aiutava a infilarsi la vestaglia pulita, a pettinarsi, a truccarsi. La madre da quando era malata teneva molto alla cura del suo aspetto. Quando stava bene non le era mai importato. Era una donna pratica e per nulla vanitosa.

"Hai paura, mamma?" le aveva chiesto Andrea un giorno.

"A volte sì... un po'."

"Sei sicura che non c'è niente che possa fare?"

"Fai già tanto. Grazie a te a volte mi sembra di poter sopportare tutto. In realtà una cosa puoi farla per me."

"Cosa?"

"Vorrei che non rimanessi sempre qui, che uscissi."

"Ma io sono contento di stare qui."

La sua condizione peggiorava sempre di più, lei iniziava a pronunciare male le parole, a sbagliarle. Il cibo ormai veniva sempre frullato. Dai lati della bocca sbavava quello che beveva. Tutto cambiava, la malattia rosicchiava piano piano il tempo buono.

Un giorno la nonna aveva detto ad Andrea che era meglio lasciar sola la mamma, era stata lei stessa a volerlo, non voleva condannare il figlio ad avere un'immagine di lei sempre più degradata e sempre più difficile da sostenere.

Il divieto aveva causato un dolore infinito ad Andrea, più ancora della morte stessa.

Marco non riusciva a stare con la madre. A volte avrebbe voluto dirle che le voleva bene ma le parole non gli uscivano dalla bocca. Sentiva una cosa che gli saliva dallo stomaco e non voleva che lei lo vedesse piangere.

Quando a scuola suonava la campanella, gli sembrava impossibile che fosse già l'ora di tornare a casa. Rimetteva i quaderni e i libri nello zaino lentamente, e quando aveva finito i suoi compagni erano già per strada. Era successo più di una volta che la professoressa lo aspettasse sulla porta. "Allora, Bertelli, vuoi rimanere qui fino a domani?" Non poteva sapere che lui avrebbe risposto volentieri di sì. Quando usciva dalla scuola, il bidello aveva già chiuso mezzo cancello e lo aspettava.

Qualsiasi scusa era buona per ritardare, cercava i semafori rossi e prendeva strade alternative per allungare il tragitto. La casa che lo attendeva era troppo piena di silenzi, di dolore e di porte chiuse. Quando entrava andava direttamente in cucina, dove la nonna gli aveva preparato il pranzo.

"Come mai ci hai messo così tanto? Vuoi che te lo riscaldi?"

"Grazie, nonna, va bene così."

A volte tornando a casa si fermava dal panettiere a comprare della pizza, sempre con l'intento di ritardare, e in quei giorni a tavola fingeva di aver fame e cercava di finire tutto.

Poi andava a salutare la madre, dopo essersi ripromesso di farsi forza e di non piangere. Le dava un bacio, lei gli domandava com'era andata a scuola, lui rispondeva "tutto bene" e rimaneva lì qualche minuto, poi si alzava e se ne andava via. L'unica cosa che gli piaceva era cucinare con la nonna i piatti preferiti della madre. Da solo sapeva già fare pizze, torte e biscotti, a volte li faceva solo per lei.

Marco avrebbe fatto qualsiasi cosa per far guarire la madre. In segreto faceva promesse a Dio. In classe con lui c'era un ragazzo che aveva un problema nel pronunciare certe lettere, sostituiva la "s" con la "f". Diceva: "Ti ho falutato, giuro, fono ficuro, fei per fei trentafei". A scuola tutti lo sfottevano, aveva pure la sfortuna di chiamarsi Simone, o Fimone, come diceva lui. C'erano altri due ragazzi con lo stesso problema nella scuola e due volte a settimana lasciavano la classe e andavano in una stanza con un logopedista per togliere il difetto. Marco un giorno aveva chiesto a Dio di fare cambio: quel disturbo per la guarigione della madre.

Tanto io se mi sfottono so come difendermi e farmi rispettare.

Il giorno del baratto con Dio, mentre camminava verso casa faceva le prove e ripeteva tutte le parole che gli venivano in mente: "Faccio prefto a tornare a cafa cofì mangio la pafta e per fecondo fpero ci fia una fogliola". Immaginava che Dio fosse veramente buono come si raccontava in giro e sperava che un giorno entrando in casa avrebbe trovato la madre ai fornelli mentre preparava il pranzo. L'avrebbe abbracciata.

"Che c'è, Marco? Perché questo abbraccio così forte e così lungo?"

"Ti abbraccio perché ti voglio bene, mamma. Ho fatto un brutto sogno, tu eri malata ma adesso è passato tutto."

Invece quando tornava a casa lei era sempre a letto, e lui non la abbracciava perché una volta nel farlo era scoppiato in lacrime e lei gli aveva detto di non piangere, e più glielo diceva più lui non riusciva a smettere e sapeva che per lei era un dolore. Lui non era bravo e forte come suo fratello.

Una mattina, mentre andavano a scuola, Marco non si era sentito bene e si era dovuto fermare a vomitare. Era tornato a casa. La porta del bagno in fondo al corridoio era aperta, e lui si era avvicinato. Nessuno si era accorto che era entrato. Attraverso la porta socchiusa aveva visto la madre nuda, seduta su una sedia sotto la doccia. La nonna con indosso solo le mutande e una cuffia di plastica la stava lavando.

Mentre la lavava le diceva ciò che stava facendo e che avrebbe fatto: "Adesso il braccio destro, poi la schiena, poi le gambe". La lavava come aveva fatto quando la figlia era ancora una bambina.

Marco era rimasto immobile, paralizzato da quella scena, dal dolore e dall'umiliazione che raccontava. La madre si era accorta di lui, si erano guardati negli occhi per qualche secondo prima che la nonna, girandosi, gli gridasse: "Cosa ci fai qui? Chiudi la porta e vai di là".

Marco aveva partecipato alla vita segreta del mattino, alle cose che accadevano quando lui e Andrea non erano a casa.

Marco aveva avuto l'influenza e la febbre per due giorni. Per paura che contagiasse anche la mamma era stato costretto a stare chiuso in camera sua.

L'immagine di sua madre nuda sotto la doccia con la carnagione bianca, senza forze, appesa alla nonna quasi fosse aggrappata con un filo alla vita, tormentava Marco. Come se solo in quel momento avesse capito quanto fosse malata. La sera a letto non riusciva ad addormentarsi. Le notti erano diventate infinite. Veniva assalito da una serie di pensieri e paure che faceva fatica a identificare bene. Gli si chiudeva lo stomaco e rimaneva sveglio.

Una domenica pomeriggio Marco aveva sentito il padre parlare a bassa voce al telefono. La conversazione lo aveva sconvolto. Da quel momento aveva iniziato a comportarsi in maniera strana, a disobbedire.

"Smettila di sbattere la bocca" gli aveva detto suo padre durante una cena.

Marco aveva preso i maccheroni dal piatto con le mani.

"Usa la forchetta" aveva aggiunto il padre spazientito passandosi il tovagliolo sulla bocca.

Lui aveva deciso di sfidare l'autorità, aveva preso un altro maccherone con le mani e aveva iniziato a masticare sbattendo la bocca. Il padre lo aveva guardato senza dire nulla, poi gli aveva mollato un ceffone sulla faccia così velocemente che Marco non si era nemmeno accorto da dove fosse partito.

"Vai in camera tua. Per questa sera hai finito di mangiare."

Marco si era alzato di scatto, ferito da qualcosa che era più doloroso di quello schiaffo. Aveva guardato il padre e gli aveva gridato: "Lo so che la mamma sta morendo, ti ho sentito al telefono" e se ne era andato in camera sua, buttandosi sul letto. Dopo qualche minuto aveva sentito la porta di casa chiudersi, il padre era uscito. Sua madre era a letto. Lui sapeva che stava morendo. Aveva paura che morisse.

Più tardi da Marco era entrata la nonna, si era seduta sul suo letto e senza dire una parola aveva iniziato ad accarezzargli la testa.

Marco aveva il viso rivolto verso il muro, non voleva che lei capisse che aveva pianto. Si era addormentato così, esausto, con la mano della nonna tra i capelli. Al mattino si era svegliato solo. La nonna in cucina, il padre al lavoro, suo fratello che faceva colazione.

Lentamente le loro relazioni venivano gestite da nuove dinamiche.

Il padre non era stato in grado di affrontare quella situazione. Si dice che nessuno è genitore solo perché ha dei figli, genitori si diventa imparando giorno dopo giorno, avendoli e crescendoli. Da solo, senza la moglie al suo fianco, il padre non era mai riuscito a esserlo veramente.

Andrea e Marco avrebbero dovuto avere la possibilità di chiedere, di parlare, di capire cosa stava succedendo, invece il goffo tentativo di proteggerli aveva peggiorato tutto, aumentando paure e disagi interiori. La scelta di escludere i figli, soprattutto Marco, era stata un grosso errore.

Così in casa erano cominciati lunghi silenzi, piccole bugie, parole non dette. Gli atti erano sempre efficaci, le azioni precise, i gesti esatti, così che il silenzio non generasse incomprensioni. Tutto sembrava sospeso dentro delicati equilibri. Si era creato all'interno di quella famiglia un nuovo linguaggio senza parole.

Nessuno in casa era stato in grado di recitare una finta allegria. Ognuno nel tentativo di sopravvivere si era chiuso nella propria sofferenza. In quel periodo le azioni, le parole, i progetti, la vita erano avvolti dal provvisorio. Tutto era precario, perché tutto era attesa. Un'attesa tremenda.

Un pomeriggio Marco, mentre stava andando dagli amici in piazzetta, si era accorto che quando pensava a sua madre gli appariva malata, sempre a letto con la camicia da notte bianca, con il labbro storto come le era venuto negli ultimi tempi. Quell'immagine stava consumando i ricordi belli e felici che aveva di lei prima della malattia. Marco la stava perdendo anche dentro la sua testa, il suo viso stava scomparendo.

Per questo si sforzava di ricordare ogni giorno la sua vera mamma, quella che gli preparava la colazione, che lo aiutava a fare i compiti, che camminava e si vestiva, che entrava e usciva dalle stanze raccogliendo i panni sporchi, quella che cenava con loro quando erano ancora una famiglia normale. Si era ripromesso che ogni giorno avrebbe dedicato qualche minuto a rievocare quelle immagini per non perderla, per non perdere la sua vera mamma.

Alcune immagini gli tornavano in mente spesso, non le sceglieva secondo un filo logico, gli apparivano così: la madre mentre ritagliava la carta per foderare i cassetti della credenza, mentre in piedi sulla sedia lavava i vetri delle finestre coi fogli di giornale, mentre tirava le tagliatelle col matterello.

A volte per ricordarla meglio si aiutava guardando di nascosto le fotografie dove lei stava ancora bene ed era felice, piena di vita. Un giorno aveva visto Andrea sfogliare gli stessi album.

Quando si era accorto della presenza di Marco, Andrea li aveva chiusi subito come se si vergognasse.

Marco avrebbe voluto dirgli che anche lui faceva la stessa cosa: cercare di riportare la loro madre a vivere con loro, come in passato. Almeno nella loro memoria. Come avrebbe dovuto essere se Dio fosse stato buono come si diceva in giro. Dopo la morte della madre, Marco prima di addormentarsi le chiedeva di apparirgli in sogno. Non era mai successo.

I pomeriggi dopo la scuola

Una mattina, prima di andare in ospedale dal padre, Marco uscì di casa con l'idea di passare in una libreria. Aveva voglia di sfogliare qualche libro, sentirne l'odore e aspettare l'incontro fatale con una copertina che lo avrebbe attratto. Di solito leggeva una decina di righe, poi saltava ad altre pagine a caso. Se era fortunato poteva vivere l'emozione meravigliosa che si prova quando leggi le parole perfette per quel momento della tua vita.

Girovagando tra gli scaffali comprò tre libri e andò al bar sotto i portici per leggere. Un uomo seduto a terra con un cane gli chiese degli spicci, Marco infilò la mano nella tasca dei pantaloni ma prima di scegliere la moneta da tirare fuori cercò di capire quali aveva per evitare di prenderne una troppo grossa. Per sbaglio confuse i cinquanta centesimi con i due euro, glieli diede ugualmente ma con dispiacere. *Sono un uomo orrendo, lo so.*

Poi si sedette a un tavolino e dopo qualche secondo arrivò la cameriera. Aveva una camicia molto aderente con i bottoni aperti fino a metà seno. Mentre Marco le diceva cosa voleva, cornetto spremuta acqua e caffè, lei si piegò in avanti per pulire il tavolo con una spugna facendo dei cerchi con la mano. Quando vedeva seni grandi come quelli della ragazza, che sembravano voler esplodere da un momento all'altro, a Marco veniva sempre il desiderio di toccarli, di infilarci dentro le mani e la faccia come un bambino davanti a una vaschetta di gelato.

«Mi spiace ma non abbiamo arance per fare la spremuta, abbiamo dei succhi di frutta.»

«Non importa, va bene solamente cornetto acqua e caffè.»

Prese il sacchetto con i libri e iniziò a sfogliarne uno. Una signora al bancone del bar lo distrasse dalla lettura, stava ordinando un cornetto. «No, non quello, quello dietro. No, non il secondo, il terzo, quello sotto che mi sembra un po' più grande. Ecco quello lì, perfetto.»

Marco avrebbe voluto alzarsi, andare verso di lei e abbracciarla: *Se deve vivere così, signora, si spari in faccia che soffre meno. Mi guardi bene negli occhi e si fidi di quello che le dico: lei si deve riprendere, è un cornetto, non sta scegliendo un appartamento.*

Rimase in quel bar per una mezz'oretta, poi si diresse verso l'ospedale.

Dopo aver fatto tutti i portici a piedi, si accorse di aver dimenticato gli occhiali da sole al bar e tornò indietro a passo veloce. Sulla porta del locale si scontrò con una signora.

«Mi scusi» disse educatamente.

«Mi scusi lei» rispose la signora. «Marco.»

«Signora Rossana, come va? Non l'avevo riconosciuta.»

«Ma che ci fai qui? Non sei a Londra?»

«Sono tornato qualche giorno. La trovo in forma.»

«Gli anni passano, ma non mi lamento.»

«Su di lei il tempo non lascia traccia.»

«Grazie, Marco, sei sempre molto gentile.»

«Isabella come sta?»

«Bene, tra una decina di giorni viene a trovarmi con la bambina.»

«Non lo sapevo.»

«Strano che non te l'abbia detto, mi dice che vi sentite spesso.»

Marco rimase sorpreso. «Sì, ci sentiamo spesso ma in questo periodo sono stato molto preso con mio padre, non sta bene.»

«Spero non sia nulla di grave.»

«Si è rotto il femore e dovrà fare la riabilitazione in ospedale. In realtà c'è anche qualcosa che non funziona alla testa. Più tardi abbiamo un appuntamento con il medico e sapremo di più.»

«Mi dispiace tanto, portagli i miei auguri. Mi ha fatto piacere vederti.»

«Anche a me, a presto.»

Camminando verso l'ospedale sentiva addosso il profumo della mamma di Isabella, lo stesso che usava da sempre. In un secondo lo aveva riportato indietro negli anni, quando frequentava la loro casa. Si ricordava delle volte in cui si era masturbato nel lavandino del loro bagno annusando la vestaglia di quella donna. Erano gli anni delle superiori.

In quel periodo, dopo la scuola Marco passava i pomeriggi a casa di Isabella. La sua presenza era così frequente che la signora Teresa, la donna delle pulizie, apparecchiava anche per lui. I genitori a pranzo non c'erano mai. Marco e Isabella mangiavano insieme, poi sparecchiavano, mettevano i piatti nel lavandino e il tavolo in un attimo si riempiva di libri, quaderni e cose da imparare.

Di recente Marco aveva detto a degli amici che se non fosse stato per Isabella non avrebbe mai preso la maturità. In realtà lei non lo aveva aiutato solo in questo, quando l'aveva incontrata Marco non credeva in nulla, nulla gli sembrava importante. Lei gli aveva ridato fiducia e voglia di vivere. Dopo anni lei era la prima cosa per cui valesse la pena svegliarsi al mattino.

Isabella frequentava il liceo artistico, amava le materie che studiava, soprattutto storia dell'arte. Lui faceva ragioneria. In quei pomeriggi, grazie a lei, Marco aveva imparato un sacco di cose sull'arte.

Potevano stare anche ore in silenzio, ognuno concentrato sui propri compiti. C'erano giorni però in cui Marco era così eccitato che non riusciva a studiare. Gli veniva un'erezione tanto potente nei pantaloni da procurargli dolore. Si sentiva esplodere.

Andava in bagno, ce l'aveva duro e in un secondo si masturbava. Era più forte di lui, la voglia costante era incontrollabile.

Era in quelle occasioni che spesso si faceva una sega annusando la vestaglia di seta della madre di Isabella. Se ne stava lì in piedi davanti al lavandino, con la faccia affondata in quel profumo mentre con l'altra mano se lo sbatteva così forte che in meno di un minuto veniva. A volte il getto finiva sul rubinetto o sul muro di fronte.

Quando usava la vestaglia un po' si vergognava e si sentiva in colpa. Soprattutto quando tornava in cucina da Isabella e lei era lì, ignara di tutto quello che era successo. Amava Isabella. Quello che accadeva tra lui e sua madre non c'entrava nulla con loro. Una volta nella cesta dei panni sporchi aveva trovato un paio di mutande della madre. Le aveva annusate a lungo. Un odore forte che gli dava le vertigini.

La madre era una bella donna, con un seno enorme così invitante che a volte anche fuori da quel bagno l'aveva scopata. Chiudeva gli occhi e si immaginava di essere in camera di Isabella, dalla porta entrava sua mamma nuda con la vestaglia aperta. Che poteva fare? Niente. Si scopava la suocera e via.

In quei mesi lui e Isabella passavano ore a baciarsi e stuzzicarsi, senza mai spogliarsi. Erano i pomeriggi in cui Marco, dopo vari strusciamenti, veniva nelle mutande. Era il periodo in cui Isabella non si sentiva ancora pronta per fare l'amore con lui.

Poi, dietro le continue richieste incalzanti, lei aveva iniziato a concedere qualcosa: toccarsi sotto i vestiti, prima il seno e poi la parte più intima.

Marco aveva completamente perso la testa. Era una pentola a pressione che stava per esplodere. *Ma che mi frega di economia e di matematica o del mio futuro. Io questo voglio, fare l'amore con lei.*

Per i maschi era un vanto riuscire a toccare una ragazza nelle parti intime. A scuola c'erano quelli che dicevano di aver toccato una ragazza per un'ora, oppure raccontavano con quante dita l'avevano penetrata. "Le ho infilato due dita... io tre dita... io quattro... io la mano..."

"E che cazzo è? La bocca della verità che ci infili tutta la mano dentro... che troia!" aveva commentato una volta Daniele Pedretti facendo ridere tutta la sezione A.

A lui piaceva toccarla, sentire il respiro di lei che cambiava, quando dopo un po' iniziava a tremare piena di tensione e dalla sua bocca uscivano dei piagnucolii, dei piccoli lamenti, dei gemiti di piacere.

Come quando lei gli aveva chiesto se fosse venuto, dopo aver visto delle gocce uscire dalla punta.

"No, non sono venuto, è un liquido che esce per lubrificare."

"Sembra una lacrima" aveva risposto lei mentre lo toccava incuriosita. Era il periodo delle scoperte del corpo, il proprio e quello dell'altro. Tutto era meraviglia, stupore, sorpresa.

Un pomeriggio erano andati al cinema e Isabella a un certo punto gli aveva abbassato la lampo, gli aveva infilato le dita dentro e aveva iniziato a giocherellare un po'. Marco era rimasto piacevolmente sorpreso da quella sua iniziativa. Aveva visto il film sentendo il calore della sua mano. Da quel pomeriggio ogni volta che gli era capitato di incrociare quel film lui si ritrovava addosso la stessa sensazione e subito gli veniva un'erezione.

Gli piaceva essere masturbato da lei, era molto diverso e più piacevole di quando lo faceva da solo. Dopo l'orgasmo Marco rimaneva a letto con la faccia soddisfatta e beata. Non avevano mai fatto l'amore. Non poteva sapere che il meglio doveva ancora arrivare.

La prima volta che Marco aveva visto Isabella nuda, sdraiata come un sogno in attesa, aveva sentito una forza così dirompente che si era spaventato. Sembrava un sogno fin troppo grande per lui, aveva paura che toccandola lei svanisse. "L'essere più bello della terra", come spesso la chiamava.

Un pomeriggio erano sdraiati a letto uno di fianco all'altra. Si accarezzavano il viso a vicenda, era un momento di infinita dolcezza.

Isabella per l'ennesima volta aveva detto di no, non voleva fare l'amore, non se la sentiva. Marco come sempre aveva accettato la sua decisione, non ci rimaneva nemmeno più male.

Stavano parlando dei loro sogni, di quello che avrebbero voluto fare da grandi. Isabella era brava a disegnare e sognava di diventare stilista. Camera sua era piena di fogli con donne senza volto che indossavano vestiti disegnati da lei. "Ma voglio anche fare la mamma, avere tre figli. Però dopo che il lavoro ha ingranato e mi posso occupare di loro. Non voglio fare come i miei genitori. Voglio giocare con i miei bambini e con mio marito."

"Sarò io tuo marito."

"Vediamo, se ti comporti bene." Avevano sorriso. "E poi devi ancora dirmi che lavoro vuoi fare, ogni volta che te lo chiedo fai il vago."

"Faccio il vago perché non lo so cosa voglio fare. Mi piace cucinare ma non credo che lo farò nella vita. Finita la scuola mi piacerebbe viaggiare, andare da qualche parte nel mondo, ma poi penso che mi mancheresti da morire o che magari mentre sono via mi lasci e ti metti con un altro. Allora penso che non devo andare proprio da nessuna parte, che devo restare qui con te e qualcosa farò."

"Non devi rinunciare ai tuoi sogni per me."

"Sei tu il mio sogno." E si diedero un bacio.

Poi si guardarono negli occhi e dopo un lungo silenzio lei disse: "Facciamolo".

"Cosa?"

"Facciamo l'amore."

Marco aveva deglutito. Anche se erano mesi che aspettava quel momento, nel sentire quelle parole si era spaventato.

Si diedero un altro bacio, lungo, delicato. Lentamente si sdraiò sopra di lei e dopo qualche goffo tentativo riuscì a entrare.

Lo fecero due volte. Quella sera prima di andare a dormire si era guardato allo specchio e si era visto uomo. Si era addormentato con un sorriso così grande che per poco non gli si erano strappate le guance.

Da quella volta lo avevano fatto tutti i pomeriggi. Isabella ogni tanto aveva imparato a negarsi e certe volte era così crudele che non solo diceva no, ma aggiungeva anche: "Non è detto che oggi lo facciamo".

Darlo per scontato la faceva sentire meno attraente. Marco rispettava la scelta di lei, però dopo si alzava, andava in bagno, chiudeva gli occhi e si scopava la vestaglia di sua madre.

I pomeriggi a casa di Isabella erano tra i suoi ricordi migliori, quelli a cui si aggrappava nei momenti difficili.

Quanto gli piaceva in quegli anni starsene lì a fare i compiti in sua compagnia, quanto gli piaceva appoggiare lo sguardo su di lei. Isabella aveva la capacità di essere dolce ed eccitante al tempo stesso. Marco poteva perdere la testa e sentire calore in tutto il corpo solo a guardarla: mentre rosicchiava la penna, mentre giocherellava con un ciuffo di capelli tra le dita, quando alzando gli occhi lo trovava a osservarla e faceva un piccolo sorriso e uno sguardo malizioso. Lui sentiva una fiamma divorarlo.

Le guardava il collo, il profilo, le labbra, osservava le sue curve e gli sembrava che cambiassero continuamente, che fosse sempre diversa.

A volte le fissava un triangolo di pelle attraverso la camicia e si concentrava sulla piccola fessura tra i bottoni. Aspettava che dei movimenti allargassero lo spiraglio tanto da riuscire a vedere un pezzo di reggipetto o, se era fortunato, la curva del seno. Un seno che stava perfettamente nella sua mano, bello, sodo con quel capezzolo rosa che lui amava baciare.

Isabella lo sapeva, lo sentiva, molti dei movimenti che faceva non erano casuali come pensava lui, ma erano parte del gioco. Pur essendo molto giovane, sembrava aver già imparato e capito le regole della seduzione.

Le piaceva farlo aspettare, stuzzicarlo, provocarlo, prolungare quel senso di potere che sentiva di avere su di lui.

Quella mattina Marco era contento di sapere che Isabella stava tornando a Milano. Non si sentivano da due anni, alla mamma di lei aveva mentito, come evidentemente aveva mentito Isabella. È sempre difficile spiegare ai genitori certe cose. In quegli anni avevano chiesto ad amici comuni notizie l'uno dell'altra, ma si erano evitati. Succedeva che non si sentissero per un po', non erano mai veramente usciti l'uno dalla vita dell'altro. Qualcosa li teneva legati da sempre.

Ma l'ultima volta qualcosa era cambiato, lui non si era comportato bene con lei.

Tre uomini non è semplice

Marco arrivò all'ospedale verso le undici. Il padre dormiva, muovendo ogni tanto la bocca come fanno le mucche quando ruminano.

Si sedette accanto al letto nel caso si fosse svegliato e avesse avuto bisogno di qualcosa. L'operazione era andata bene, così lo aveva rassicurato l'infermiera.

Osservava suo padre e cercava di vederlo solamente come un uomo, uno sconosciuto, come se non avesse un legame con lui. Guardava se stesso come un osservatore esterno.

Tra loro due non erano rimasti grossi rancori, grandi questioni in sospeso. Negli anni, soprattutto negli ultimi, il loro rapporto si era risolto. Anche grazie alla distanza, si erano capiti, si erano riconosciuti e soprattutto perdonati. Da quando Marco era diventato un uomo, se non altro per una questione anagrafica, aveva compreso molte cose di suo padre e con stupore si era accorto di assomigliargli, più di quanto pensasse. Da ragazzino aveva cercato di allontanarsi da lui, non perché non lo amasse, al contrario: lo amava così tanto che vederlo infelice lo tormentava. Per Marco la vulnerabilità, il dolore, la sofferenza del padre erano insopportabili. Si sentiva perso davanti alla sua fragilità, ai suoi silenzi, al senso di prigionia di quell'uomo che si era trovato incastrato in una vita non prevista. Da quando la madre era morta, il padre aveva cercato di proteggere i propri figli da tutto, ma non era riuscito a proteggerli dalla propria infelicità. Parlava sempre meno. Non erano più riusciti a essere una famiglia, a capire come fare. Senza di lei, era come se fosse scomparso un collante, qualcosa che li conteneva, che li univa, che li aveva sempre tenuti insieme. Senza di lei sembravano solamente tre persone, tre uomini che convivevano.

Tre uomini non era una situazione semplice. Poteva incepparsi anche davanti a piccole difficoltà, per esempio era capitato che la moka si fosse rotta, il caffè saliva solo per metà, poi si bloccava. Un giorno la nonna, accorgendosi che il caffè aveva smesso di salire, l'aveva presa, messa sotto il getto di acqua fredda e rimessa sul fornello. Dopo poco il resto del caffè era salito tutto. *Non siamo in grado nemmeno di farci un caffè da soli,* aveva pensato Marco.

L'assenza della madre aveva costretto il padre a interpretare un ruolo per cui non aveva nessun talento e nessuna predisposizione. Si capiva che aveva un'indole e un destino migliori della vita che era stato costretto a vivere. Era un uomo mite e razionale. Lavorava molto, al mattino usciva di casa presto e la sera tornava stanco. Parlava poco. Era diventato una presenza invisibile. Per Andrea e Marco il padre era la tazzina col fondo di caffè che trovavano nel lavandino quando si svegliavano, era la maglietta sporca nella cesta dei panni, il soprabito appeso vicino all'ingresso.

Nel comportamento verso i figli aveva sviluppato una nervosa e mal gestita severità, era duro e categorico nel difendere il vecchio verso qualsiasi forma di cambiamento. Una durezza che a volte arrivava a essere ottusità, nella convinzione che i due figli andassero temprati per poter affrontare le avversità della vita.

Solo ora Marco capiva che grazie a quell'uomo sdraiato a letto e al desiderio di combatterlo era riuscito a decidere di andarsene. Era riuscito a dar vita alla versione più originale di se stesso. Il coraggio di sopportare e resistere.

Guardava quell'uomo ormai privato di tutto, delle forze,

di una semplice indipendenza, e gli faceva tenerezza. Era un uomo che aveva lavorato sodo tutta la vita.

Cosa resta di tutte le nostre battaglie e discussioni? Resta ciò che siamo diventati. Sono figlio della mia ribellione e dei suoi divieti.

Marco aveva sempre pensato che lui e suo padre si fossero amati nonostante i loro difetti, le loro debolezze, poi aveva capito che non era così: loro si erano amati *grazie* ai loro difetti e alle loro debolezze.

Proprio nei momenti in cui pensavano di odiarsi, in cui litigavano, si scontravano, alzavano la voce, sbattevano i pugni sul tavolo, in realtà si stavano gridando il loro amore. Così si erano amati Marco e suo padre: nelle cose che odiavano l'uno dell'altro.

I motivi per cui si era sempre scontrato con il padre erano gli stessi che ora lo commuovevano di più. Marco non poteva sapere che una delle ragioni per cui il padre faticava di più a rapportarsi con lui era la sua somiglianza sfacciata con la madre, nel carattere, nei lineamenti, nel modo di fare. Soprattutto nello sguardo e nel sorriso.

Anche lei, come Marco, non accettava facilmente ciò su cui non era d'accordo, amava dire la sua. Ogni volta che discutevano tra di loro, il padre si ritrovava davanti la donna che aveva amato e perso.

Era sempre sostenuto da Andrea, che si atteggiava da adulto, e il comportamento del fratello creava un'alleanza da cui Marco era escluso. Marco aveva dovuto imparare a sostenersi da solo.

Andrea dominava spesso la conversazione. Lui era poliziotto di se stesso, disciplinato, responsabile e maturo.

Marco rifiutava l'atteggiamento perentorio del padre. Nessuno poteva arginare le sue inquietudini, nemmeno la sua voce interna, perché ogni convinzione, ogni presa di coscienza veniva spazzata via qualche minuto dopo dalla posizione opposta, in un continuo gioco di rovesciamenti. Per ogni pensiero un pensiero opposto, per ogni passione una passione contraria. Non capiva se quel tormento andava sconfitto o accettato. Forse faceva parte dell'essere umano. Quante sere era rimasto in silenzio ad ascoltare i rumori dentro di sé, a cercare alternative a tutto.

Marco lentamente stava coltivando l'esigenza di conoscere se stesso, di riuscire a dare un volto alla persona che da tempo gridava dentro di lui.

Aveva iniziato a sospettare che l'unico modo fosse andarsene da casa, andarsene dal passato, allontanarsi dal presente e soprattutto fuggire da quel futuro.

Doveva andarsene se non voleva essere altro da sé, andarsene da una vita che lo paralizzava, lo schiacciava, lo legava. La vita che stava vivendo lo stava derubando di se stesso. Doveva andarsene da un modo di comportarsi che non gli apparteneva, dalla rabbia che lo stava distruggendo. Quel disagio aveva dato voce a una parte di Marco che voleva andare fino in fondo, voleva scendere ancora più in basso per scoprire quanto profondo potesse essere il senso di vuoto.

Doveva scappare e rigenerarsi. Non poteva alleviare il malessere cambiando alcune regole, doveva cambiare gioco.

Può esistere al mondo un posto sereno per una persona che non si è sentita a proprio agio a casa sua? Non poteva fare altro che aprire la porta di casa e andare a cercare la risposta.

Il modo in cui la sua famiglia guardava il mondo era una verità che a lui non piaceva più.

Se fosse rimasto avrebbe rovinato la recita a tutti, ormai aveva iniziato a dire in faccia quello che pensava. Sentiva il desiderio di andare dentro le cose, di capire ciò che si nascondeva dietro quella situazione che spingeva tutti a mentire. Non voleva essere rassicurato con le menzogne, odiava quella falsa quiete. Per questo sbatteva le porte, alzava la voce, litigava con suo fratello.

Il senso di inadeguatezza che provava aveva iniziato a seguirlo anche fuori dalle pareti di casa.

Marco aveva deciso di non fare l'università e di mettere via un po' di soldi facendo il lavoro che gli piaceva mentre capiva dove voleva andare.

"Se hai intenzione di lavorare in una pizzeria e buttare via la tua vita fai pure."

“Andrea, lasciami in pace, non rompermi le palle.”

“Non ti lascio in pace, questa storia di non fare l’università è una delle tue solite cazzate. Quando crescerai?”

“Forse non te ne sei accorto, ma io un padre ce l’ho già. Fatti i cazzi tuoi.”

“*Sono* cazzi miei. Io studio, lavoro, mi do da fare, porto a casa dei soldi, cerco di aiutare la famiglia, mentre tu non fai niente, pensi solo a ubriacarti, farti le canne e creare problemi.”

“Se pensi che io sia un problema, posso andarmene anche subito.”

“Ecco bravo, vai. Così fai un favore a tutti.” Questa discussione era stata l’ultima di una serie che aveva reso l’ambiente ostile per la vita di Marco.

Quando un giorno aveva detto che se ne sarebbe andato, il padre si era sentito molto triste ma anche felice. Ognuno di loro dentro di sé sapeva che era la soluzione giusta. In fondo, forse, era anche la cosa che avrebbe voluto fare suo padre, se avesse potuto. Più passava il tempo, più rimaneva in quella casa, più grande si faceva la distanza che li separava.

Andrea si era pentito subito di aver detto quelle parole, non le pensava veramente, non riusciva nemmeno a immaginare una vita senza suo fratello più piccolo.

In quel momento il padre iniziò a svegliarsi. Aprì gli occhi, poi li richiuse e li riaprì ancora. Era confuso.

«Che c’è, papà? Stai tranquillo, sei in ospedale.»

Il padre lo guardava ma era come se non lo riconoscesse. «Hai preso gli sci? Dobbiamo scendere dal treno.»

Senza pensarci Marco gli strinse la mano. Non si ricordava nemmeno più quando era stata l’ultima volta che lo aveva tenuto per mano. Il padre si calmò e smise di parlare. Poco dopo si riaddormentò.

Marco andò a cercare un posto dove poter fumare. Al ritorno, seduto sulla sedia accanto al padre che dormiva, c’era Andrea. Avevano un appuntamento con il medico.

Diagnosi

Andrea e Marco erano seduti nello studio del medico.

«La situazione è complessa, stiamo ancora facendo degli esami di accertamento. Nei prossimi giorni avremo un quadro più completo.»

Marco guardò Andrea per capire la gravità della situazione, ma lui continuò a tenere gli occhi sul dottore.

«L'ipotesi più probabile è che vostro padre sia affetto da una malattia cerebrale degenerativa. I sintomi sono una progressiva demenza, perdita della memoria, disturbi del linguaggio e disfunzioni motorie.»

Marco, che avrebbe voluto accendersi una sigaretta, era nervoso e avrebbe voluto capire meglio il senso delle parole del medico. «Quindi?»

Prima che il medico potesse rispondere, Andrea lo anticipò. «Cosa prevede la terapia? Chemio? Intervento chirurgico? Radio?»

«Non si tratta di un tumore, signor Bertelli, stiamo ancora cercando di capire.»

«Ci sta dicendo che non esiste una cura?» chiese Marco.

Dopo aver esitato il medico disse: «Al momento non lo sappiamo».

Quella risposta arrivò come un fulmine. Andrea e Marco non se l'aspettavano, non erano pronti. Il padre non aveva mai mostrato nessun problema di salute.

In quel momento tutte le emozioni legate alla morte della madre ritornarono a galla dal passato e li travolsero. Seduti sulle due poltroncine, erano pietrificati.

Nessuno dei due aveva il coraggio di fare la domanda successiva, quella logica, capire quanto tempo avesse il padre. Fu il medico a rompere quel silenzio. «Non c'è motivo di allarmarsi, almeno finché non abbiamo un quadro più completo. Non avrebbe senso adesso formulare una prognosi. Il processo degenerativo potrebbe durare anche degli anni. Varia molto da caso a caso.»

«Quando prima mio padre mi ha chiesto se avevo portato gli sci, è per via della malattia?»

«Sicuramente c'entra, tenga conto però che l'effetto dell'anestesia per l'intervento influisce molto. Soprattutto su uomini di una certa età causa stati confusionali. Bisognerà aspettare qualche giorno per capire meglio. Il decorso della malattia è imprevedibile, ci potrebbero anche essere momenti in cui lui torna a essere com'è sempre stato.»

Andrea e Marco uscirono dallo studio dopo un'energica stretta di mano col medico. Erano straniti, confusi.

«Ma tu hai capito?» chiese Marco.

Andrea non rispondeva.

«Adesso che facciamo? Ha detto che può durare anche degli anni.»

«Non lo so, anche il dottore non mi sembrava molto sicuro, forse c'è bisogno di più tempo per capire bene e vedere cosa succede.»

«Io ho bisogno di organizzarmi col ristorante, per adesso posso andare avanti e indietro, poi vediamo cosa ci dicono.»

«Finché non è grave e non c'è nulla di urgente, me la posso sbrigare da solo. Tu vai. Ti tengo aggiornato.»

«Preferisco esserci.»

Andarono dal padre, cercando di essere il più naturali possibile. Non sapevano cosa dirgli. Il padre non era molto presente per via dell'anestesia e questo rese tutto più semplice.

Avevano bisogno di più tempo per metabolizzare le parole del medico.

Marco uscì a fumarsi una sigaretta e Andrea rimase seduto di fianco al letto del padre.

Isabella è tornata

Isabella aspettava i bagagli sul nastro dell'aeroporto. In braccio aveva Mathilde. Il viaggio da Parigi era andato bene. La bambina aveva dormito per quasi tutto il tragitto, lei era riuscita a leggere dei documenti e riguardare dei disegni per il suo progetto di lavoro.

Ecco che arriva anche la seconda valigia.

Stava spingendo il carrello verso l'uscita quando le porte automatiche si aprirono, davanti a lei un gruppetto di persone aspettava altri passeggeri, alcuni reggevano fogli con scritti cognomi o nomi di aziende. Isabella sapeva che sua madre l'aspettava con la portiera aperta e, uscita dall'aeroporto, si mise a cercare la macchina. Dopo qualche secondo la riconobbe pochi metri più avanti. Chiamò la madre per farsi aiutare, la portiera si aprì.

«Marco, che ci fai qui?» Isabella era stupita, lui le andò incontro con un grande sorriso. «Che ci fai qui? È uno scherzo?»

«Sono venuto a prenderti, volevo entrare ma a quanto pare il tuo volo è in anticipo. Dammi il carrello, tu sali con la bambina.» Marco sistemò le valigie e risalì in macchina. «Non te l'aspettavi, eh?»

«Sono scioccata.»

«È stata tutta una coincidenza. Dieci giorni fa per caso ho incontrato tua madre e mi ha detto che saresti arrivata a Milano. Ieri sera ha chiamato a casa e mi ha chiesto se potevo venire io perché aveva avuto un contrattempo.»

Marco non capiva se Isabella fosse infastidita dalla sua presenza o solamente sorpresa.

Erano passati circa due anni dall'ultima volta che si erano visti.

Marco era a Londra, aveva appena finito di pranzare con un amico al Bumpkin in Brompton Road e aveva preso la metropolitana per tornare al lavoro.

Da qualche giorno aveva comprato un paio di cuffie nuove che valorizzavano molto i bassi. Nel lettore aveva una serie di playlist a tema e i viaggi in metropolitana erano migliorati notevolmente. A un certo punto nello spazio tra una canzone e l'altra aveva sentito una voce familiare. Si era tolto subito le cuffie, era proprio lei, ne era sicuro: Isabella. Si era alzato per guardare nella sua direzione ma in quel momento si erano aperte le porte e una fiumana di persone aveva iniziato a spostarsi, non riusciva a vedere nulla. Si era messo in coda alla scia ed era sceso anche lui. Mentre si guardava attorno, non sentiva più nessuno parlare italiano e non vedeva nessuna donna che le assomigliasse. *Mi sa che ho le allucinazioni,* si era detto. Aveva deciso di fare due passi. Mentre saliva le scale non aveva smesso di guardarsi attorno, una parte di lui era ancora convinta che fosse Isabella, se lo sentiva nella pancia. Uscito dalla metropolitana, si era ritrovato in una Londra soleggiata dall'asfalto bagnato. Si era acceso una sigaretta e aveva cercato una buona playlist per quella passeggiata. Facendo scorrere con il pollice le varie possibilità di scelta, si era fermato su: *Mellow Afternoon.* La prima canzone era: *This Charming Man* degli Smiths.

Mentre camminava verso il suo ristorante, pensava che sarebbe anche potuto succedere, tra loro due era capitato spesso. Avevano molte storie di incontri occasionali, anche in posti assurdi. Come la volta in cui non si vedevano da mesi e Marco entrando in una baita di montagna l'aveva vista lì, seduta con degli amici. Si incontravano sempre in qualche parte del mondo, una strana forma di attrazione universale.

Gli Smith avevano appena finito di suonare e lasciavano il posto a The Ink Spots con *I Don't Want to Set the World on Fire*. Sulle note di quella canzone, Marco fantasticava su Isabella. Mentre pensava all'incontro mancato, canticchiava la canzone che stava ascoltando.

Aveva girato l'angolo e davanti alla vetrina di un negozio c'era Isabella di schiena.

Lo sapevo che non mi ero sbagliato.

Era rimasto immobile cercando di capire come avvicinarla. Poteva chiamarla e farla girare, poteva mettersi dietro di lei, coprirle gli occhi con le mani e aspettare che lei indovinasse.

Alla fine aveva deciso di rivolgerle un semplice commento. "Belle queste scarpe. Se indovini come mi chiamo te le compro."

"Marco." Isabella a momenti sveniva. "Ma che ci fai qui?"

"Io ci vivo, a Londra."

Si erano abbracciati, l'incastro perfetto di due metà.

"Da quant'è che non ci vediamo? Tre anni?"

"Sì, più o meno, che ci fai qui?"

"Sono qui con lui" indicando un uomo dentro il negozio. "Questa sera c'è una cena di lavoro importante, quelle dove si portano anche le mogli. Domani sera, quando finisce le sue riunioni, torniamo a Parigi. Tu come stai?"

"Bene, sempre uguale."

"Lavori ancora in quel ristorante a Notting Hill?"

"No, non lavoro più lì, adesso sono socio in un ristorante qui vicino."

"Quindi ce l'hai fatta? Bravo, complimenti. Devo venire una volta a mangiare da te, ho delle cose da raccontarti."

"È incredibile che ci siamo incontrati così, tra di noi funziona ancora questa calamita."

"Funziona, sì."

"Ero in metropolitana che pensavo ai fatti miei e ho sentito la tua voce. Sono sceso per vedere se ti trovavo."

"In che senso hai sentito la mia voce?" Isabella non capiva.

"Sì, ti ho sentita parlare, non riuscivo a vederti."
"Io non ho preso la metropolitana, né ieri né oggi."
"Ma che dici? Non scherzare."
"Te lo giuro."
In quel momento dal negozio era uscito il marito e lei glielo aveva presentato.
Si erano scambiati ancora qualche parola, la presenza del marito aveva reso tutto più formale. "Questo è il biglietto del ristorante, se non potete venire questa volta magari la prossima."
Marco aveva continuato la sua camminata. Più volte aveva pensato di essere stato stupido a perdere una persona come lei, l'unica che riusciva ancora a farlo emozionare. Ora aveva visto anche il marito, quella coppia esisteva.
Quando Marco aveva scoperto che lei stava per sposarsi era stato male. Per superare quel momento si era raccontato che lei desiderava farsi una famiglia, lui non voleva e lei l'aveva fatta con un altro. Il punto centrale per Isabella era la famiglia, Marco aveva fatto bene a tirarsi indietro.
Arrivato al ristorante si era spinato una birra, era così dentro l'incontro che si era dimenticato di comprare le sigarette.
"*Sarah, I'm going to buy cigarettes*" aveva detto alla ragazza che stava apparecchiando i tavoli. "*I'll be back soon.*"
Al rientro Sarah gli aveva detto che qualcuno lo aveva cercato al telefono, ed era tutto scritto su un foglietto.
"*Meet me at the Stafford Hotel at St James's Place tomorrow morning at 10. Isabella.*"
Marco aveva ripiegato il biglietto e se lo era messo in tasca. Per tutta la sera non aveva pensato ad altro che all'appuntamento della mattina seguente con lei, e dopo aver chiuso il ristorante era tornato subito a casa.
Conosceva bene quell'hotel. Immaginava di essere seduto su un divano a bere un caffè con Isabella, si sarebbero raccontati un po' le loro vite e poi sarebbero saliti in camera senza nemmeno bisogno di una scusa. Avrebbero fatto l'amore in tarda mattinata, il suo orario preferito, e poi for-

se ci sarebbe stato il tempo anche per pranzare insieme. *La potrei portare al Clifton Garden a Little Venice.*

Quella sera si era addormentato molto tardi. La mattina si era svegliato ed era rimasto a letto a pensare all'incontro, poi aveva messo un disco di Bon Iver. Si sentiva nel *mood* giusto per ascoltare quell'album. Fuori era nuvoloso, in casa le lucine che seguivano il bordo della parete rendevano l'appartamento caldo e accogliente. Era andato in cucina a preparare la colazione.

I suoi pensieri oscillavano tra la voglia di vederla e una strana insofferenza. Cosa voleva ancora da lui? Forse niente, solo chiacchierare, bere un caffè insieme mentre il marito era al lavoro. Ma qualcosa lo infastidiva. Sapeva che non sarebbe mai riuscito a essere un semplice amico, con lei era tutto diverso. *Forse vuole parlarmi del suo matrimonio, della figlia che hanno avuto da poco, mostrarmi le foto della bambina che sicuramente ha nel telefonino, vuole farmi sapere quanto è bella la vita insieme, farmi capire cosa mi sono perso, dirmi che non sono cambiato, che sono ancora in giro a fare il cretino con le donne, che non sono cresciuto. Magari invece vuole portarmi su in camera e farsi una scopata. Con lui ha una famiglia ma come scopa con me... Lui non sembra una grande scopata. È anche francese, da quando i francesi scopano bene? Sì, forse vuole solo quello. Bere un caffè, salire in camera in un letto bianco e gigante e farsi una bella scopata come ai vecchi tempi. Sicuramente si vestirà in maniera sexy con l'intento di farmi pentire di averla persa, la stronza.*

Era andato a farsi una doccia e l'idea di fare l'amore con lei in camera mentre il marito era al lavoro non gli dispiaceva affatto. Si era vestito ed era uscito senza fretta verso la fermata della metro Angel. Era uscito dalla metropolitana a Green Park e prima di andare verso l'hotel aveva deciso di fermarsi da Nero Caffè per un espresso doppio.

Mentre beveva il caffè pensava: *Ci vediamo, scopiamo, poi lei va alla stazione St Pancras, prende l'Eurostar per Parigi Gare du Nord e io come un coglione me ne resto qui a pensare a lei, a quanto sono idiota a essermela fatta scappare, che lei è la donna della mia vita ma non ho avuto le palle.* Sapeva che, se voleva solo scopare, Isabella non era la donna giusta per farlo. *Poi cosa pensa, che sono sempre disponibile? Che quando vuole basta chiamare e io corro come uno sfigato?* Beveva il suo caffè passeggiando e non si dava pace, litigava con lei nella sua testa.

In quel momento Isabella era in camera sua, mezza nuda, stava finendo di truccarsi. Indossava solo le mutande e i collant. Era contenta di incontrare Marco, aveva molte cose da dirgli, una in particolare. Una cosa importante, una cosa che pensava fosse giusto lui sapesse.

Marco nel frattempo aveva finito il suo caffè, buttato il bicchiere azzurro di carta e si era incamminato in direzione opposta all'hotel.

Aveva deciso di non andare all'appuntamento, aveva deciso di dimostrarle che lui era felice così, che non aveva più bisogno di lei, lui era più forte.

Da quella volta non si erano più sentiti. Ora erano seduti in macchina insieme e dopo due anni lui non sapeva se lei fosse ancora arrabbiata perché le aveva dato buca.

Per questo mentre guidava si sentiva in dovere di parlare: «Quanto resti a Milano?».

«Un paio di settimane, decido in base a degli impegni di lavoro.»

«Cosa fai adesso?»

«È una cosa nuova, un'idea che ho avuto con un'amica. Abbiamo disegnato una collezione di abbigliamento per neonati. Mi devo vedere con delle aziende per la produzione.»

«Alla fine quello per cui hai studiato ti è servito.»

«E tu che ci fai qui in Italia?»

«Mio padre non sta bene.»

«Cos'ha?»

«Un paio di settimane fa è caduto e si è rotto il femore. L'hanno operato ed è in ospedale per la riabilitazione. Ci vorrà un mese, in questo periodo vado avanti e indietro.»

«Mi spiace, speriamo si sistemi tutto.»

«In realtà oltre che il femore ci sono altre cose, ma è un po' complicato, te ne parlo un'altra volta.»

«Adesso quanto ti fermi?» Isabella si era un po' ammorbidita.

«Una settimana, dieci giorni. Col ristorante è un po' un casino, ho già fatto su e giù un paio di volte, ma sono organizzato bene, i ragazzi che lavorano con me sono molto autonomi.»

Marco e Isabella erano emozionati di rivedersi. A guardarli da fuori, con la bambina seduta dietro nel seggiolino, sembravano una famiglia.

Arrivati sotto casa di Isabella, Marco la aiutò a portare i bagagli. La gioia della nonna nel vedere la nipotina era commovente, la riempiva di baci e girava per casa tenendola in braccio come se non volesse più darla a nessuno.

«Le chiavi della macchina le metto qui sul tavolo.»

«Fermati a pranzo» disse Rossana.

«Ma no, mamma, lascialo andare, già è venuto a prenderci, avrà sicuramente mille cose da fare.»

«Resterei volentieri ma devo andare in ospedale da mio padre.»

«Accompagnalo tu con la macchina, Isabella, io resto qui con Mathilde.»

«No, non c'è bisogno, vado da solo.» Marco si avviò verso la porta. «Mi ha fatto piacere rivedervi» disse alle tre generazioni di donne di fronte a lui, poi aggiunse rivolto a Isabella: «Magari una di queste sere ci vediamo io e te e facciamo due chiacchiere».

«Sì, certo, anche se la sera è un po' difficile per me» rispose lei in maniera sbrigativa.

Prima che lui uscisse, la madre di Isabella, con in braccio la bambina, gli disse: «Marco, perché non vieni a cena la settimana prossima? A noi farebbe piacere».

«Volentieri» rispose.

«Martedì sera ti va bene?»

«Per me va bene.» E guardò Isabella che non sembrava particolarmente felice.

«Ti va bene martedì, Isa?» aggiunse la madre.
«Certo, martedì va benissimo.»
Si salutarono e per strada Marco si accese una sigaretta. Mentre la nicotina gli entrava nel sangue e regolava tutti i suoi equilibri, pensò che Isabella era sempre una bella ragazza, anzi, una bella donna.

Il letto

«I risultati degli esami ci portano a confermare con un buon grado di probabilità la nostra diagnosi.»

Dopo queste parole il medico continuò a elencare ad Andrea e Marco una serie di cose che sarebbero potute accadere: perdita della corretta espressione verbale dei pensieri, fatica a denominare gli oggetti, impoverimento del linguaggio, frasi stereotipate.

«Dovete aspettarvi anche aggressività, sbalzi d'umore, alterazione della personalità, sono possibili persino accessi improvvisi di autoerotismo sfrenato, finiscono per ripetere sempre le stesse cose.»

Questa volta ebbero il coraggio di chiedere quanto tempo rimanesse al padre. Non ottennero una risposta definitiva, il medico disse che poteva trattarsi di alcuni mesi o addirittura anni. Dipendeva dal paziente.

Andrea e Marco sentirono freddo, era arrivato il momento che avevano segretamente temuto per tutta una vita. Il padre era vicino alla morte, poteva trattarsi di qualche mese o pochi anni, non cambiava molto, il momento era arrivato. Come se fossero seduti su un autobus, per il padre era arrivata la fermata in cui doveva scendere e loro avrebbero dovuto proseguire soli. Anche se era diventato debole, fragile, anche se erano loro a prendersi cura di lui, un genitore è qualcosa che resta sempre sopra di noi come una coperta sulle spalle. Per questo avevano sentito freddo.

Prima di salutarli il medico si raccomandò di non cercare informazioni su internet perché spesso erano notizie errate.

Fu la prima cosa che fecero appena tornati a casa, ognuno di nascosto dall'altro.

In una decina di giorni il padre sarebbe tornato a casa, anche se la riabilitazione non aveva ottenuto i risultati sperati. Non era ancora in grado di camminare da solo, per farlo doveva aiutarsi con un deambulatore. Avrebbe continuato la fisioterapia a casa. Non era in grado nemmeno di alzarsi e di sedersi da solo, per questo doveva essere accompagnato dappertutto, anche in bagno.

Fecero una lista di cose da comprare: pappagallo, padella, pannoloni, deambulatore, alzawater...

Il medico aveva suggerito anche di cambiare il letto: doveva essere come quelli dell'ospedale, singolo e non matrimoniale, alto, con le sponde, reclinabile e con una maniglia per potersi aggrappare.

Marco si occupò degli acquisti più piccoli, mentre per il letto Andrea riuscì a convincerlo ad andare insieme. «Possiamo usare la mia macchina.»

Marco aveva appuntamento con Andrea al bar sotto l'ufficio. Appena entrato aveva notato subito che dietro il bancone c'era una ragazza molto bella. Si era seduto a un tavolino e aveva aspettato che quell'angelo biondo si avvicinasse a lui per prendere l'ordine. Dopo pochi minuti arrivò un ragazzo con un grembiule nero. Marco stava controllando dei messaggi sul telefono e quando alzò la testa rimase deluso.

«Un caffè lungo e un bicchiere di acqua frizzante, grazie.»

«Subito.»

Era dispiaciuto, guardava la ragazza dietro il bancone fare i caffè e avrebbe voluto scambiarci due parole, magari chiederle di uscire con lui, o invitarla a Londra per un weekend. In passato aveva funzionato. Era una buona strategia per la conquista. "Devi solo dirmi quando puoi venire a Londra e al resto penso io." A volte invece diceva: "Devi solo comprare il biglietto aereo e puoi stare da me". Altre volte: "Dimmi quando vieni e in che albergo alloggi, e poi ti porto in giro io per Londra". Dipendeva da quanto gli piacesse la ragazza.

Gli era successo anche di aver usato una di queste frasi, avere fatto l'amore la sera stessa ed essersi pentito di quella proposta. In quel caso se ne andava e spariva. *Sono una persona orrenda, lo so,* si diceva.

Una volta aveva perso completamente la testa per una ragazza olandese, Liya. Era andato a fare un weekend con degli amici ad Amsterdam e aveva conosciuto un gruppo di ragazze, tra cui lei. Era stato un incontro magico, uno di quelli per cui rimetti in discussione tutta la tua vita. Erano stati bene insieme, l'ultima notte aveva dormito da lei. Se n'era tornato a Londra convinto di lasciare tutto per andare a vivere con Liya. I primi tempi si sentivano tutti i giorni, e Marco insisteva che venisse da lui a Londra. Lei lavorava e sarebbe potuta andare sono nel weekend.

Accecato dall'amore, aveva fatto una spacconata, una cosa per cui i suoi amici lo prendevano ancora in giro. Un venerdì mattina l'aveva chiamata e le aveva detto di affacciarsi alla finestra. "Vedi che c'è una macchina nera sotto casa?"

"Sì."

"Dentro c'è un signore che ti sta aspettando per portarti all'aeroporto. Ti consegnerà una busta con un biglietto aereo a nome tuo. All'aeroporto a Londra ci sarò io a prenderti. Decidi tu, se accetti devi salire su quella macchina entro quaranta minuti."

Lei aveva accettato e avevano passato un indimenticabile weekend a Londra. Peccato che poi non avesse funzionato.

Un'altra cosa che faceva effetto sulle donne era il fatto che lui sapesse cucinare, tutte rimanevano incantate.

Adesso, seduto in quel bar ad aspettare suo fratello, pensava che gli sarebbe piaciuto invitare la barista anche solo per bere qualcosa. Era difficile non guardarla mentre si muoveva dietro il bancone.

«Scusa il ritardo, dovevo sistemare una cosa.» Era arrivato Andrea.

«Resterei qui anche tutto il giorno, chi è quella madonna al bancone?»

«Si chiama Delia.»

«Dammi qualche informazione.»

«È qui da qualche mese. Non ho parlato molto con lei, non credo di esserle particolarmente simpatico da quando le ho fatto notare che il plurale di toast non è tosti.»

«In che senso?»

«Che qualche settimana fa avevano messo il cartello sulla vetrinetta del bancone con scritto TOSTI FARCITI. Le ho detto che grammaticalmente era sbagliato. Come vedi però il cartello è ancora lì, non l'hanno cambiato.»

«Ma che cazzo te ne frega a te di come scrive il plurale di toast? Guarda che sei veramente assurdo» disse Marco guardando suo fratello come si guarda un essere di cui non si comprendono molte cose.

«Pensavo di fare una cosa carina, una gentilezza. Comunque quando le ho parlato mi ha detto che questo è un lavoro provvisorio, perché in realtà lei è un'attrice.»

Marco pagò e uscendo dal bar andò a salutarla. Voleva vederla da vicino. «Grazie, il caffè era squisito.» Lei gli sorrise.

Mentre camminavano verso l'auto Andrea parlava del padre, del letto, dei vari cambiamenti e delle cose da organizzare, Marco invece pensava che gli sarebbe piaciuto da matti scoparsi la barista.

Andrea a un tratto si fermò e si girò verso suo fratello. «Secondo te, in quanti giorni lo consegnano, il letto?»

«Ma tu» lo interruppe Marco «ci pensi mai che le donne non lo immaginano neanche che un sacco di uomini si masturbano pensando a loro? Uomini di cui non sanno nemmeno l'esistenza.»

«Scusa?»

«Intendo dire, una come lei, per esempio.»

«Lei chi?»

«La barista, come hai detto che si chiama? Dalila?»

«Delia.»

«Ecco, Delia nemmeno lo sa che un sacco di clienti a cui di giorno fa il caffè la sera si masturbano pensando a lei.»

«Scusa, Marco...» Fece una pausa. «Io ti sto parlando delle cose da fare e tu pensi alla barista e a quelli che si masturbano? Non riesci a essere serio per qualche minuto?»

«Ma sì, ho capito, è inutile parlarne, quando saremo nel negozio chiederemo il giorno della consegna, non serve a nulla pensarci adesso.»

«Certo, meglio pensare alla barista.»

«Mi sembra un'immagine migliore, ma se preferisci possiamo parlare di reti e materassi.»

«Lasciamo stare, quando fai così è per farmi incazzare.»

Dopo circa una mezz'ora arrivarono al negozio e iniziarono a gironzolare tra i letti. Andrea leggeva ogni tipo di informazione.

Marco si sdraiò per provarne uno. All'altezza dei piedi il materasso aveva un foglio di carta per non sporcarlo con le scarpe. «Sdraiati qui accanto a me, questo è veramente comodo. Sembra ci sia qualcuno che ti abbraccia. Quasi quasi me lo porto a Londra.»

Andrea non voleva saperne, Marco insistette e alla fine lui si fece convincere.

L'ultima volta che erano stati sdraiati l'uno accanto all'alto era nel letto matrimoniale dei genitori quando erano bambini.

«Ti ricordi quando il nonno ci ha raccontato che esistevano i collaudatori di materassi?» disse Marco.

«Certo che me lo ricordo, per anni dicevi che da grande volevi fare quel lavoro.»

Rimasero qualche secondo in silenzio guardando il soffitto del negozio.

Senza voltarsi verso Andrea, Marco all'improvviso disse: «A volte al mattino mi sveglio e per qualche secondo non ricordo nulla della mia vita. Come quando ti sei tagliato i capelli il giorno prima e te lo sei scordato, e te ne accorgi solo quando arrivi in bagno e ti specchi. Questa mattina mi sono svegliato e per qualche secondo il papà non era malato, ma era in camera che dormiva tranquillo».

Andrea sorrise. «Secondo te sta morendo?»

«Non credo.»

Rimasero in silenzio a guardare il soffitto per un lungo tempo. Ogni tanto qualcuno passava vicino al letto e con un sorriso guardava quei due uomini vestiti, sdraiati come se fossero a casa loro.

«Questo è un modello con portadoghe ad ampia escursione, con memoria elastica. Il materasso è in lattice.»

Andrea e Marco si sollevarono di scatto dal letto. Era stata la commessa a parlare, aveva la voce squillante, era bionda, non tanto alta, molto truccata.

«Davvero comodo» disse Andrea.

La commessa iniziò a portarli in giro per il negozio elencando le varie scelte. «Questo ha doghe che si raccordano in coppia al telaio tramite giunti basculanti in caucciù. Questo ha delle guaine speciali che mantengono le doghe perfettamente aderenti alla struttura del letto. Le gambe sono facili da montare e sono di due altezze. I motori di prima qualità non necessitano di manutenzione.» Mentre camminavano verso un altro reparto, disse: «Mi permetto di far notare che oltre alla scelta del telaio e delle doghe ovviamente il materasso è un elemento fondamentale. Questi sono in lattice, questi ad alta tecnologia e questi con molle insacchettate. Questo in offerta per tutta la settimana è un materasso che si adatta alla forma del corpo, questo invece è a memoria lenta e all'interno ha una lastra di poliuretano sagomata con parte soprastante in viscoelastico. Per le strutture non fisse io consiglio questo materasso in schiuma evoluta poliuretanica espansa in acqua, che vendiamo in questa federa antibatterica. Allora, una cosa alla volta. Iniziamo dal letto e dal tipo di doghe».

Andrea e Marco erano persi come due ragazzini delle elementari a cui avessero appena spiegato il funzionamento dello shuttle spaziale alla NASA.

«Ci scusi, signora» disse Marco «pensavamo di comprare un letto ma è evidente che non siamo preparati. Fate dei corsi serali?»

La commessa sorrise, poi cercò di spiegarsi meglio.

«Grazie» disse Andrea «facciamo un giro nel negozio e ci pensiamo un attimo.»

«Va bene, se vi serve qualche altra informazione chiamatemi pure, io sono qui intorno.»

Si spostarono. «Forse dovremmo andare in un altro negozio e vedere cosa hanno» disse Andrea.

«Ma tu fai sempre così? Con i dottori vuoi sentire un secondo parere, con i negozi una seconda offerta. Si vede che hai un sacco di tempo da perdere.»

«Non ho tempo da perdere, semplicemente non mi butto nella prima rete, cerco più opzioni e poi scelgo.»

«Hai detto "rete" perché siamo qui a comprare il letto o avresti detto "rete" comunque?»

«Ma io perché continuo a parlare con te?»

«Senti, non dobbiamo comprare una casa, ma un letto, cioè una brandina, anche se adesso ha dei nomi strani e spaziali si tratta sempre di una cazzo di brandina, un materasso e delle doghe. Punto. Non c'è bisogno di girare tutta la città. Quello che risparmiamo in un altro negozio lo spendiamo in benzina e soprattutto in tempo. Prendiamo una cosa dignitosa, fatta con un buon materiale, che abbia un costo ragionevole.»

«Non so come sei messo tu, ma non è che posso tirar fuori queste cifre così, senza battere ciglio.»

«Pago tutto io, poi quando potrai mi darai la tua parte. Va bene?»

«Non è questo il punto, il punto è che magari da un'altra parte costa meno.»

«Facciamo così: mi porti a casa e poi tu ti fai una bella tournée tra i negozi di materassi. Quando trovi quello che ti garba, col prezzo che tu ritieni giusto, mi chiami e io ti do la mia parte, va bene?»

«Non ti si può mai dire niente, fai come ti pare.»

Marco si era già annoiato, suo fratello era il solito pignolo, con una mancanza di praticità che faceva passare la voglia di fare qualsiasi cosa con lui. «Decidiamo insieme cosa vogliamo e poi ci parlo io con la signora, tu vai fuori a contare le macchine che passano» disse al fratello con un tono ironico.

Alla fine fecero così. Scelsero insieme il materasso, le doghe e tutto il resto, poi Marco chiamò la commessa mentre Andrea si allontanò e si mise a gironzolare nel negozio. Sapeva che suo fratello sarebbe riuscito a farsi fare uno sconto speciale, aveva una faccia tosta di cui lui si vergognava.

Lo osservava da lontano, lo vedeva parlare, agitare le mani, ridere insieme alla commessa, sembravano due amici. Poi tutto d'un tratto si fecero seri. L'espressione della commessa diventò triste, lei si girò a guardare Andrea e gli sorrise.

Ma che cazzo le starà dicendo?

Marco recuperò Andrea e uscirono.

«Com'è andata?»

«Paghiamo un po' di più del prezzo pieno.»

«Come, un po' di più del prezzo pieno, che le hai detto? L'hai offesa?»

«Io non offendo le donne. Prendiamo due letti singoli.»

«Come, due?»

«La camera da letto del papà con una brandina sola dopo una vita di letto matrimoniale fa troppa tristezza. Spedizione e montaggio gratuito.»

Mentre tornavano a casa in macchina, Andrea fece una riflessione a voce alta: «Certo che costano le brandine, non pensavo».

«Se pensi poi che è una situazione provvisoria.»

«Quanto provvisoria non lo sappiamo, il dottore ha detto che potrebbe durare anni.»

«Certo, ma il papà sarà sempre meno autonomo e bisognerà trovare una soluzione diversa, trovargli un posto adatto.»

Andrea era un po' sorpreso da quelle parole. «In che senso?»

«Come, in che senso? Non penserai mica che il papà resti a casa finché campa? Prima o poi bisognerà portarlo in una struttura adeguata. Io posso fermarmi ancora qualche giorno, posso anche andare avanti e indietro per un po', ma non può essere una soluzione definitiva. Tu lavori tutto il giorno, dovremo prendere delle persone che stiano con lui, finché è lucido, poi non ha più senso. Anche perché per coprire la giornata non basta solo una badante, servono anche degli infermieri. Insomma, capisci che non possiamo gestire una situazione così.»

«Non importa quanto sia lucido, il papà vuole stare a casa.» Andrea era infastidito dalle parole di suo fratello. «Io non lo abbandono. Tu torna a Londra, ci penso io.»

«Ma che cazzo dici? Ma ti senti quando parli? Qui nessuno abbandona nessuno. Pensi che io non ci tenga al papà? Sto solo cercando la soluzione migliore e sostenibile per tutti.»

«Non mi pare proprio, il papà comunque non finirà in un ospizio» ribatté con un tono perentorio.

«Andrea, piantala di trattarmi sempre come il fratellino più piccolo. Mi hai rotto il cazzo. Ho quarant'anni, non ne ho dodici. Bisogna che tu la finisca di parlarmi sempre dal piedistallo.»

Andrea non si aspettava quelle parole, era la prima volta che Marco gli rispondeva così. Era spiazzato e non sapeva come reagire. Accese la radio.

Dopo una decina di minuti Marco disse: «Appena riesci puoi accostare? Ho voglia di fare due passi». La sua voce era calma, si era già lasciato la discussione alle spalle. Voleva fumarsi una sigaretta da solo.

Voglia di leggerezza

Marco comprò una scheda del telefono con un numero italiano e mandò un messaggio a Isabella.

"Ciao, sono Marco, questo è il mio numero."

Dopo un'ora Isabella non aveva ancora risposto e lui la chiamò.

«Pronto, chi è?»

«Sono io, ho avuto il dubbio che il tuo numero non fosse più attivo. Non hai ricevuto il mio messaggio?»

«Sì, non ho avuto il tempo di rispondere, scusa.»

«Figurati, era solo per essere sicuro. Che stai facendo?»

«Mi sono seduta un attimo sul divano, sono molto stanca.»

«Ti ho disturbato, non volevo.»

«Non mi hai disturbato, come sta tuo padre?»

«I medici dicono che è una malattia degenerativa e che...»

«Scusa un attimo, Marco» lo interruppe Isabella. «Mathilde, aspetta, non vedi che la mamma è al telefono? Vai di là con la nonna, poi arrivo... Adesso non posso, sto parlando... Sì, va bene, domani li compriamo nuovi.»

Mentre Marco ascoltava, gli venne in mente quando da ragazzino telefonava alla nonna e lei, prima di riagganciare, parlava col nonno mentre cercava di sistemare il filo del telefono o si stava specchiando e si distraeva. Era bello rubare quelle poche parole. Una volta aveva riagganciato male e lui era rimasto minuti interi a sentire cosa si dicevano lei e il nonno. Rubava un pezzo di quotidianità a loro insaputa, come una mosca in una stanza.

«Scusa, Marco, mia figlia si lamenta dei pennarelli, non colorano più.»

«Prova con l'alcol, ti ricordi che da bambini aprivamo il tappo dietro e facevamo cadere qualche goccia?»

«Hai ragione, non c'avevo pensato. Scusa, mi stavi dicendo di tuo padre.»

«Ne parliamo quando ci vediamo, ti ho chiamato perché ho avuto un'idea, potrei cucinare io martedì da voi.»

«Ma no, dài, non preoccuparti.»

«Lo faccio volentieri, davvero.»

«Non è strano che ti invitiamo a cena e tu ti metti ai fornelli? Mia madre non lo permetterebbe mai.»

«Sai che mi piace cucinare per gli amici.»

«Aspetta un attimo.» Isabella chiese alla madre.

«Mi sembra un'ottima idea, se lui vuole» rispose la mamma sorprendendo tutti.

«Ci sembra una bellissima idea. Un po' cafona da parte nostra, ma non importa.»

«Una volta che so fare una cosa fammela fare! Piuttosto hai tempo più tardi per un aperitivo?»

Ci fu un piccolo silenzio, una pausa.

«È un po' complicata la cosa, magari ti telefono tra un po' e ti dico.»

«Va bene.»

Marco aveva il sospetto che qualcosa non andasse bene, lei non era più arrabbiata con lui per l'appuntamento mancato a Londra, eppure la sentiva distante, fredda. Non era mai successo. Aveva la sensazione che lei non avrebbe mai chiamato per l'aperitivo.

Il suo presentimento divenne realtà un paio di ore dopo: con un messaggio Isabella gli comunicò che non ce l'avrebbe fatta. Forse aveva paura di rimanere sola con lui perché temeva che sarebbe finita come l'ultima volta che erano rimasti soli. Era stato a Milano per il funerale di un amico comune, Lucio, che come aveva detto il prete durante la funzione: "È stato chiamato prematuramente a stare vicino al padre nei cieli".

Per quel funerale Marco era tornato da Londra, Isabella da Parigi. Si erano visti in chiesa, si erano salutati con un mezzo sorriso e un leggero cenno della testa. La curiosità li spingeva a guardarsi da lontano in continuazione, cercando di non farsi notare.

Per lei era più facile, aveva gli occhiali da sole e poteva soffermarsi di più, esaminarlo più a lungo, fare ciò che si fa di solito quando si elencano i cambiamenti più evidenti: "più grasso / più magro", "invecchiato bene / invecchiato male", "sembra stanco / è in forma", "mi sembra felice / l'ho trovato triste". Ma, soprattutto, "innamorato/indifferente". Quello era il punto su cui Isabella focalizzava i suoi pensieri. *Marco non si è mai legato a nessuna. E forse è assolutamente incapace di amare. Gli piace corteggiare e farsi corteggiare. Flirtare. Sedurre. Cambiare continuamente amanti.*

All'uscita, appena era stato possibile, si erano avvicinati per potersi finalmente toccare, abbracciare, sfiorare le guance con due baci.

"Come stai?"

"Bene."

"Speravo di incontrarti in circostanze più allegre, ma sono felice di vederti."

"Anche io, e tu come stai? Te lo chiedo ma si vede che stai bene, sei bellissima come sempre e più diventi grande più diventi bella."

Isabella aveva sorriso. "Anche tu sei in forma. Ti fermi un po' in Italia o torni subito a Londra?"

"Riparto domani sera, e tu?"

"Mi fermo tutta la settimana. Vieni al cimitero o torni a casa?"

"Hai la macchina?"

"Sì, se vuoi andiamo insieme."

"Va bene."

"Dammi solo un minuto per una telefonata." Si era spostata di qualche passo per chiamare.

Marco nel frattempo si era acceso una sigaretta e si era messo in disparte, non aveva voglia di parlare con nessuno, né tanto meno di rispondere alle domande che si fanno a una persona che vive all'estero: "Non ti manca l'Italia? Come fai senza il caffè espresso? E senza il bidet?".

Mentre fumava si guardava intorno e pensava che i funerali andrebbero sempre celebrati lontano da tutto, isolati dal mondo, magari in una chiesetta su una collina dove piove sempre. *Dovrebbero vietare i funerali nelle giornate di sole come questa.* Tutto era surreale in quel momento: il gruppo di persone vestite di nero davanti alla chiesa che si davano la mano, si scambiavano pacche sulla schiena mentre intorno il caos del mondo continuava insensibile e sordo; passavano le persone, sfrecciavano le macchine, sgasavano i motorini, urlava l'ambulanza, un signore col cane che abbaiava, una signora che teneva per mano una bambina che strillava, l'autobus che scaricava persone indifferenti ed estranee. La città, con la sua grazia mancata, senza alcuna attenzione continuava la sua vita, col suo disordine, il suo schiamazzo. L'indifferenza delle persone attorno le rendeva colpevoli, responsabili di qualcosa anche se a loro insaputa.

Marco e Isabella, che non si vedevano da un paio d'anni, si erano ritrovati in macchina da soli. Parlavano del più e del meno, sembravano due estranei. Erano rimasti vicini al cimitero, fuori dal cimitero e anche al bar, dove insieme ad altri amici avevano deciso di fermarsi.

Avevano fatto un brindisi a Lucio, avevano parlato di quanta sfortuna avesse avuto a trovarsi lì in quel momento con la sua moto, proprio mentre quella macchina aveva deciso di svoltare.

Avevano ricordato le situazioni divertenti che avevano vissuto insieme. Tutti desideriamo che nella vita le cose vadano per il verso giusto, poi però anche quando parliamo di qualcosa di piacevole, come un viaggio o una vacanza, le cose andate storte sono sempre le più raccontate: quando abbiamo perso le valigie, quando alla stazione ci hanno rubato tutto, quando si è rimasti chiusi fuori casa la notte.

"Vi ricordate quella volta che Lucio a Capodanno si è addormentato completamente ubriaco e gli abbiamo disegnato tutto il petto e la faccia con il pennarello indelebile?"

"E quella volta che ubriaco ha baciato una e non si è accorto che era un travestito?"

Quel pomeriggio al bar Isabella e Marco, seduti vicini, sembravano ancora una coppia, tanto che un loro amico aveva detto: "Siete tornati insieme? Finalmente". E tutti giù a ridere.

C'era una grande voglia di leggerezza, come sempre accade dopo un funerale. Si rideva per ogni stupida cosa, si respirava una bontà che avrebbe potuto uccidere in meno di un secondo un intero pullman di persone ciniche.

Lentamente il gruppo diventava sempre più piccolo, molti tornavano al lavoro, altri dovevano andare a prendere i bambini a scuola.

Solo loro due erano lontani dalle loro vite. Marco stava pensando di andare a casa, visto che era arrivato in mattinata e aveva salutato il padre di fretta.

"Ti va di venire da me per un caffè? Non ho voglia di rimanere sola."

Marco era stato preso alla sprovvista, tanto che aveva aspettato qualche secondo prima di accettare. Isabella quando aveva detto "da me" intendeva la casa di sua madre, dove avevano passato una parte importante della loro vita.

Quando erano entrati, Marco era stato assalito da mille ricordi, come se un treno pieno di immagini fosse deragliato su di lui. Non metteva piede in quella casa da più di dieci anni, e ogni angolo conteneva un ricordo.

"Preferisci un tè o un caffè?"

"Caffè lungo, grazie, se hai la moka ci aggiungo dell'acqua."

"Se vuoi ho quello francese."

"Perfetto."

La prima volta che Marco aveva bevuto il caffè alla francese era stato a Parigi a casa di Isabella.

Si era seduto in cucina, mentre lei aveva messo l'acqua

sul fuoco. "Me la sono portata da Parigi qualche anno fa, come vedi i miei non la usano molto, preferiscono la moka."

"Ogni volta che bevo il caffè alla francese, penso a te."

"Perché?"

"Perché ce l'avevi nella tua mansarda parigina, ti ricordi? Io non l'avevo mai vista prima."

"Che bella quella mansarda, ancora adesso quando mi capita di passare nel Marais guardo su e mi viene un tuffo al cuore. È stato il mio nido per anni."

"Mi ricordo ancora l'indirizzo, Place du Marché Sainte-Catherine. Ti ricordi quando l'abbiamo imbiancata insieme? Quella settimana da te è stata uno dei momenti più belli della mia vita."

"Certo che mi ricordo." Poi aveva aggiunto: "Vado a cambiarmi, non sopporto più questo abito. Torno subito".

"Posso fumare?"

"Certo."

Marco era rimasto solo in cucina. Una cucina che gli era più familiare della sua. Aveva tirato fuori il pacchetto di sigarette, ne aveva preso una e poi come un ballerino di *macarena* si era passato la mani su ogni tasca nel tentativo di trovare l'accendino. L'aveva lasciato in macchina.

Con la sigaretta in bocca aveva piegato la testa di lato e infilato la punta tra la fiamma e il pentolino. Una volta accesa la sigaretta, si era ritrovato Isabella sulla porta vestita come prima, col tailleur che aveva indossato per il funerale e che la rendeva estremamente sexy ai suoi occhi. "Hai cambiato idea?"

"No, volevo chiederti se ti scoccia se mi faccio una doccia veloce. Ci metto un secondo."

"Fai pure."

Aveva spostato la sedia e si era seduto al tavolo rettangolare, sul lato lungo, quello che era sempre stato il suo.

Si guardava intorno e cercava di capire cosa fosse cambiato da allora. Si era perso in mille ricordi.

"Eccomi, perché non hai spento l'acqua?"

"Scusa, mi sono distratto."

"Guarda che maglietta ho trovato."
"Non ci credo, hai ancora la maglietta di Madonna? Anche i pantaloni della tuta sono gli stessi."
"Sì, li ho lasciati qui perché appartengono alla casa." Poi aveva preso il pentolino e versato l'acqua. "Allora, raccontami come va a Londra. Che fai?"
"Lavoro in un ristorante, mi sa che mi licenzio ed entro in società con un altro ragazzo."
"Bello, sei contento?"
"Mio padre mi aiuta per l'anticipo, il resto lo metto in lavoro. Mi sono un po' rotto di fare il cuoco."
"E vivi sempre con quel matto napoletano?"
"No, ho cambiato casa, adesso vivo solo a Islington. Mentre facevi la doccia mi sono guardato intorno, il frigorifero è diverso. Il resto non è cambiato molto."
"Direi di no, lo sai che camera mia è praticamente uguale? Mia madre non l'ha voluta toccare, l'ha tenuta com'era, come si fa con le stanze dei personaggi famosi che poi diventano musei."
"Ci sono ancora le nostre foto?"
"Certo, vieni, ti faccio vedere, tanto per il caffè dobbiamo aspettare qualche minuto."
Marco l'aveva seguita. "Impressionante, sembra che il tempo si sia fermato."
"Ci sono le stesse fotografie, lo stesso copriletto, le stesse tende. Ma tu ti ricordi come stavamo qui dentro?"
"Ricordo tutto, ti rendi conto che questa è la stanza in cui ho fatto l'amore la prima volta? Quanti anni sono passati?"
"Noi abbiamo fatto l'amore la prima volta il ventuno di marzo."
"Addirittura la data ricordi?"
"Me lo ricordo perché è il primo giorno di primavera. Per convincermi ti eri giocato anche questo."
"No!"
"Eravamo qui nel letto a darci ore di baci e petting."
"Non sentivo la parola 'petting' da anni." E avevano sorriso insieme.

"A un certo punto mi hai detto: 'Isabella, facciamolo oggi, è anche il primo giorno di primavera, quale momento migliore per far sbocciare i nostri corpi?'."

"No, non è vero, te lo stai inventando! Non posso aver detto una cazzata del genere."

"L'hai detta! Io ti ho riso in faccia, ma eri stato così dolce, con quegli occhioni, che non ho resistito."

"Io non me lo ricordo."

"Comunque avevo già deciso di fare l'amore con te da settimane ma volevo aspettare, perché a quell'età se la dai rischi di sembrare subito una zoccola. E guarda qui cosa c'è" aveva detto aprendo le ante dell'armadio.

"Hai ancora il poster dei Duran Duran. Del resto io ero il tuo secondo amore, subito dopo John Taylor."

"E io il tuo subito dopo Patsy Kensit."

All'improvviso si erano trovati vicini l'uno all'altra, le loro facce a pochi centimetri. Si erano guardati negli occhi, immobili. Erano stati invasi da una felicità improvvisa, inaspettata.

Poi lui le aveva guardato le labbra, quelle labbra rosse di cui conosceva la consistenza, sapeva che erano morbide, buone e carnose. Lentamente, quasi esitando, si erano avvicinati ancora di più finché c'era stato un piccolo tocco. Un bacio delicato, affettuoso. Entrambi avevano provato un brivido, Marco aveva sentito l'odore del respiro di lei, un odore a cui era inutile tentare di resistere. Il respiro di lei gli era entrato nelle narici e il suo in quelle di lei, e nel respirarsi come per incanto si erano ritrovati indietro nel tempo.

C'era stato un bacio vero, appassionato, avevano iniziato uno a spogliare l'altra come avevano sempre fatto. In pochi minuti si erano ritrovati a letto e avevano fatto l'amore.

Tutto era accaduto in un istante, non avevano avuto nemmeno il tempo di pensare a cosa stavano facendo. Forse la molla che li aveva fatti scattare non era stata solo la nostalgia del passato o il fatto che si piacessero da sempre, ciò che aveva fatto la differenza era stato il funerale. La sensazione di sospensione, di incredulità quando la vita ti mette di fronte alla sua fragilità.

In quell'atto tra Marco e Isabella non c'era solo un amore che sbagliava sempre i tempi, ma qualcosa che andava oltre: un voler mordere la vita, un volersi sentire vivi, affamati di giorni, di ore, di attimi, con la smania di non sprecare nemmeno un istante.

Quando avevano finito di fare l'amore, erano rimasti avvinghiati l'uno all'altra senza dire nulla, in un abbraccio silenzioso che era durato un'eternità, o forse solo qualche minuto.

Nella posizione in cui si trovavano, il naso di Marco era appoggiato alla fronte di Isabella. In silenzio la annusava. L'odore e il sapore di lei gli facevano perdere completamente la testa, da sempre. Conosceva l'odore di Isabella in ogni angolo: dietro le orecchie, sul collo, sotto le ascelle, tra le cosce. Spesso mentre la annusava le baciava le palpebre.

"Potrei anche non mangiare più se potessi annusarti tutti i giorni" le aveva detto una delle prime volte che avevano fatto l'amore.

La testa di Marco aveva iniziato a pensare a mille cose. Isabella era più magra di come la ricordava, nel vederla non se n'era accorto. Se n'era accorto facendo l'amore, abbracciandola, toccandole la schiena, i fianchi, le spalle. Il suo sedere era più piccolo, sodo, rotondo, fatto per essere mangiato, come le diceva sempre.

Non aveva mai provato con nessun'altra donna quello che aveva provato con Isabella, ma aveva sempre pensato che prima o poi anche con lei sarebbe finita. Quel giorno c'era qualcosa di diverso, una sensazione nuova, forse era arrivato il momento di smettere di sfuggirsi, era arrivato il momento di fissare il loro amore nelle loro vite. Era arrivato il momento di afferrarla.

Magari è di questo che avrei bisogno ora, si era detto tra sé e sé e subito dopo averlo pensato aveva sentito un forte desiderio di accendersi una sigaretta, ma non voleva muoversi.

Si stava chiedendo se anche lei provava quella sensazione di pace, di benessere.

Rompendo il silenzio, Isabella aveva detto: "Vorrei rimanere così per sempre, lo senti come si sta bene? È come se non fossero passati tutti questi anni".

Il sincronismo tra i suoi pensieri e quello che lei aveva appena detto era stato come un pugno nello stomaco, non se l'aspettava proprio.

Non era stato in grado di dire nulla, tanto che quando Isabella gli aveva chiesto a cosa stesse pensando, lui inspiegabilmente aveva risposto: "Niente, guardavo la stanza e guardavo te. Pensavo che sei dimagrita".

"Sì, un po'."

C'era stato qualche secondo di silenzio, poi Marco si era alzato di scatto.

"Dove vai?" gli aveva chiesto lei.

"Vado a prendere una sigaretta." Era felice.

Mentre andava in cucina nudo, Isabella aveva avuto la sensazione di aver sbagliato nel dire quelle parole.

Quando era tornato, Marco era andato alla finestra e l'aveva socchiusa.

Nell'aria qualcosa era cambiato, qualcosa di sbagliato aveva innescato una reazione a catena, c'era un silenzio diverso.

"Non hai fame? Ti ricordi che mangiate facevamo dopo aver fatto l'amore?"

"Mi ricordo che per un periodo impazzivamo per il tuorlo d'uovo sbattuto con lo zucchero."

"Che buono, è da una vita che non lo mangio."

"Nemmeno io, ogni tanto ci aggiungevamo del caffè o del latte."

"Una bomba di calorie."

"Sì, tanto le bruciavamo tutte."

"Ti va? Lo faccio?"

Marco ci aveva pensato un secondo, poi aveva fatto di sì con la testa.

"Il caffè sarà freddo ormai" aveva detto Isabella mentre andava in cucina.

Lui fumava guardando fuori dalla finestra e pensava che qualcosa lo aveva fatto agitare, ma forse era stupido non ammettere che Isabella gli piaceva ancora. Forse era proprio questo che lo innervosiva.

Quello che provava per lei era ancora vivo come la brace sotto la cenere, e il pomeriggio insieme aveva riacceso tutto.

Mentre preparava le uova in cucina, Isabella pensava che forse aveva sbagliato a dirgli quelle cose, non avrebbe dovuto aprirsi così, sapeva bene com'era fatto.

Quando erano una coppia lei aveva dovuto imparare a non dire quanto lo amava, aveva dovuto imparare la distanza che doveva tenere con lui, una distanza che variava a seconda del suo umore e del momento della vita. Se gli stava troppo lontana, lui la cercava e le chiedeva di non sparire. Se gli stava troppo vicina, lui la allontanava dicendo che aveva bisogno dei suoi spazi. Una fatica infinita, giustificata solo dal fatto che era innamorata di lui.

Sono una cretina, non ho fatto in tempo a dire quella cosa che è scappato subito con la scusa della sigaretta. Non cambierà mai.

Marco si era ributtato a letto e pensava a quello che le avrebbe detto appena fosse rientrata in camera. Aveva paura, sapeva che era fidanzata con un ragazzo francese ma sapeva anche che avrebbe potuto spazzare via quell'amore in un secondo. Quello che c'era tra loro era più forte. Il francese era come un treno che porta le persone da una stazione all'altra, sono storie in cui si sta tranquilli, si discute poco, non ci sono grandi aspettative. Poi un giorno finiscono e arriva l'altro amore, quello che conta, l'altra stazione. Spesso sono treni pronto soccorso, treni che servono a guarire le ferite, a distrarsi, a non sentirsi soli. Ma non sono vero amore, sono situazioni di passaggio. Il francese era un amore treno.

C'era un silenzio quasi innaturale, improvviso, si sentiva solo il rumore del cucchiaino che sbatteva contro la tazza. Marco era felice, soprattutto perché non se l'aspettava. La giornata era iniziata in un modo completamente diverso.

E se invece mi sbaglio? Se quando le dico di tornare insieme mi dice di no? Impossibile.

Mentre pensava a tutte quelle cose aveva notato la mensola con le videocassette dei film, molte le avevano comprate insieme. Se ne regalavano uno alla settimana per alternare i loro gusti. Quelli che aveva comprato Marco erano: *Rambo, Top Gun, L'aereo più pazzo del mondo, Ghostbuster, Indiana Jones, Ritorno al futuro, Rocky 4, Full Metal Jacket, 1997 – Fuga da New York.*

Quelli di Isabella erano: *ET, Flashdance, Gremlins, La storia infinita, Le relazioni pericolose, Dirty Dancing.*

Leggere quei titoli gli aveva strappato un sorriso.

Quando lei era entrata in camera con le due tazze, lui l'aveva guardata sorridendo. "Mangiamo questa bontà, poi ti dico una cosa."

"Anch'io devo dirti una cosa."

"Va bene. Prima tu, visto che hai cucinato meriti la priorità."

"Grazie. Non so come dirtelo, mi sento una stupida... tra un paio di mesi mi sposo."

Girando per casa

Erano le sette del mattino e Marco era in cucina a bere il caffè. Un orario insolito per lui, a Londra quando gli capitava di essere sveglio così presto doveva ancora andare a dormire.

Teneva in mano la tazzina, il fumo usciva come una danza e si perdeva nell'aria. La tazzina era la stessa di sempre, un regalo di matrimonio fatto da alcuni zii lontani. Stesse tazzine, stessi piatti, stessi bicchieri, stesse posate, stesse pentole, una volta era così. Ti sposavi e ti regalavano tutto ciò che ti sarebbe servito per l'eterna promessa, eterne erano anche le cose che ti portavi dietro. Oggi la promessa, così come gli oggetti, è meno eterna, tutto dev'essere consumato e non conservato, se una cosa non funziona la si butta e se ne prende un'altra. Quella del padre invece era una generazione in grado di riparare ciò che si guastava.

C'era anche qualche intruso, entrato a far parte della famiglia nel corso degli anni: i bicchieri della Nutella, un paio di pentole antiaderenti. Per il resto tutti gli oggetti erano resistiti più a lungo della vita delle persone a cui erano stati regalati.

Le misure di quella casa erano perfette per le necessità di una famiglia che era stata e che non c'era più, raccontavano una storia passata. Troppe stanze per un uomo solo.

Marco si guardava intorno. Il frigorifero gli ricordava quando da bambino lo chiudeva piano per cercare di vedere in quale momento preciso si sarebbe spenta la luce. Sui fornelli c'era un macchia nera fatta dalla madre. La coperta leggera con cui dormiva la notte per molti sarebbe stata solo una coperta ma per lui era *la* coperta. Quell'armadio era *l'*armadio, quella bacinella azzurra per mettere in ammollo i panni era *la* bacinella azzurra. Tutto in quella casa era determinativo.

Lo sguardo scorreva nella stanza e si posò sul bloc-notes del padre. Negli ultimi tempi scriveva alcune parole che sentiva alla televisione, nomi di persone, titoli di libri o cose di cui non sapeva il significato, e poi chiedeva al primo che entrava in casa, di solito ad Andrea. Quelle pagine confuse facevano tenerezza.

Marco, preso dalla nostalgia, bevve l'ultimo sorso di caffè e iniziò a fare un giro per casa, un giro nel mondo degli oggetti, con l'intento di farli riemergere dall'anonimato, dal mondo dell'invisibile in cui spesso tutto finisce a causa dell'abitudine. In quel tour si accorse subito che gli oggetti avevano la forza straordinaria di riscostruire un passato e non solo di ammobiliare un mondo.

Il salotto era pieno di libri, enciclopedie, riviste, fotografie incorniciate, una vetrinetta con delle tazzine da caffè e dei bicchieri mai usati. Come intruse, le due bomboniere della comunione di Andrea e Marco. Nei cassetti, delle posate chiuse in scatole di velluto. Si capiva subito che in quella stanza non ci entrava nessuno da tempo.

C'era anche una foto della mamma in piedi sotto un albero di vite, sorridente tra i grappoli d'uva. Quando gli capitava di vedere una foto di lei in salute, Marco si stupiva sempre, come se a volte si fosse scordato che prima di ammalarsi aveva avuto una vita felice.

Dentro la vetrinetta il mondo era intatto, senza tempo. Quell'immutabilità lo tranquillizzava e allo stesso tempo lo agitava. Alla morte del padre si sarebbero dovuti occupare di trovare a tutto questo mondo una nuova sistemazione.

Marco andò in camera sua e di suo fratello. Dentro l'armadio trovò una scatola di plastica piena di cavi, fili, cose elettriche, c'era anche il suo primo walkman. Comprava cassette da sessanta o novanta minuti per fare le sue prime playlist. A volte sbagliava i conti con la durata delle canzoni e succedeva che il nastro finisse a metà canzone, l'altra metà si trovava all'inizio del lato B. Finito di registrare la cassetta, le dava un titolo: "lenti", "top rock", "mix dance", "italiani", "funky" o semplicemente "stranieri".

Nell'armadietto in corridoio trovò gli album delle fotografie rilegati in pelle. C'era anche quello del matrimonio dei genitori: una coppia di ragazzi giovani e felici che si baciavano, tagliavano la torta, ballavano. Marco conosceva a memoria quelle foto, le aveva guardate un sacco di volte. La foto preferita era quella in cui suo padre baciava sua madre mentre lei rideva. Quasi tutti avevano occhi rossi per colpa dei primi flash che facevano l'effetto occhi da coniglio.

Quando si sfogliavano gli album, si sentiva sempre il rumore di carta velina che separava le pagine.

Tra le fotografie ce n'erano anche di sbagliate, fuori fuoco, o con teste tagliate a metà. Quante imperfezioni, quante sbavature e sviste. Era tutto più vero. Tutto più a misura d'uomo. L'imperfezione come forma di libertà.

Le fotografie raccontavano sempre qualcosa di speciale. Per prendere la macchina fotografica doveva esserci un motivo, un evento: un matrimonio, un compleanno, il battesimo, la comunione, un viaggio, le vacanze. Impensabile fare tre fotografie al piatto di pasta o alla pizza o alla fetta di torta, come succede adesso con le macchine digitali o il telefono. Le foto scattate senza un motivo speciale solitamente erano state fatte per finire il rullino e poterlo portare a far sviluppare. E comunque non finivano negli album, ma rimanevano nella busta insieme ai negativi. Marco e Andrea amavano guardare i negativi contro luce e cercare di capire chi fossero quelle ombre.

Girando per casa e riconoscendo gli oggetti riconosceva se stesso, un se stesso che aveva resistito a tutto, come le tazzine, i bicchieri, il divano. Una parte che era ancora lì, nascosta sotto tutti i nuovi modi di essere venuti dopo.

Poi, dopo aver girato in tutte le stanze, entrò nella camera del padre. Gli venne la tentazione di aprire i cassetti e l'armadio, ma sentiva quel frugare come un'intrusione.

Oltre ai vestiti trovò il vecchio cappotto della madre col collo in pelliccia, rimasto lì da sempre. Avevano dato via tutto di lei, tranne il cappotto. In una scatola trovò un costume da bagno del padre. L'unico che avesse mai avuto, non ne aveva mai comprato uno nuovo. Uno slip blu con due strisce bianche sui fianchi.

Fece una cosa che non faceva da anni, si buttò sul letto matrimoniale e chiuse gli occhi.

Iniziò a rievocare la vita che abitava quella casa, a riportare alla memoria alcuni momenti della sua infanzia. Quando giocava con suo fratello in camera il pomeriggio cercando di imitarlo in tutto. Gli venne in mente quando cenavano tutti insieme, e si guardava il telegiornale, quando la domenica con il padre ascoltavano alla radio i risultati delle partite. Si immaginò di alzarsi dal letto, andare in cucina e trovare tutti lì: il padre e Andrea a tavola, la madre ai fornelli.

"Cosa stai cucinando?"

"Vi ho fatto le melanzane alla parmigiana, quelle che ti piacciono tanto. Dài, siediti."

"Ciao, papà, come è andata oggi al lavoro?"

"Bene, grazie, e tu a scuola?"

"È andata bene, papà, è andata bene. Andrea, mi passi l'acqua per favore?"

"Eccola. Poi dopo cena voglio farti vedere una cosa che ho letto ieri, sono sicuro che ti piacerà."

"Grazie."

Si immaginò tutto nei dettagli. Una serata normale, una delle tante. Chissà se a quei tempi era felice come lo sarebbe stato adesso se avesse potuto riviverla.

Poi, sempre usando l'immaginazione, scese in cortile a giocare con i ragazzi del quartiere, a pallone, a nascondino, a strega comanda color, a correre con le BMX. *Quanto sarebbe bello rivivere una giornata così, una giornata da bambino,* pensò.

Dopo aver viaggiato in quei ricordi, riaprì gli occhi e rimase qualche secondo a fissare il soffitto. All'improvviso notò che negli angoli il muro era tutto annerito, anche sopra i termosifoni.

Nella casa c'era troppo passato e un'assenza totale di futuro. Non c'erano piante, non c'erano fiori, animali, nipoti.

Qui c'è bisogno di una bella imbiancata, pensò Marco.

Si mise di nuovo a girare per casa per fare l'inventario delle cose da sistemare: la piastrella rotta in bagno, la maniglia del frigorifero, quella della finestra in camera, la tapparella in salotto.

A un certo punto gli squillò il telefono, era Andrea che voleva sapere se andava tutto bene e se aveva bisogno di qualcosa.

«... vernice bianca?»

«Ho deciso di dare una mano di bianco e sistemare le cose rotte.»

«Lascia stare, dài, mi sembra che abbiamo già abbastanza cose a cui pensare.»

«Almeno ho qualcosa da fare.»

Andrea sapeva che se suo fratello aveva deciso nulla e nessuno gli avrebbe fatto cambiare idea.

«Fai come ti pare.»

Quando Marco chiuse la conversazione, si guardò intorno e si ritrovò pieno di entusiasmo. Era contento della sua decisione. Non era uno che riusciva a stare molto tempo con le mani in mano, era sempre stato così. Perfino quando andava in vacanza si ritrovava ad aiutare gente sconosciuta pur di fare qualcosa.

La sera Andrea cercò ancora di fargli cambiare idea, sapendo che non ci sarebbe mai riuscito.

Si fece ripetere ancora una volta tutte le cose che aveva intenzione di fare, Marco aveva fatto un elenco.

«Posso chiederti almeno un favore?»

«Dimmi.»

«Puoi iniziare tra due giorni?»

«Perché tra due giorni?»

«Perché è sabato e non lavoro, così lo facciamo insieme. Daniela questo weekend è dalla madre.»

«Non ho bisogno che mi aiuti.»

«Non lo faccio per aiutarti, lo faccio perché mi va di farlo.»

Marco alzò la testa e guardò suo fratello, si fecero un piccolo sorriso.

«Non ti fa già stare meglio?»

«Cosa?»

«Ribaltare questa casa.»

Andrea fece sì con la testa.

Una mano di bianco

Marco aveva cercato di stendere un telo di plastica nel corridoio di casa lanciandolo in aria con lo stesso gesto con cui si aprono le lenzuola quando si fa il letto. Non aveva funzionato molto.

«Andrea, dammi retta, conviene che stacchiamo il frigorifero, lo riattacchiamo in salotto e lo lasciamo lì finché non abbiamo finito di dipingere la cucina. Poi portiamo di là anche il tavolo, mentre la credenza basta spostarla in mezzo. La cucina la spostiamo poco che il tubo del gas è corto e non conviene che lo stacchiamo.»

«Va bene, inizio col frigorifero.»

«Io metto il cellofan per terra e copro le cose che restano nella stanza.»

Era un sabato mattina presto. Marco era pieno di entusiasmo e di energia, avere una cosa da fare lo aveva galvanizzato e aveva dato un senso al fine settimana.

«Ti va se ci facciamo un altro caffè nel frattempo?»

«Volentieri.»

Anche Andrea era stato trascinato dall'entusiasmo del fratello e aveva deciso di seguirlo in quella follia. L'idea di condividere quell'esperienza gli piaceva, tanto che quando Marco gli aveva proposto di fare una stanza per ciascuno, aveva risposto che preferiva farne insieme una alla volta.

Preparare la cucina fu un lavoro veloce. Quando il caffè era salito nella moka era quasi tutto pronto.

Marco versava la vernice in un secchio e mescolava il tutto, Andrea faceva la stessa cosa con lo zucchero nel caffè. Si guardarono un istante e sorrisero nel vedere quei due gesti uguali. Bevvero il caffè, poi, preparati i rulli, iniziarono a dipingere.

Chiacchieravano ricordando cose del passato e, mentre dipingevano la cucina della casa dove erano cresciuti, sembravano vecchi amici. Erano entrambi di buonumore.

«Lo so a cosa stai pensando, alla barista sotto il mio ufficio» disse Andrea con tono ironico. Parlare di donne con Marco era un modo per compiacerlo e stabilire un contatto.

Marco aveva la sigaretta in bocca, si tirò indietro un po' con la testa per evitare che il fumo gli entrasse negli occhi. «Mi hai beccato, come hai detto che si chiama?»

«Delia.»

«È notevole. Magari la settimana prossima ti accompagno al lavoro.»

«Ha una fila di corteggiatori.»

«Quelli come me la fila non la fanno» disse sorridendo.

Andrea scoppiò a ridere. «Bella è bella, te l'ho detto, fa l'attrice.»

«Per adesso fa la barista.»

«Sì, ma è un lavoro provvisorio.»

«Speriamo per lei.»

A Marco venne in mente che una volta a Los Angeles tutte le cameriere che incontrava dicevano di essere delle attrici, non dicevano mai: "Faccio la cameriera ma sogno di fare l'attrice". Dicevano sempre: "Sono un'attrice ma provvisoriamente faccio la cameriera". Magari poi facevano le cameriere per tutta la vita, ma loro sostenevano di essere attrici.

Durante il viaggio in California, una sera a una festa a Venice Beach si era trovato su una terrazza a fumarsi delle canne. Era il periodo in cui sognava di essere Jim Morrison o Jack Kerouac. Mentre fumava, Marco aveva detto: "Qui le cameriere sono tutte attrici, cazzo, non ce n'è una che dica di essere una cameriera". Si erano messi tutti a ridere, e un ragazzo tedesco dopo un lungo tiro aveva aggiunto: "Pensate a Gesù quando da ragazzino faceva il falegname con suo padre Giuseppe e magari anche lui diceva che era un lavoro provvisorio. Diceva di essere figlio di Dio e che era qui per salvare il mondo dai peccati, e chissà cosa pensava la gente, lo avranno scambiato per un pazzo. Chissà come lo sfottevano: 'Ehi, figlio di Dio, mi hai finito il comodino? Ehi, salvatore dell'umanità, come sei messo con la mia cassapanca? È pronta?'".

Era stata una di quelle sere in cui non riesci a smettere di ridere e nemmeno a respirare, una di quelle volte in cui hai paura di morire soffocato dalle risate, come quando da bambini ti fanno il solletico. Raccontò l'episodio al fratello e risero insieme.

Verso l'ora di pranzo Andrea si offrì di scendere a comprare qualcosa da mangiare. «Ti propongo una pizza nel cartone e birra ghiacciata.»

«Perfetto.»

Mentre Andrea era in pizzeria ad aspettare, ripensò a quando Daniela gli aveva proposto di dipingere insieme la casa nuova. Lui aveva preferito chiamare degli imbianchini. Per la prima volta si rese conto che era stato uno stupido a rispondere così, a non aver capito cosa intendesse Daniela. Ultimamente riflettendo sul suo matrimonio si accorgeva di errori che prima nemmeno sospettava. *Ho proprio la testa quadrata,* si disse.

Andrea e Marco, sporchi di vernice, erano seduti per terra a mangiare la pizza.

«Ti ricordi quando abbiamo trovato una fetta di pizza sotto il tuo letto?» disse Andrea.

«Una fetta di pizza sotto il letto?»

«Sì, era là sotto da giorni. Avevi buttato sotto il cartone dopo aver mangiato la pizza a letto, ma dentro ce n'era ancora una fetta.»

«Ah sì, adesso ricordo. Che periodo. Sarò stato ubriaco o altro.» Risero.

«Certo non si può dire che non ti sia divertito in quegli anni.» Andrea aggiunse: «Un po' ti invidio».

«Vuoi dirmi che avresti voluto ubriacarti o drogarti anche tu? Questa mi è nuova.»

«Non ho mai pensato che drogarmi o ubriacarmi potesse aiutarmi a risolvere i problemi, avrei preferito solo un po' più di spensieratezza.»

«Nessuno si ubriaca o si droga per risolvere i problemi, ci si prende solo una piccola pausa. In più quando ti svegli stai ancora peggio. È una fuga dalla realtà. Rilasci le corde che sono troppo tese da troppo tempo. Tu sei di quelli che non lo fanno mai, poi un giorno ammazzano il vicino perché fa rumore con un martello.» Risero e ricominciarono i lavori.

La cucina era finita e avevano già iniziato a preparare la camera da letto del padre. Andrea, dopo aver dato una sorsata alla birra, disse: «Non è vero che Daniela è andata da sua madre. La verità è che non stiamo più insieme, ci siamo lasciati».

La faccia di Marco era quella di chi non crede a quel che ha appena sentito. «Come, lasciati?»

«Sì, ci siamo lasciati tre mesi fa, il nostro matrimonio è finito. Stiamo cercando di vendere la casa, per adesso ci vive lei in attesa di un'altra sistemazione.»

Si guardarono negli occhi, Marco non sapeva che dire. Dalla bocca gli uscì solo: «Mi dispiace. E in questi mesi dove hai dormito?».

«Da un amico, a volte anche in albergo e qualche volta qui, con la scusa che dopo cena ero stanco. Non dirlo al papà, lui non sa nulla e adesso non me la sento di affrontare il discorso.»

Marco gli chiese se stava soffrendo. Andrea rispose che era confuso, aveva alti e bassi.

«Lo sai che a volte mi dimentico di essere separato e penso di tornare a casa e raccontare a Daniela le cose che mi sono successe? Forse una parte di me non riesce ad accettarlo.»

«È successo anche a me col lavoro. Una mattina ho preso la metro e stavo andando al vecchio ristorante, me ne sono reso conto a metà strada. Magari è solo il desiderio di vivere qualche ora nella vita di prima.»

Marco in silenzio cercava lo sguardo del fratello.

«Non deve essere facile chiudere un matrimonio, perdere la persona con cui stai da anni, con cui vai a dormire e con cui ti svegli al mattino. È quasi un lutto, ci vuole tempo. Quel due deve tornare uno.»

Andrea non lo aveva detto praticamente a nessuno, non solo a suo padre, nemmeno ai colleghi e ai suoi amici. lo sapeva solo l'amico che lo aveva ospitato. Aveva la sensazione che nel momento in cui lo avesse detto a qualcuno, avrebbe iniziato a essere vero.

«È finita perché non eravate felici o c'è un'altra?»

«Non proprio.»

«Cosa significa "non proprio"?»

«Non mi sono innamorato, è successa una cosa. Solo che non ho ancora capito se è stata la causa o l'effetto.»

Ad Andrea era chiaro cosa fosse successo, quel che aveva provocato lo strappo. Si ricordava che nell'ultimo anno lui e Daniela avevano iniziato a parlare meno. All'improvviso era come se qualcosa li avesse spinti fuori dalla loro frequenza comune, dal loro linguaggio di intesa. Erano iniziati i fraintendimenti: Andrea diceva una cosa con un senso, Daniela la interpretava diversamente. D'un tratto nella loro intimità si era insinuata una specie di lente deformante che falsificava ogni azione, ogni parola, ogni pensiero che esprimevano.

Avevano iniziato a essere sempre più prudenti nel dirsi le cose, nell'evitare certi discorsi. Ponderavano le parole, le misuravano, le soppesavano, a volte le smontavano fino a non trovarsi più nulla da dire tra le mani.

Così avevano iniziato a parlare meno, a creare silenzi sempre più lunghi, a dedicarsi ad altro rispetto a loro due.

Senza rendersene conto avevano costruito un muro invisibile di riguardi, timori, pudori e si erano ritrovati ai due lati opposti del muro, in compagnia delle rispettive solitudini.

Col tempo avevano iniziato a discutere più spesso fino a litigare. Quella novità mal gestita era arrivata al punto di non ritorno quando Daniela aveva detto: "Forse non siamo fatti per stare insieme. Ci vogliamo bene ma non siamo fatti l'uno per l'altra".

Il solo fatto di avere evocato quella possibilità l'aveva resa più reale, come un fantasma che prima non c'era.

Durante le discussioni Daniela aveva tirato fuori molte cose che non le andavano più bene e lui le ricordava tutte: "Andrea, dopo anni che siamo sposati, ancora non capisco a cosa stai pensando quando stai ore in silenzio. A volte non sei presente nemmeno quando sei qui e questo mi infastidisce molto. E non capisco perché, non so se è perché ti annoi con me o se hai bisogno di pensare ad altro. Viviamo dentro un'abitudine che ci ha resi invisibili l'uno all'altra. Non mi vedi più. A volte non mi parli per ore, giri per casa come se io non esistessi, fossi sempre più invisibile, poi all'improvviso inizi a parlarmi come se niente fosse. Nemmeno ti accorgi che mi hai completamente ignorata per ore".

Andrea nel sentire quelle parole si era accorto che erano le stesse che avrebbe voluto usare contro di lei.

Ma non aveva detto nulla e in quel silenzio Daniela aveva aggiunto: "Conosco solo le tue regole, le tue teorie. Tu valuti, progetti, quantifichi, fai equazioni, ma soprattutto devi sempre spiegare ogni cosa. Pensi che io non capisca? Che non sia intelligente come te? Sono stanca di relazionarmi con un continuo senso di inadeguatezza. Sono stanca e mi annoia quando fingi di essere disponibile, ragionevole e mi costringi a essere d'accordo con te su cose che non mi interessano".

Era vero che, anche se stavano insieme da anni, non riuscivano a capire i silenzi dell'altro, e quella è la vera chiave dell'intimità.

Una delle prime discussioni era avvenuta a letto, mentre stavano per addormentarsi. Anche quella volta Andrea non sospettava nulla. Succedeva spesso che Daniela rimuginasse tutto il giorno e si chiudesse in un angolo tutto suo dove preparava la battaglia.

Quella sera erano usciti a cena con amici. Tornati a casa Daniela aveva iniziato a parlare delle altre coppie e a fare paragoni. Lo aveva accusato di essere diverso quando era in compagnia, come se avesse bisogno di un pubblico per essere brillante e simpatico. Poi quando erano soli si spegneva.

Lei all'improvviso aveva riacceso la luce. "Andrea, come puoi riuscire a dormire?"

"Che c'è? Non stai bene?"

"Ma tu non senti una tensione? Possibile che non senti mai nulla? Ti giri, spegni la luce e dormi. Io non ce la faccio."

Andrea si stava chiedendo cosa avesse fatto di sbagliato.

"Quando siamo noi due da soli diventiamo come due estranei, quasi fossimo due colleghi di lavoro, non sembriamo una coppia. Torniamo a casa, ci laviamo i denti, ci mettiamo a letto, tu leggi, io mi volto dall'altra parte e spero di addormentarmi presto. Ma spesso non ci riesco perché sono triste, sono triste e me ne accorgo. Mi viene voglia di piangere."

Dopo aver detto quelle parole era rimasta a guardarlo in attesa di una sua reazione.

"Di' qualcosa cazzo, Andrea, di' qualcosa."

Quando Andrea aveva sentito quelle parole si era sentito combattuto: da una parte capiva quello che intendeva lei e sapeva che aveva ragione, però quando se lo sentiva dire sosteneva il contrario. Forse aveva paura.

Anche quando si erano lasciati, alla fine lui le aveva detto: "Non possiamo chiudere un matrimonio per una cosa così stupida" e lei a quel punto aveva vuotato il sacco e gli aveva detto tutto quello che pensava. Parlava lentamente, in maniera chiara, senza pause, come se conoscesse a memoria quello che diceva. Il suo discorso non faceva una piega, era chiaro, netto, compiuto. Le parole erano perfette, la luce nella stanza perfetta, il buio fuori perfetto. Tutto cristallizzato nella perfezione, come una rivelazione. Un'epifania.

Andrea la ascoltava e per assurdo ne era incantato. Era sedotto da come erano costruite le frasi, come erano state preparate. A volte si distraeva solo per pensare al fatto che lei non aveva perso la sua grazia, il garbo, la compostezza. Aveva portato a galla tutto quello che lui non era stato capace di ammettere con se stesso. Più Daniela raccontava e faceva emergere la fragilità del loro rapporto, più lei sembrava forte.

Eppure Andrea non riusciva ad accettare quel dato di fatto, qualcosa dentro di lui faceva resistenza.

"Andrea, non è per quello che hai fatto o per quello che ho fatto io, tutti possono sbagliare. Tu hai sbagliato, io ho sbagliato. Il punto è un altro. Dobbiamo dirci la verità, noi ci vogliamo bene, siamo affezionati l'uno all'altra e non vogliamo ferirci, non vogliamo farci del male, ma non possiamo andare avanti così."

Dopo quelle parole Andrea aveva avuto paura. "Aspettiamo, però, non lasciamo andare tutto. Possiamo darci ancora una possibilità, cercare di far funzionare questo rapporto, non c'è bisogno di mollare tutto alla prima difficoltà."

Daniela si era accorta che doveva fare tutto da sola, lui avrebbe reso le cose più difficili, invece di scegliere di essere onesto e accettare l'evidenza. "Ecco un'altra cosa che non posso più sopportare."

"Cosa?"

"Funzionare, la parola 'funzionare'. La usi sempre, vuoi sempre fare funzionare tutto, anche i rapporti. Io non voglio funzionare, non sono un aspirapolvere, non sono una macchina, un robot. Voglio vivere, sono stufa di pianificare nella mia testa cose che non succedono, programmare una vita che non vivrò mai perché quel futuro che sogno non esiste. Sono stanca di sentirmi sola, invisibile, inesistente."

"Non sei sola, non lo sei mai stata."

"Invece sì, e sai come ho fatto in questi anni? Mi sono inventata un sacco di cose, un sacco di bugie che mi facessero compagnia. Solo che da un po' non funzionano più, hanno perso ogni potere e mi sono ritrovata sola. Ho paura che se resto qui con te finirà che ti renderò responsabile di ogni cosa brutta, di ogni dispiacere. Già lo faccio. Già ho iniziato a pensare che sia stato tu a mortificare ogni mio sogno più profondo. Lo so che sbaglio, ma ormai sei la causa di tutti i miei malumori."

Daniela aveva capito di aver bisogno di un altro tipo di uomo al suo fianco, capace di donarle un rapporto che potesse rigenerarsi. Era stanca di un uomo come Andrea che parlava a senso unico, spiegava, insegnava, parafrasava.

Andrea stava raccontando tutte queste cose a suo fratello mentre dipingevano la stanza del padre. «Vuoi un bicchiere d'acqua? Ho la gola secca.»

«Sì, grazie.»

Marco lo aveva ascoltato attentamente, era dispiaciuto ma nelle parole di Daniela lo aveva riconosciuto, anche se non poteva dirlo.

Era contento di non essere sposato, di non avere una relazione, un rapporto monogamo. In passato era capitato anche a lui di vivere quelle tensioni. A differenza di suo fratello, se ne accorgeva sempre e in fretta, prestando attenzione a una serie di segnali che le donne lanciavano: il respiro, il fatto di muoversi continuamente a letto. Marco li riconosceva e sapeva di essere davanti a un bivio: fingere di non capire o chiedere se andava tutto bene. Sceglieva sempre la prima opzione, fingersi un orso incapace di comprendere. *Sono una persona orrenda,* si diceva in quelle situazioni.

Andrea tornò con due bicchieri di acqua, ne allungò uno a suo fratello e aggiunse: «Alla fine quello che è successo tra me e Daniela forse era inevitabile».

Marco bevve l'acqua lentamente come se stesse continuando a seguire il filo dei suoi pensieri.

«Caffè?» chiese Andrea battendo le mani come a dire "andiamo avanti".

«Sì, grazie. Se vuoi lo faccio io.»

«Ci penso io.»

Mentre Andrea preparava la moka, Marco finì di dipingere.

Quando arrivò con i caffè, Marco non disse nulla, esprimeva una sorta di silenzio rispettoso. Fu Andrea a romperlo. «Veramente una c'è.»

«Che cosa?»

«Una ragazza che mi piace. Non sono innamorato ma mi piace.»

«Chi è?»

«Una che lavora nel mio ufficio.»

«Come si chiama?»

«Irene.»

Marco guardò suo fratello. «È carina?»

«Molto.»

«E tu le piaci?»

«Mi ha detto di essere innamorata di me.»

Marco appoggiò la tazzina sul piattino che teneva nell'altra mano. «È lei il motivo per cui vi siete lasciati tu e tua moglie?»

Andrea non rispose, sorrise mentre il suo sguardo si perse dentro immagini, ricordi.

«Impossibile, Andrea, non ci credo. Non è da te.»

Andrea & Irene

Per Andrea l'idea di tradire la moglie non era contemplata tra le possibilità. Non gli era mai passato per la testa, neppure per un istante.

Non apparteneva neanche alle opzioni che uno si tiene come ultima eventualità, come le uscite di sicurezza sugli aerei.

La sua fedeltà era sempre stata granitica, non perché il rapporto con la moglie fosse più forte di una scappatella, la sua fedeltà salda non aveva nulla a che fare con loro due. La sua fedeltà era una promessa a se stesso. Un fatto personale. Etico.

Tradire per lui era sbagliato. Punto. Era inaccettabile. Secondo il suo modo di vedere tradire era mancanza di rispetto. Questo gli avevano insegnato, questo aveva imparato, questo aveva sempre pensato.

Se tradissi mia moglie minerei le colonne portanti di tutta la mia vita, si era detto un giorno mentre si guardava nello specchio dell'ascensore salendo in ufficio.

Anche sull'essere tradito era sempre stato categorico. "Se scoprissi che mia moglie mi ha tradito, la lascerei immediatamente" aveva detto durante una cena in cui si parlava di queste cose.

Non aveva fatto il conto con la forza che sprigiona il volere di una donna. Quando una donna vuole una cosa tremano le montagne, si muovono le maree, quando una donna vuole un uomo trema l'universo intero.

Andrea e Irene da qualche mese lavoravano allo stesso progetto.

Era stato in quel breve periodo che lei, di tredici anni più giovane di Andrea, si era presa una cotta per lui.

Irene si impegnava molto, prendeva il suo lavoro seriamente. Si era trasferita da poco a Milano e non aveva molti amici, spesso dopo l'ufficio tornava a casa e cenava davanti al computer continuando a lavorare. Usciva ogni tanto con delle ragazze che aveva conosciuto da poco. Erano amicizie diverse da quelle vere, nascevano per solitudine, per coincidenza. Non aveva molto in comune con quelle ragazze e spesso si sentiva fuori posto nelle situazioni in cui si trovava. Si sentiva estranea se non a disagio. Tutti gli uomini che incontrava le sembravano degli idioti. Curati nell'aspetto, privi di ogni forma di spontaneità, anche nelle sopracciglia. Parlavano subito di quello che avevano, di quello che facevano, di quello che avrebbero avuto presto. In realtà volevano solo portarla a casa per scopare. Tutto era in superficie. Lo sforzo di apparire interessanti era così evidente e ridicolo che le ricordavano i cataloghi di arte contemporanea.

Seguendo una di queste nuove amiche si era iscritta in palestra, più per socializzare che per fare attività fisica. Il primo giorno un personal trainer le aveva fatto una serie di domande per compilare la sua scheda. Era molto bello, sembrava un modello. Flirtava con lei usando la voce e lo sguardo. Mentre parlava, era lei che avrebbe voluto fargli delle domande.

"Ma la maglietta che indossi non è troppo stretta?".

"Quale estetista ti ha convinto che queste sopracciglia ad ali di gabbiano gigante ti stiano bene?"

"Di che colore sei realmente se non ti fossi addormentato sul lettino abbronzante?"

Aveva iniziato a pensare che lui fosse uno di quelli che su Facebook postava le sue foto al mare in costume, che sceglieva il cibo sul menu del ristorante in base alle calorie, che anche quando faceva l'amore davanti allo specchio si guardava i pettorali.

Andrea era un uomo vero, non flirtava mai e la trattava da pari, anche se aveva un ruolo superiore al suo. Era gentile, non le faceva battute allusive, era un uomo serio e questa serietà l'aveva conquistata.

Aveva per lei delle attenzioni che nessun altro uomo aveva mai avuto. Piccole cose, magari arrivava al lavoro portando dei cornetti anche per lei, le chiedeva se era stanca e se voleva fare una pausa. Quando uscivano dall'ufficio la accompagnava alla macchina e non lo faceva per sedurla, era solamente premuroso e cortese.

Una volta Irene gli aveva confidato che uno dei suoi sogni era andare in Australia, e lui dopo qualche giorno le aveva preso un libro sulla terra dei canguri, sperando che lei non lo avesse.

Quando aveva dovuto portare la macchina a riparare, Andrea le aveva prestato la sua. Irene non era abituata a tutte quelle attenzioni e, a causa del senso di solitudine che provava da quando si era trasferita a vivere a Milano, la facevano sentire bene. Fisicamente lui non era nemmeno il suo tipo, eppure le sue gentilezze l'avevano stregata. Andrea non chiedeva mai nulla in cambio, era solamente fatto così, "amabile", come avrebbe detto sua madre. La sua disponibilità era fine a se stessa.

Andrea era così onesto di carattere che non teneva nascosto nulla a Daniela, ma lei non era gelosa né infastidita. Le piaceva il suo modo di essere: gentile con tutti, non solo con lei. Sapeva anche del prestito dell'auto.

Poi un giorno Irene si era resa conto di essersi innamorata di Andrea. Rispettava il fatto che lui fosse sposato, per questo teneva nascosto il suo amore. Non aveva mai avuto una storia con un uomo sposato e non lo avrebbe mai fatto, "non sono quel tipo di donna". Però immaginava di fare l'amore con lui, viaggiare insieme, addirittura farci dei figli.

I mesi passavano e qualcosa tra loro iniziava a cambiare. Un giorno Andrea l'aveva guardata in maniera diversa, forse anche lui provava qualcosa.

Irene, senza farsi illusioni, aveva cominciato a sperare.

Tutto era cominciato dopo che Andrea aveva avuto un incidente: era stato investito da una macchina.

In pochi minuti tra i corridoi dell'ufficio era arrivata la notizia, Irene era impallidita. Aveva preso un taxi per l'ospedale. Nulla di grave, gli avevano ingessato un braccio ed era in osservazione.

Irene lo aveva raggiunto in stanza. Erano soli. "Tua moglie lo sa? Vuoi che la avvisi io?"

"Hanno provato a chiamarla, il telefono è spento e hanno lasciato un messaggio in segreteria."

"Se posso fare qualcosa, dimmelo."

Dicendogli quelle parole gli aveva preso la mano, era la prima volta che si toccavano così.

Lei era emozionatissima, c'era mancato poco che non scoppiasse a piangere. "Mi sono spaventata a morte quando ho sentito che ti avevano investito. Hai sete? Vuoi qualcosa?"

"Niente, grazie. Credo mi abbiano dato degli antidolorifici, mi sento stanco, credo che dormirò un po'."

"Va bene. Vuoi che me ne vada?" gli aveva detto mentre con il pollice gli accarezzava le nocche della mano.

"Non voglio mandarti via, solo che adesso mi si chiudono gli occhi."

Andrea si era addormentato, con la mano in quella di Irene. Al risveglio aveva sentito ancora il calore della mano di lei e aveva aperto gli occhi.

"Ciao, Andrea."

"Ciao, Daniela" aveva detto a bassa voce.

"Finalmente ti sei svegliato. Come ti senti?"

"Un po' di dolori, ma sono vivo" e aveva ritratto la mano.

Daniela era sconvolta, aveva appena finito di piangere. "Ho parlato col dottore, dice che non hai nulla di grave."

"Va' a casa, Daniela. Voglio stare solo adesso, sono stanco."

Daniela era stata sorpresa dalla reazione di Andrea, aveva pensato che fosse ancora sotto shock. Aveva deciso di fare come le aveva chiesto. Dopo che Daniela se n'era andata, dagli occhi di Andrea erano scese delle lacrime.

Era rimasto in ospedale qualche giorno, e una volta rientrato a casa tutto era tornato come prima. Tranne Andrea, lui era cambiato profondamente.

Con Irene era ancora più premuroso, ogni tanto quando lei alzava gli occhi lo sorprendeva a fissarla con uno sguardo che non gli aveva mai visto prima. Lei non capiva.

Una sera l'aveva perfino invitata a prendere un aperitivo.

"Dove? Al bar qua sotto?"

"Proviamo un posto nuovo, ne conosco uno non molto lontano, ci possiamo andare a piedi."

Irene era felice, forse qualcosa stava cambiando e c'era una possibilità per loro.

Quando erano arrivati al bar, tutto era già apparecchiato per l'aperitivo. Il bancone era pieno di piatti e vassoi come al buffet di un matrimonio a basso costo. Pizzette, focaccine, verdure, würstel, bresaola arrotolata con ricotta e rucola. Una serie di piatti di plastica impilati e bicchieri pieni di forchette, anche quelle di plastica.

Al posto delle sedie c'erano dei pouf di pelle a forma di cubo, così bassi che lo stomaco era all'altezza delle orecchie.

La musica era alta, *Everybody* era l'unica parola che capiva di quel lamento musicale.

Andrea aveva ancora il braccio ingessato e Irene lo aveva aiutato a prendere delle cose da mangiare.

Avevano parlato molto delle loro vite, avevano riso parecchio e Andrea si era accorto di essere un po' ubriaco, non succedeva da anni.

Quell'aperitivo era stato il primo di altri, le mail che si scrivevano iniziavano ad andare oltre i confini del lavoro.

C'era stato un primo messaggio sul telefonino, poi un altro. Irene non chiedeva nulla ad Andrea della vita privata, si limitava a non scrivergli dopo una certa ora. Spesso succedeva che si scambiassero SMS nel tragitto verso casa dopo il lavoro o dopo l'aperitivo insieme. Se Daniela era fuori a cena, lui le scriveva.

Entrambi stavano facendo qualcosa che andava contro i propri principi, eppure era più forte di loro.

Durante gli aperitivi era capitato che si sfiorassero, che si prendessero per mano qualche secondo. L'avvicinamento fisico era molto lento, nessuno dei due spingeva in quella direzione anche se entrambi lo desideravano. Poi una sera uscendo dall'ufficio lui l'aveva accompagnata alla macchina. Diluviava.

"Sali, Andrea, ti accompagno alla fermata della metro."

In auto non avevano parlato molto, lui sembrava agitato, distante. Prima di aprire la portiera si erano avvicinati per i soliti baci sulle guance, entrambi erano andati nella stessa direzione e avevano rischiato di baciarsi sulle labbra.

"Oh, scusa." Andrea si era tirato indietro imbarazzato, aveva preso la borsa ed era rimasto fermo qualche secondo, guardando in basso.

"Che c'è, Andrea?"

"Niente, ciao, vado. Ci vediamo domani."

Da sola in macchina, Irene si sentiva a disagio.

Ho sbagliato qualcosa? Ho esagerato? Forse ha cambiato idea.

Le veniva da piangere. Perché si ritrovava sempre in situazioni in cui non capiva il comportamento degli uomini? Anche lui alla fine si era rivelato come gli altri. *Sono tutti dei malati di mente.*

Mentre pensava a queste cose, la portiera della macchina si era aperta e Andrea si era riseduto sul sedile di fianco.

"Che succede? Hai dimenticato qualcosa?"

Lui l'aveva guardata, le aveva preso il viso tra le mani e l'aveva baciata con passione, si sentivano i respiri uscire dal naso. Poi l'aveva guardata negli occhi. "So che è sbagliato, Irene, lo so, ma non posso più fare finta, non posso più trattenere nulla. Mi piaci da morire."

L'aveva abbracciata, Irene non era riuscita a dire nulla.

All'improvviso Andrea era uscito dalla macchina. "Ciao, ci vediamo domani."

Irene si era ritrovata di nuovo sola. Sconvolta, frastornata.

Solo dopo si era accorta di essere felice, mentre la pioggia scendendo a dirotto si portava via tutti i dubbi che aveva su di loro.

Tradimento

Daniela aveva deciso di sposare Andrea perché lui si era dimostrato un uomo deciso, un uomo che sapeva quello che voleva ed era pronto a prendersi la responsabilità delle proprie scelte. Le sembrava un uomo risoluto e risolutivo, con un mondo fatto di certezze, fiducia, sicurezze. Affettive, morali, economiche. Sembrava la risposta che lei aveva sempre desiderato.

Qualche giorno dopo il primo bacio, Andrea aveva deciso di andare a casa di Irene, l'unica che aveva baciato oltre sua moglie in più dieci anni di matrimonio.

Aveva fatto fatica ad addormentarsi la sera prima, era troppo agitato e poi non era mai stato bravo a mentire.

Chi sono? Chi sto diventando? Cosa mi sta succedendo? Era pieno di incognite, di paure.

Aveva preso sonno dopo quella considerazione, ma alle cinque e mezza era di nuovo sveglio. Un sussulto, forse un rumore dalla strada, d'un tratto gli aveva fatto aprire gli occhi e si era trovato sveglio, lucido come non avesse mai dormito.

Si era girato lentamente a guardare la moglie, lei aveva il lenzuolo fino sopra gli occhi, uscivano solo la fronte e i capelli. Si era sempre chiesto come facesse a respirare.

A volte in passato l'aveva guardata dormire, domandandosi chi fosse realmente quella persona, perché lei e non un'altra nel suo letto. Avrebbe potuto amare un'altra donna ed essere felice allo stesso modo?

Le notti in cui era triste o agitato le si avvicinava e l'annusava. Si riempiva le narici e la testa del suo odore e come per incanto, una magia, si calmava. Adesso quell'odore non funzionava più.

Dove ci siamo persi? Cos'è che non funziona più? È un caso che la sera ci addormentiamo con le schiene rivolte uno all'altra? All'inizio non era così, me lo ricordo bene.

Il giorno era arrivato, era sabato. Tutto era tranquillo.

Si era alzato per fare colazione e si era messo a lavorare un po' al computer. Verso le otto aveva portato il caffè a letto a Daniela.

Era una cosa che faceva volentieri quando si presentava l'occasione. Quella mattina Andrea aveva capito una cosa: in quella situazione, le piccole attenzioni che aveva per lei gli procuravano un leggero dolore.

Daniela aveva appoggiato la schiena al cuscino per bere il caffè, con il viso ancora stropicciato.

Andrea era tornato in cucina con la convinzione di mandare a monte l'incontro con Irene.

"Ciao, scusa se ti avviso così all'ultimo ma ho avuto un contrattempo e non riesco a liberarmi."

L'aveva scritto, letto, riletto. Cancellato. Si era vestito ed era uscito.

Aria fresca, passeggiare, pensare, guardarsi intorno.

Aveva comprato il giornale per lui e un paio di riviste per Daniela ed era andato a sedersi in un bar.

Sfogliava le pagine e leggeva solo i titoli. In pochi minuti era arrivato alla fine, un'occhiata veloce alle previsioni del tempo.

Osservava le persone: c'era una coppia di ragazzi giovani, sorridenti, felici, innamorati. Si baciavano, si accarezzavano e si imboccavano a vicenda.

Andrea era felice di vederli, era contento di sapere che esistevano, che nonostante tutto il mondo creava continuamente quella portentosa magia.

Quell'immagine lo aveva assorbito completamente e distratto da tutto, soprattutto da se stesso. Con stupore aveva iniziato a desiderare di poter fare la stessa cosa con Irene. Si era reso conto che con lei non desiderava solo fare l'amore, non era il desiderio fisico e carnale ad aver squarciato e annientato le sue certezze, ma la tenerezza. Quella forza dirompente era la tenerezza. Perché non era la tenerezza che gli faceva portare il caffè a letto a Daniela, non era tenerezza quando la aspettava per mangiare se lei faceva tardi, non era la tenerezza che lo spingeva ad avere piccole attenzioni. Era solo galanteria coniugale, correttezza, gentilezza, educazione. Buone maniere.

Mentre fantasticava, era stato riportato alla realtà da un ragazzo che gli aveva chiesto il giornale.

Nel tornare al suo caffè, un pensiero razionale aveva iniziato a formarsi e a contrapporsi al suo slancio emotivo.

La verità era che i due innamorati di fronte a lui erano cullati dal movimento di una barca che li stava portando alla deriva, come tutti.

In quel momento aveva capito che non doveva andare da Irene, tutto sarebbe diventato solo una complicazione ed era meglio risparmiarsela.

Doveva ricominciare la sua vita da qualcosa di concreto. Il suo matrimonio. Con questa certezza Andrea si era alzato, deciso a tornare a casa da Daniela.

"Tienilo pure, l'ho già letto" aveva detto al ragazzo che stava leggendo il suo giornale ed era uscito dal bar.

La prima cosa da fare mentre tornava a casa era trovare le parole giuste da scrivere a Irene: "Scusa, non posso"; "Mi spiace ma ho avuto un contrattempo"; "Scusami ma non ci riesco"; "Perdonami ma non posso venire"; "Scusami, Irene, non riesco a venire. Lasciamo stare".

Non voleva ferirla, era sempre stata onesta con lui. Non lo meritava.

Era arrivato fino a casa senza aver inviato il messaggio.

Daniela si stava preparando per uscire, era in mutande. "Non so cosa mettermi, non sopporto più le cose che ho nell'armadio. Lo apro e non c'è nulla che mi piace, vorrei buttare tutto. Ho bisogno di cose nuove."

"Tipo?"

"Non lo so, vorrei proprio cambiare stile."

"Allora ti compro una tuta da rapper." Avevano sorriso.

Andrea era andato in cucina. Poco dopo Daniela lo aveva raggiunto.

"Bella scelta, stai bene con questa camicia."

"Mah, non lo so. Mi faccio un caffè, lo vuoi anche tu?"

"No, grazie, ne ho preso uno al bar."

"Me la apri?" gli aveva chiesto porgendogli la moka.

"Cosa faresti senza di me? Nemmeno il caffè."

"Più che altro la caffettiera non sarebbe chiusa così forte, ma è poco romantico da dire." Avevano sorriso di nuovo.

Andrea, seduto, la osservava mentre lei passava con il cucchiaio pieno di caffè dal barattolo al filtro della moka, senza mai farne cadere un granello. Quel fatto lo aveva sempre colpito. Daniela non sporcava mai la cucina, era dotata di una precisione impeccabile. E maniacale. Andrea s'era messo in testa che ci fosse di mezzo lui, all'inizio lei non era così, era stato lui a renderla ordinata e ossessiva. Era per compiacerlo che lei aveva cominciato a mettere le cose in frigorifero con le etichette allineate, a piegare gli indumenti prima di andare a dormire. Lui le aveva tirato fuori quella mancanza di sbavature, tutta quella disciplina. E gli era venuto da pensare che l'aveva resa una donna peggiore.

Mentre la guardava aveva preso atto di una cosa: non provava amore per lei, l'unico sentimento coinvolto nel loro rapporto era piuttosto l'affetto di chi si conosce da anni. Gli era venuto addirittura il sospetto che non si fossero mai amati. Probabilmente lei non c'entrava nemmeno, era lui a non esserne capace.

Si era alzato, era andato in bagno e aveva scritto a Irene: "Arrivo tra un'ora".

Andrea cercava di essere il più normale possibile, ma gli sembrava che Daniela fosse strana.

"Che fai oggi?" gli aveva chiesto senza girarsi e continuando a trafficare.

Andrea si era sentito subito sospettato. Era arrivato il momento della prima bugia, spararla, spingerla giù come una palla di neve dalla montagna e vedere quanto grossa sarebbe diventata, ben sapendo che bugia chiama bugia.

"Mi vedo con dei colleghi, tu che fai?"

"Vado dalla Ale che ha il figlio con la febbre e non può uscire."

Andrea si era alzato per prendere un bicchiere d'acqua e aveva notato della polvere di caffè sulla cucina: Daniela sapeva.

Magari non era vero che andava da Alessandra, magari lo avrebbe seguito.

Io l'ho fatto, io l'ho seguita quando ho avuto il sospetto che avesse un altro e sono andato sotto il suo ufficio. Perché lei non dovrebbe farlo con me?

Daniela si stava mettendo del mascara di fronte allo specchio nel corridoio. Senza muovere troppo le labbra per non commettere errori col trucco aveva detto: "Sei a casa per le otto?".

"Certo, anche prima."

"Va bene, allora a dopo." Era uscita e aveva chiuso la porta.

Quando era sceso, Andrea si era guardato intorno, poi era salito in macchina e aveva deciso di fare un tragitto più lungo, per vedere se fosse seguito.

Arrivato vicino a casa di Irene, come un fulmine gli era venuto in mente che Daniela non aveva bisogno di seguirlo, perché sapeva dove abitava lei: una sera dopo una cena di lavoro avevano accompagnato Irene a casa.

Daniela aveva una memoria di ferro. Poteva ricordarsi anche cosa aveva ordinato Andrea al ristorante qualche anno prima. Non usava nemmeno l'agenda. I suoi appuntamenti li ricordava a memoria.

Di sicuro Daniela era lì nascosta da qualche parte. Andrea non sapeva che fare, aveva sorpassato la casa di Irene e, girato l'angolo, aveva parcheggiato e spento il motore. In uno stato di agitazione aveva guardato nello specchietto retrovisore, con il sospetto che lei stesse arrivando: eccola spuntare da dietro l'angolo.

Nel vederla aveva avuto l'istinto di accendere la macchina e scappare, ma ormai non aveva senso. Aveva deciso di affrontarla.

Aveva aperto la portiera, era sceso, si era girato e le era andato incontro, per farle capire che non stava scappando. Nel momento in cui aveva guardato verso di lei, si era accorto che non solo non era Daniela ma che addirittura era un uomo.

Aveva fatto un respiro profondo, come a togliersi un macigno dallo stomaco. *Devo calmarmi*, si era detto risalendo in macchina.

Sono patetico, come uomo, come marito e come amante. Non sono all'altezza di nessun ruolo. Era squillato il telefono. Era lei.

"Pronto, amore, che c'è?"

"Niente, mi sono fermata a fare la spesa e volevo chiederti se stasera ti vanno delle linguine allo scoglio."

"Sì, perfetto. Dove sei?"

"Te l'ho detto, sono al super. D'accordo, allora prendo il pesce."

"Ok."

"Andrea, stai bene?"

"Sì, perché?"

"Niente, non mi chiamavi 'amore' da anni. Ciao, a dopo." Aveva sentito che lei sorrideva.

Daniela non lo stava seguendo, anzi, stava pensando alla cena.

Era sceso di nuovo dall'auto e si era incamminato verso casa di Irene. Camminava e pensava: *Daniela ha le sue colpe, le sue responsabilità, ma forse una cosa così non se la merita.*

A ogni passo il senso di colpa cresceva. Arrivato davanti al portone aveva allungato la mano per suonare il campanello e l'aveva ritratta subito, si era girato verso la direzione da cui proveniva, era tornato alla macchina ed era andato in ufficio.

Aveva scritto un messaggio a Irene scusandosi. Provava rabbia verso se stesso, verso Irene, verso Daniela.

Quando era tornato a casa avrebbe voluto trovare un calore famigliare, l'odore di cibo sui fornelli. Invece niente. Daniela era in bagno sotto la doccia. In cucina non era pronto nulla, non c'era nemmeno la traccia di chi si accinge a cucinare, Né l'acqua sul fuoco né il pacco di pasta in vista. *Strano, forse è tornata tardi.*

Si era accorto che il suo computer era aperto. A volte Daniela lo usava per collegarsi a internet e ascoltare della musica.

Quando Daniela era entrata in cucina, Andrea si era offerto di preparare la cena. Lei aveva risposto che dovevano parlare. A quel punto Andrea era sbiancato, il sangue gli si era gelato. *Forse ha trovato le mail di Irene.*

"Che c'è?"

Lei lo guardava con un'espressione strana, era tirata, i suoi lineamenti avevano preso una forma dura.

"Dobbiamo parlare di una cosa che ci riguarda."

Andrea aveva capito, lei sapeva tutto. *Sono un idiota. Come ho potuto fare una cosa così?*

Stava per dirle che da Irene non era salito, che aveva sbagliato ma che non era successo nulla. Solo uno stupidissimo bacio. Ma non riusciva a parlare.

In quel silenzio Daniela aveva fatto un lungo respiro e con uno sguardo triste aveva detto: "Andrea, mi spiace, mi spiace da morire, mi vedo con un altro uomo. Da mesi. Credo di esserne innamorata".

Spaghetti con le vongole

Quando Marco andava alle elementari, spesso si fermava a pranzo dai nonni. Arrivava sotto casa, suonava il citofono e diceva: "Sono io".

Quando entrava in casa, la nonna stava ancora pigiando il pulsante per aprire il portoncino.

Era sempre stata un'ottima cuoca, un giorno aveva detto a Marco che cucinare per qualcuno è un modo di dirgli che gli si vuole bene. Lui non si era mai dimenticato quelle parole, tanto che le ripeteva sempre ai ragazzi che lavoravano per lui.

La nonna gli aveva insegnato a cucinare. Quando a vent'anni era uscito di casa, conosceva già molte ricette e sapeva preparare piatti buonissimi. A Londra aveva trovato lavoro in un ristorante italiano, e il cuoco napoletano gli aveva insegnato i segreti del mestiere che gli mancavano.

Cucinare tutti i giorni al ristorante senza nemmeno avere il tempo di alzare la testa dalle ordinazioni gli aveva però fatto perdere l'amore per quel lavoro.

Adesso nel ristorante a Londra non faceva più il cuoco, era diventato food manager.

Amava cucinare per sé e per gli amici. Quando Isabella lo aveva invitato a cena, si era offerto volentieri di stare ai fornelli. Il menu consisteva in:

Insalata di polpo e patate
Spaghetti con le vongole e la bottarga
Orata all'acqua pazza
Tortini al cioccolato con cuore sciolto e gelato alla vaniglia

Niente di particolarmente ricercato, piatti semplici.

Carico di sacchetti, Marco era arrivato a casa di Isabella. «Inizio a preparare il dolce, che tanto quello va messo in forno all'ultimo minuto.»

«Va bene, posso aiutarti?» disse Isabella.

«Non serve. Se ti fa piacere, prima di cucinare posso preparare un Bloody Mary.»

«Molto volentieri.»

«Perfetto, si accomodi.»

Brindarono, poi Marco si mise ai fornelli. «Puoi stappare la bottiglia di vino?»

«Sto ancora bevendo il mio Bloody Mary.»

«È per dopo, mi serve il tappo di sughero per cucinare il polpo, se lo metto nell'acqua viene più morbido.»

«Ma è vero?»

«No, però me lo ha insegnato mia nonna, lo faccio per affetto e come rito propiziatorio.»

Isabella aveva stappato il vino. «A Londra quando compri la frutta e la verdura al supermercato, devi pesartela da solo o pesa tutto la cassiera?»

«Dove vado io pesa la cassiera.»

«Come a Parigi. Questa mattina sono andata a fare la spesa e quando sono arrivata alla cassa avevo cinque sacchetti e non ne avevo pesato nemmeno uno.»

«Sei dovuta tornare indietro?»

«No, hanno mandato un ragazzo che lavora lì, io sono rimasta alla cassa ad aspettare, che imbarazzo. Sentivo il fiato sul collo di quelli dietro di me. Mi sono girata per scusarmi e ho capito che mi avrebbero voluto lapidare.»

«Se vuoi aiutarmi, qualcosa da farti fare ce l'ho.»

«Volentieri, ma non sono molto brava.»

«Devi solo mescolare il cioccolato con il burro finché è

tutto sciolto. La cosa importante è la cottura: se vuoi che il cuore sia fondente, basta un minuto di troppo e non si scioglie niente.»

Isabella, dopo aver finito quello che lui le aveva chiesto, si sedette, prese il suo Bloody Mary e fece tintinnare i cubetti di ghiaccio. Trovava Marco molto sexy mentre cucinava, lo avrebbe guardato per ore.

La sua disinvoltura la eccitava. Bastava osservarlo nelle piccole cose per capire che ci sapeva fare, era sufficiente vedere come si asciugava le mani nel grembiule, come tagliava le verdure, come metteva il sale sui cibi, come apriva e chiudeva il rubinetto, come assaggiava dalla punta del cucchiaio di legno.

«Come vanno i tuoi appuntamenti di lavoro?»

«Devo andare vicino a Modena in un'azienda interessata. Vuoi vedere qualche disegno?»

«Volentieri.»

Isabella tornò con un book: magliettine, pigiami, calze.

Mentre sfogliavano i disegni si ritrovarono vicini, come quella volta dopo il funerale. Marco era pronto a girarsi e darle un bacio. Tra loro c'era la stessa tensione, la stessa attrazione di sempre.

Dall'altra stanza arrivò la voce della nonna: «Bagnetto finito, adesso facciamo la pappa».

La bambina e la nonna entrarono in cucina.

«Che buon profumo.»

Isabella si mise a preparare la cena per la bambina. Marco le fece spazio ai fornelli e si sedette sul divano a guardare i *Flinstones* con Mathilde.

Anche se non aveva mai pensato di avere figli, quando capitava di stare con quelli dei suoi amici si divertiva.

«Come sta tuo papà?» chiese Rossana rivolgendosi a Marco.

«Se la cava.»

«Speriamo si rimetta presto in piedi. E a Londra come va? Mi ha detto Isabella che hai un ristorante molto bello.»

«Non è tutto mio, sono in società con un ragazzo. Però lo

gestisco, seguo il menu e la cucina, va molto bene. Il cuoco è molto bravo.»

«E sei fidanzato?»

«Non fargli queste domande, mamma, che gli metti ansia» disse Isabella entrando nella stanza per prendere la bambina.

«Va bene, scusatemi. Non volevo essere invadente.»

«Non lo è, signora, è sua figlia che esagera sempre. Torno di là a preparare. Peccato perché volevo vedere come finiva la puntata dei *Flinstones*.»

«Mathilde li adora, pensa quando scoprirà che gli uomini e i dinosauri non sono mai esistiti insieme. Un po' come con Babbo Natale» disse Isabella senza farsi sentire della bambina.

Marco si alzò e tornò in cucina, per un istante si immaginò di essere sposato con Isabella e di averla accompagnata lì per far stare la nipotina con la nonna.

Chissà che faccia avrebbe se fosse figlia mia.

Cucinava e pensava che era la vita che aveva deciso di non vivere, eppure in quel momento non gli dispiaceva affatto.

«Dev'essere frustrante fare il giornalista del TG delle otto, non credi?» disse Isabella entrando in cucina.

«In che senso?»

«Quando eravamo piccoli, guardavamo il TG per sapere cosa era successo nel mondo, adesso leggiamo tutto su internet quasi in tempo reale e alla sera sappiamo già tutto.»

Marco sorrise. «È il ripasso come a scuola a fine anno.»

«Mia madre sta mettendo a letto Mathilde, magari lo vuoi fare tu» disse con ironia.

«Lo farei volentieri ma sono molto preso dal polpo.»

Dopo circa un'ora si sedettero a tavola e subito le due donne fecero i complimenti al cuoco.

«Grazie, ho scelto piatti molto facili da cucinare.»

«Ti ricordi quando venivi a Parigi e la domenica ci facevamo quelle mangiate di pesce?»

«Mi ricordo soprattutto le colazioni: uova sode, croissant con la marmellata, *pain au chocolat*, caffellatte. Eravamo belli e giovani. Anzi, io sono ancora bello e giovane.» Scoppiarono tutti a ridere.

La cena proseguiva in maniera gradevole. Si parlava un po' di tutto. Durante una pausa, la madre di Isabella le chiese: «Scusa, ma alla fine avete deciso come vi dividete i giorni di vacanza di Mathilde? Ho bisogno di sapere il periodo esatto, a casa nostra al mare vuole venire anche la mia amica Valeria».

Isabella era visibilmente imbarazzata. «Possiamo parlarne domani?»

«Va bene, spero solo che il tuo ex marito non si impunti sulle prime due settimane d'agosto.»

Isabella non alzava gli occhi dal piatto, era certa che Marco la stesse fissando, si sentiva il suo sguardo addosso.

Lui non poteva credere a quello che aveva appena sentito. Isabella si era lasciata col marito e non glielo aveva detto. Marco continuò a fissarla finché lei non poté più evitare di guardarlo. In quel secondo si dissero tutto.

Durante il resto della serata Marco parlò poco, anche Isabella.

La madre non si era accorta di nulla perché aveva finito la bottiglia di vino e si sentiva un po' allegra. Parlava del suo ex marito e si mise a piangere. «Mi ha lasciato questa casa e quella al mare e ha pensato di cavarsela così. Cosa me ne faccio di due case? Io rivoglio la vita di prima, voglio che torni da me e che lasci quell'oca con cui sta adesso, lei sì che sta con lui per i suoi soldi.»

«Mamma, sei ubriaca.»

«Non sono ubriaca, comunque scusatemi. Credo che andrò a letto e vi lascio un po' soli, che avrete un sacco di cose da dirvi. Grazie, Marco, per la cena, era squisita. Scusami se salto il dessert ma quando passo le giornate con la mia nipotina la sera sono stravolta. Buonanotte.»

Marco e Isabella cominciarono a sparecchiare. Appena entrati in cucina, lui andò subito al punto. «Ti sei separata e non me lo hai detto?»

«Guarda che mi sono separata due anni fa.»

«Peggio ancora! Perché non me lo hai detto?»

«Stavo cercando il momento giusto.»

Marco era senza parole, era una notizia che non si aspettava.

«Eri una delle prime persone a cui volevo dirlo, prima ancora di dirlo ai miei.»

«E invece?»

«Ho cercato di dirtelo a Londra, ti avevo invitato per un caffè ma non sei venuto.»

«Quando ci siamo visti a Londra? Ti eri già lasciata?»

«Avevamo deciso di lasciarci. Lo avevo accompagnato per fargli un favore, era una cena formale di lavoro. Se tu fossi venuto quella mattina...»

«Avevo un impegno importante di lavoro.»

«Potevi chiamare in hotel e avvisare, ti ho aspettato tutta la mattina.»

«Hai ragione. Sono stato il solito stronzo.»

«Non importa, tanto ti conosco. E poi è passato del tempo.»

«Cosa vuol dire che mi conosci?»

«Sei sparito, come fai sempre. Cosa facevo? Ti chiamavo e ti dicevo: "Ciao, mi sono lasciata".»

Isabella e Marco andavano avanti e indietro tra la cucina e la sala.

«Non sono sparito. Non sono venuto all'appuntamento e mi sono scusato, ma non sono sparito. Sparire significa che l'altro non può trovarti. Tu sapevi dove trovarmi» rispose lui con un leggero fervore.

«Guarda che non c'è bisogno che ti agiti o che ti arrabbi» disse Isabella mentre apriva lo sportello della lavastoviglie.

«Non sono arrabbiato, solo che non è la prima volta che tu o altre donne mi dite che sparisco.»

Isabella iniziò a sciacquare i piatti per metterli nella lavastoviglie. «Non mi interessa cosa ti dicono le altre donne» disse un po' infastidita.

Sciacquava e passava i piatti a Marco che caricava la lavastoviglie.

«Va bene, allora diciamo che non hai più chiamato. Comunque adesso lo sai.»

Dopo un silenzio, lui aggiunse: «Io da te non sono mai sparito».

Lei fece un mezzo sorriso, quando era offeso e permaloso le faceva tenerezza. «È vero, non sparisci, ti prendi delle pause.»

Lui alzò lo sguardo mentre si chinava per mettere la padella nel piano basso. La fissò come se gli interessasse quella teoria. «Vai avanti, sentiamo.»

«Sì, ti prendi delle pause. Fai entrare le persone nella tua vita nella misura che ti va, poi magari per un po' non ci sei più. Anche io non so mai nulla di te, ogni volta che ti chiedo cambi discorso, non vuoi condividere la tua vita privata. Anche se ti chiedo di tuo padre fai il vago.»

«Non faccio il vago.» E sorrise come a voler dire che lei aveva ragione.

«E comunque non è vero che non sei venuto da me in hotel perché eri impegnato. Non sei venuto perché volevi fargliela pagare. Anche se non lo ammetterai mai, io lo so che è così. Eri arrabbiato con me.»

«Arrabbiato per cosa?»

«Quello lo sai tu.»

Isabella aveva ragione e Marco lo sapeva. L'aveva incontrata col marito e si era infastidito. Lei aveva fatto centro. Come sempre. Gli venne quasi da sorridere, come quando vieni scoperto e dall'imbarazzo non riesci a mentire. «Ti sbagli, ero impegnato. Il resto sono tutte pippe mentali.» E dopo quella frase fu lei a sorridere.

Dopo aver riordinato la cucina e fatto partire la lavastoviglie, si sedettero al tavolo.

«Accendo il forno per i tortini?» chiese lui, con un tono divertito e un'espressione allegra.

«Propongo di saltare il dolce e andare a prenderci un gelato come ai vecchi tempi, che dici?»

«Mi sembra la cosa più intelligente che hai detto questa sera» ironizzò Marco. «Posso fumare qui?»

«Apro la finestra.»
«Non fa niente, la fumo giù.»
Quando uscirono di casa, Marco accese una sigaretta e ne offrì una a Isabella.
«Ho smesso.»
«Da quando?»
«Da quando sono rimasta incinta.»
«Quante novità scopro questa sera, ne hai altre?»
«Adesso non me ne vengono in mente. E tu fumi sempre per protesta?»
«Certo.»
Isabella sorrise. Quando Marco aveva iniziato a fumare di nascosto, la madre era malata. Allora un giorno aveva fatto un fioretto, se Dio l'avesse fatta guarire lui avrebbe smesso di fumare. Da allora diceva sempre che lui fumava contro Dio, fumava perché era arrabbiato con lui. Poi da grande aveva continuato a dire quella frase. Anche se sapeva che era infantile, c'era affezionato.
Camminavano verso la gelateria come avevano fatto milioni di volte da ragazzini, aveva solo cambiato gestione ma il gelato era uguale.
«Scusami per mia madre, solitamente non beve.»
«Sapevo che si erano separati, ma non sapevo che tuo padre avesse già un'altra.»
«Lasciamo stare, mio padre è andato oltre lo stereotipo. Si è messo con una più giovane di me che lavora nel suo studio.»
«La segretaria?»
«L'assistente della segretaria. La segretaria era già troppo vecchia per lui. In questo, voi uomini siete dei mostri, non riuscite ad accettare una moglie che invecchia e la cambiate con una più giovane come fosse un'automobile.»
Marco aveva sorriso. «Quando un uomo lascia la moglie per una molto più giovane, solitamente non è perché non accetta di vederla invecchiare, ma perché non accetta di vedere invecchiare se stesso. Vuole dimostrare di essere ancora un leone.»

Isabella, guardando nella borsetta con la scusa di cercare una gomma, disse: «Hai fatto centro, questo è mio padre».

Dopo qualche secondo di silenzio, cambiando discorso, disse: «Non ci crederai chi mi ha contattato su Facebook qualche mese fa».

«Chi?»

«Attilio Bassetti.»

«Non ci credo, Attilio Bassetti nemmeno me lo ricordavo più. E che voleva?»

«Mah, lo sai come funzionano queste cose di Facebook, che a un certo punto gente che non senti da anni ti chiede come stai, che hai fatto, se sei sposata, se hai figli... Fanno un po' tristezza. Soprattutto quelli sposati.»

«Perché soprattutto quelli sposati?»

«Non lo so, a me quelli sposati che la sera stanno su Facebook a cercare vecchie amiche mi fanno tristezza.»

«Che voleva Attilio?»

«Doveva venire a Parigi per lavoro e mi ha chiesto se ci vivevo ancora e se ci prendevamo un caffè insieme.»

«E lo hai preso, quel caffè?»

«Certo.»

«C'hai scopato?»

«Ma sei scemo? Mi ha raccontato che è sposato, che ha due figli, che lavora per un'azienda di informatica e viaggia spesso e che da qualche settimana gli avevano dato un lavoro che lo portava a Parigi almeno una volta al mese. Abbiamo chiacchierato e ricordato i vecchi tempi, le solite cose.»

«Ma com'è? È cambiato o è sempre lui?»

«È sempre lui, solo più vecchio.»

«Con chi s'è sposato?»

«La moglie non la conosciamo, non è di qui. Dopo quel caffè ha iniziato a scrivermi delle mail dicendo che gli aveva fatto piacere rivedermi, che ero sempre bellissima e non riusciva a smettere di pensare a me.»

«Grande Attilio.»

«Lasciamo stare, non gli ho più risposto. Poi ha esagerato, ha superato il limite e ho dovuto scrivergli una serie di cose per farlo smettere.»

«Perché non l'hai bloccato?»

«Mi aveva un po' spaventato, sembrava uno psicopatico. Ho pensato che a bloccarlo si incazzava e me lo trovavo sotto casa. Perché io, genio, mi sono fatta accompagnare a casa quella mattina e adesso sa dove abito.»

Continuarono a scherzare su Attilio. Poi Marco iniziò a parlare del suo lavoro, del ristorante che finalmente era riuscito a gestire senza lavorare in cucina e dell'idea di aprirne un altro. Quando parlava dei suoi progetti, le immagini che evocava si accendevano, si riuscivano a vedere e ci si sentiva coinvolti tanta era la passione che metteva nel descriverli.

Poi dopo una pausa tornò a pensare a lei e alla storia con Attilio Bassetti. «Però una scopata lontana da casa potevi fartela. Con chi fai l'amore da quando ti sei lasciata?»

«Scusa, non ho capito, puoi essere più diretto? Ma che domanda è!»

«Mi hai appena accusato di non condividere, vediamo se lo fai tu.»

«Tu con chi lo fai?»

«Siamo a questo livello? Come i bambini? Adesso cosa ti devo dire, che te l'ho chiesto prima io?»

«Ogni tanto con uno, quando ci vediamo, quando possiamo.»

Marco, che non era mai stato geloso del marito di Isabella, stranamente sentì un fastidio nel sapere di quello sconosciuto. «E chi è questo "uno" con cui ti vedi?»

«Preferisco non parlarne, magari un'altra volta.»

«Vedi, non vuoi condividere.»

Arrivati alla gelateria, Marco ordinò un gelato per sé e per lei senza nemmeno chiederle che gusti volesse. Isabella sorrise nel vedere che lui si ricordava i suoi gusti. Loro sapevano tante piccole cose l'uno dell'altra.

Con i due gelati in mano si sedettero su una panchina.

«Sto per dire una cosa poco carina» disse Marco. «L'ho sempre saputo che ti saresti lasciata con tuo marito.»

«Lo sapevi o lo speravi?» Si guardarono un istante.

«Forse tutte e due. E adesso? Resti a Parigi o torni in Italia?»

«Non so, devo capire anche come gira con il lavoro. Ma soprattutto per Mathilde, voglio che cresca vicino a suo padre, forse lui può trasferirsi qui. Il bene della bambina viene prima di tutto.» Rimasero in silenzio godendo di quella vicinanza. Poi Isabella disse: «Adesso potresti rispondere, però».

«A quale domanda?»

«Se ti vedi con qualcuna a Londra. C'è una che ti piace in particolare o niente ancora?»

«No, non mi vedo con nessuna in particolare.»

«Dài, raccontami qualcosa.»

«Mi vedo ogni tanto con una ragazza ma non siamo legati, passiamo del tempo insieme.»

«Scopate.»

«Ecco, appunto, è più una cosa così. Non ho tempo per una storia, lavoro fino a tardi, la mattina dormo, il pomeriggio torno a lavorare, quando potrei mai vederla un'ipotetica fidanzata?»

«Ti sei creato la situazione ideale.»

«Non me la sono creata, è la mia vita, mi ci sono trovato. Certo il fatto di non aver messo la famiglia tra i miei obiettivi ha condizionato le mie scelte, se è questo che intendi dire.»

«Questa tua autoanalisi finale mi sorprende, abbiamo fatto un passo avanti.» Sorrisero tutti e due.

«Ti ricordi quando mi dicevi che il posto più bello dove sei stata era tra le mie braccia?»

«Che romantica che ero.»

«Vale ancora o qualcuno mi ha battuto?»

«Non vale più.»

«Non ci credo, il francese mi ha battuto?»

«Mia figlia ti ha battuto.»

«Davanti alla figlia alzo le mani.»

Si incamminarono verso casa, erano quasi al portone quando a Marco venne una curiosità: avrebbe voluto chiederle se secondo lei loro si erano mai amati veramente. Se lei avesse detto sì, allora lui avrebbe potuto dire di avere amato almeno una volta nella vita.

Non le chiese nulla.

Arrivati sotto casa non sapevano come salutarsi, si era creato uno strano imbarazzo. Baciarsi sulle guance sembrava troppo formale, sulla bocca inopportuno. Alla fine si abbracciarono. Lui nel farlo le appoggiò il mento sulla testa, una cosa che aveva sempre fatto fin da quando erano ragazzini. Lei amava sentire quell'incastro perfetto, sapeva che allontanandosi le avrebbe dato un bacio sulla testa. Così fece.

«Buonanotte, Isabella.»

«Buonanotte, Marco.» E avevano sorriso come succedeva quando si chiamavano per nome.

Marco si accese una sigaretta e si incamminò verso casa.

Un vento leggero gli accarezzava il viso e i capelli, era stato così bene che sarebbe rimasto in giro tutta la notte.

Isabella, a letto, nel tentativo di addormentarsi si impose di smettere di pensare a tutte le cose a cui stava pensando.

Tour virtuale nella vita dei sogni

Marco girava per casa parlando al telefono con Ezio, un amico di Londra, che faceva parte di un gruppo di amici italiani con cui organizzava due o tre volte al mese l'imbragata. La parola "imbragata" veniva da "braga", pantaloni, perché a quelle serate non erano ammesse donne.

Si trovavano a casa di qualcuno con cibo e vino italiano, e soprattutto non si parlava inglese.

Marco stava dicendo a Ezio che sarebbe tornato a Londra per qualche giorno con una borsa piena di cose speciali da mangiare.

Di solito l'imbragata si faceva di mercoledì, il giorno in cui Marco era di riposo dal ristorante.

Nel buio della camera da letto, Andrea era seduto davanti al computer. Era collegato al sito dell'agenzia immobiliare incaricata di vendere la casa dove viveva con Daniela.

Ogni fotografia dell'appartamento messa online era una fitta al cuore, sentiva che qualcosa lo feriva ma non riusciva a smettere di guardare dentro uno schermo la propria casa.

Non contento, decise di fare il tour virtuale, simulare una passeggiata per le stanze del suo passato.

Andava in salotto, girava per il corridoio, entrava in cucina, trovava Daniela ai fornelli, le dava un bacio, le chiedeva come stava, chiacchieravano, mettevano in scena i loro gesti consueti: appendere la giacca all'attaccapanni, infilare le pantofole, accendere la musica, prendere il vino fresco dal frigo, e poi bagno, pigiama e finalmente in camera si addormentavano abbracciati. Riviveva tutta la propria vita a ritroso.

Dentro lo schermo del computer stava vivendo una serata perfetta con la sua ex moglie. Tutto funzionava come avrebbe dovuto. Nel virtuale. Nel reale si erano dimenticati quanto fosse facile essere felici.

L'idea che degli sconosciuti potessero entrare a casa loro, nella loro vita privata, e passeggiare tra quelle stanze lo aveva contrariato. Era infastidito da quella invasione della sua intimità.

«Che fai?» chiese Marco entrando in camera.

Andrea chiuse il computer con un colpo secco. «Niente, cose di lavoro» disse imbarazzato.

«Se vuoi la tua privacy mentre ti ecciti su YouPorn basta chiudere la porta.» E fece un sorriso.

«Non stavo guardando niente di erotico.»

Nel dire la frase riaprì il computer. La scritta GIORRIMMOBILIARE TROVIAMO LA CASA DEI TUOI SOGNI comparve sul display.

«Guardavo se avevano venduto la casa.»

«Sei sotto effetto nostalgia?»

«Forse.»

«Non dirmi che ti manca tua moglie?»

«Non lo so, è tutto confuso. Non riesco più a vedere la situazione in maniera chiara come una volta. Lei è una delle cose che non riesco a spiegarmi. Forse avremmo dovuto darci ancora una chance.»

Andrea spesso si trovava a dover gestire quel dubbio. Non era sicuro che avessero fatto la scelta giusta.

L'intimità che avevano costruito in quegli anni non si poteva buttare via così, doveva pur avere un valore, andava protetta, andava difesa di più.

La persona con cui vivi diventa negli anni come una parte del tuo corpo, e se si ammala prima provi a guarirla, se poi è incurabile e rischia di infettare tutto l'organismo allora è giusto e necessario amputare. Il loro rapporto, però, non era così malato. A volte si demoralizzava anche solo all'idea di dover ricominciare da capo con un'altra donna: conoscersi, entrare in confidenza, capirsi, imparare il linguaggio dei propri corpi. Entrare nelle rispettive vite, ambientarsi nelle rispettive famiglie.

Non riusciva a immaginarsi a tavola con suo padre e una nuova compagna. Quel posto apparteneva a Daniela. Non riusciva a capire come fossero arrivati a quella rottura.

«Alla fine, ogni occasione era buona per discutere. Bastava non sciacquare il bicchiere e appoggiarlo nel lavandino. O spostare il suo caricabatteria in un'altra presa.»

Marco era sdraiato sul suo letto e giocava con una pallina da tennis, lanciandola in aria. Con assoluta indiscrezione se ne uscì: «Ma ci scopavi ancora?».

«Era un anno che non lo facevamo e l'anno prima forse l'abbiamo fatto tre volte.»

«Con questa buona media hai comunque l'effetto nostalgia? Te le vai a cercare, allora.»

«Fortunatamente il sesso non è tutto in una relazione.»

«Sicuramente non nelle tue, a quanto vedo. Il mio amico Gianluca sostiene che quando le donne iniziano a lamentarsi delle piccole cose, i bicchieri, lo spazzolino, il caricabatteria, significa che hanno bisogno di essere scopate. Scopate bene. Dice sempre che se tieni scopata la moglie o la fidanzata queste cose non succedono, che a loro del bicchiere nel lavandino non frega niente, s'incazzano perché non le scopi da un po'.»

«Che analisi profonda, fai i complimenti al tuo amico.»

In realtà, anche se non condivideva nulla di quella teoria stupida e maschilista, Andrea sapeva benissimo che la sessualità tra lui e sua moglie era stato uno dei problemi. Lo aveva detto anche Daniela durante una delle loro discussioni e quello è un tipo di problema che quando si esplicita diventa più difficile risolverlo. Ormai fare l'amore era per loro una cosa piena di altri significati che appesantivano tutto.

«Credo sia normale avere dei dubbi dopo essersi lasciati» disse Marco. «In realtà tra voi non funzionava più, è solo doloroso ammetterlo. Dovresti ripensare ai viaggi in macchina di cui mi hai parlato, ai litigi per motivi stupidi, alle tensioni.»

«A volte ero seduto sul divano a guardare la televisione o nel mio studio a lavorare al computer e lei veniva da me incazzata, solo in quel momento capivo che aveva passato ore o addirittura la giornata intera a litigare con me, nella sua testa, per una cosa che avevo detto al mattino o il giorno prima.»

«E queste cose ti mancano?» chiese Marco in maniera sarcastica.

«Lo so, sono un idiota, ma è più forte di me. E poi ho sempre avuto il sospetto che fosse ancora innamorata del suo ex.» Ci fu un silenzio, poi aggiunse: «Chissà se ce la fa da sola, se ha bisogno di un aiuto».

Marco ascoltava attentamente suo fratello mentre continuava a giocherellare con la pallina. «Andrea, te la ricordi Marta, la tua prima fidanzata?»

«Sì, certo, perché?»

«Mi è venuta in mente adesso.»

«Come mai?»

«Forse perché è la prima donna per cui ti ho visto stare male. Quanti anni avrai avuto? È stata l'unica volta che sono riuscito a farti mettere le cuffie e ascoltare i miei dischi. Avevi persino smesso di studiare.»

«Ancora adesso quando mi capita di sentire una di quelle canzoni mi viene in mente lei. Avevo quindici anni.»

«Ti ricordi che mi avevi detto che quando vi siete lasciati lei piangeva come una matta, era disperata? Cercavi in tutti i modi di consolarla, la rassicuravi. Ti aveva lasciato lei e tu ti preoccupavi di alleggerirle il carico. Non sei cambiato molto. Ti preoccupi sempre più degli altri che di te stesso. Mi domando cosa devi avere provato quando Daniela ti ha detto che si vedeva con un altro. Sarà stato uno shock.»

Andrea non rispose, si alzò per aprire la finestra. Marco aveva paura di aver toccato un tasto dolente.

Andrea guardava fuori dalla finestra e senza voltarsi disse: «In realtà lo sapevo già».

Marco appoggiò la pallina sul comodino e si mise a sedere. «Come, lo sapevi già? In che senso? Qualche sospetto?»

«No, lo sapevo proprio. L'avevo scoperto qualche mese prima.»

Marco fece un'espressione di stupore assoluto. «Mi sa che mi sono perso qualcosa. Il giorno che tu sei andato da Irene e non te la sei sentita di salire sapevi già che tua moglie aveva una storia con un altro?»

«Esatto.»

«Bisogna che mi spieghi.»

«Il vero shock è stato quando l'ho scoperto.»

Marco guardava Andrea e non capiva. «Perché non le hai detto nulla?»

«Non lo so, anch'io ero sorpreso di me. Mi sembrava di essere tornato a quando la mamma stava male, prima che morisse. Non avevo le forze per immaginare come sarebbe stato perdere un'altra volta qualcuno che amavo. Ho pensato che, se le avessi detto che sapevo tutto, in quel momento tra noi sarebbe finita. Se non glielo avessi detto, avrei avuto più tempo per cambiare qualcosa, forse per riuscire a riconquistarla.»

«Tu non sei normale.»

«Non volevo che il mio matrimonio finisse, almeno non prima di aver provato a salvarlo. Quando l'ho scoperto, lo stesso giorno ho avuto un incidente, mi hanno investito, mi sono risvegliato che non capivo molto, poi il pronto soccorso, il ricovero all'ospedale e tutto il resto. Ero confuso, dolorante, privo di forze.»

«L'incidente è quello in cui sei stato investito dalla macchina sotto l'ufficio?»

«Sì, passeggiavo come uno zombi, completamente frastornato, e non mi sono accorto che il semaforo era rosso. Poi sono svenuto.»

La faccia di Marco era quella di uno a cui sfugge qualcosa. «Finché non ti metti in croce come Cristo, non sei contento. Non ti capisco.»

«Da quel giorno sono cambiato, ho iniziato a vedere Irene in modo diverso.»

«Forse hai cercato un paracadute, un'alternativa, una rete di salvataggio. Come hai scoperto che Daniela ti tradiva?»

«Per caso, una coincidenza strana. Una mattina, al bar sotto l'ufficio, si è avvicinata una signora con un cestino pieno di cose da comprare, accendini, pupazzetti danzanti, palline che si illuminano e altre stronzate. Io le ho detto no senza nemmeno alzare la testa. Lei ha insistito, allora l'ho guardata e sono rimasto di sasso, era la sosia della mamma. Ti giuro, ho avuto un brivido.»

«Sì, una volta è successo anche a me.»

«Ho guardato quella donna e mi è venuta la pelle d'oca. Alla fine ho preso un guscio del telefono, non aveva il resto e me ne ha dati due. Uno era nero e l'altro rosa con le borchie. La sera l'ho raccontato a Daniela e le ho dato la custodia rosa. Abbiamo riso immaginando di andare al lavoro con un telefono ricoperto di borchie. Daniela per gioco ha dato quella rosa a me e si è tenuta quella nera. La mattina i telefoni erano in cucina sul tavolo, è arrivato un messaggio, non ricordavo più quale fosse il mio e prima di capire che era il suo sono riuscito a leggere l'inizio dell'SMS: "Ciao sexy. Non vedo l'ora di vederti e di sentirti addosso. Oggi ho una sorpresa...". Ho sentito una scossa che correva lungo la colonna vertebrale, una vampata alla faccia. Ho buttato il telefono sul tavolo. Non ho aperto il messaggio, ho letto solamente quello che si vedeva sull'avviso.»

«Cazzo, ma non bastava quello per andare in bagno da lei con il telefono in mano e chiederle spiegazioni? Dirle: "Chi cazzo è questo? Che cazzo è questo messaggio?"» lo interruppe Marco parlando con trasporto, come se Daniela fosse sua moglie. Era entrato talmente nella parte, e nel ruolo del fratello, che aveva perso tutto il suo sarcasmo, il cinismo, l'ironia.

«Non lo so, il messaggio era a nome "Roby palestra". Quando Daniela è entrata in cucina, mi ha chiesto se stavo bene.»

«"No, non sto bene, porca puttana, non sto bene per niente. Ho appena scoperto che ti scopi un altro, uno che non è nemmeno così intelligente da aspettare che io non sia in casa al mattino per mandarti un messaggio. Non sto bene per niente, cazzo..." Questo dovevi dirle. Invece che hai fatto?» Marco aveva alzato la voce.

«Le ho detto che forse mi stavo prendendo l'influenza. Poi invece di andare al lavoro sono andato sotto il suo ufficio e sono rimasto lì tutta la mattina, fino alla pausa pranzo. L'ho vista uscire, salire su una macchina con uno, baciarlo sulla bocca e andare via con lui. Avrei voluto seguirli ma ero a piedi. Credo di non essere mai stato così male come in quelle due ore.»

«Ma scusa, perché non l'hai chiamata al telefono? Perché non le hai detto che sapevi dov'era? Che avevi scoperto tutto?»

«Te l'ho detto, ero sconvolto e non volevo che la nostra storia finisse lì. Non sapevo cosa sarebbe successo se lo avessi detto, così ho pensato che fosse meglio prendere tempo. Ho pensato che finché non dicevo nulla era una cosa più piccola, la sapevamo solo noi e magari riuscivo a sistemare.»

«Ma scusa, cosa vuoi sistemare? Scopa con un altro e tu vuoi starci comunque?»

«Sono stato male, te l'ho detto. Sono andato a sedermi su una panchina in un giardinetto, non mi ricordo nemmeno più a cosa ho pensato. Ho delle immagini di quel momento, mi ricordo un piccione che mi girava attorno, un piccione senza una zampa.»

«Io sarei andato davanti alla macchina e gliel'avrei sfondata a calci e pugni.»

«Io invece ho vagato come uno zombi e mi sono svegliato su un'autoambulanza.»

«Tu non sei a posto nella testa.»

«Ero convinto di aver fatto la cosa giusta, di aver guadagnato tempo, di aver rimandato quello che poi è successo qualche mese dopo.»

Sulle ultime parole ad Andrea si era incrinata la voce, si sentiva che aveva cercato di soffocare un singhiozzo.

Marco non aveva mai visto suo fratello così triste, avrebbe voluto portarlo fuori a bere qualcosa, per distrarlo e tirarlo un po' su. «Usciamo? Facciamo qualcosa?»

«Non mi va di uscire.»

«Era per stare un po' insieme.»

«È tardi, domani mattina voglio andare a correre. Vieni anche tu.»

Marco lo guardò come se gli avessero appena detto di dover andare dal dentista.

Andrea aveva la passione della corsa, correva tre volte a settimana. Come in tutte le cose, quando le iniziava le portava avanti con costanza. Marco aveva iniziato tutti gli sport del mondo, poi si era subito annoiato e li aveva mollati tutti. Non conosceva la disciplina. Quando erano ragazzi vigeva la regola che di qualsiasi attrezzatura servisse per praticare uno sport si comprava quella di scarsa qualità, se poi l'impegno si faceva serio si poteva comprarne una di qualità migliore. Marco non era mai arrivato a quel momento. Si innamorava di un'attività per qualche mese, per qualche mese la praticava con entusiasmo e poi basta. Nella vita amava le partenze, mentre l'arrivo perdeva d'interesse durante il percorso.

La mattina seguente quando Marco si alzò Andrea si stava già vestendo. «Ce l'hai una tuta? Altrimenti ti presto qualcosa io?»

«Di là c'è sicuramente qualcosa, adesso guardo.»

Quando Marco correva, lottava contro tutto. Si sforzava di non guardare l'orologio, perché ogni volta che lo faceva era un delusione: era sicuro che fossero passati venti minuti e immancabilmente ne erano passati cinque e comunque meno di dieci. Quella mattina al parco si trascinava con fatica, se incrociava delle ragazze, allora si dava un contegno, faceva lunghe falcate, raddrizzava il collo, sorrideva, ma poi appena si allontanavano si lasciava andare.

Bastava vedere come era vestito per capire che non era un abitudinario della corsa. Prima di tutto le scarpe, lui correva con quelle che metteva durante il giorno. E poi la tuta... ormai tutti quelli che corrono sembrano delle versioni colorate di Diabolik, con tutine aderenti proiettate verso un futuro spaziale. Lui, felpa di spugna e pantaloni larghi, sembrava un personaggio scappato da un video dei Run DMC.

«Ma a Londra non vai nemmeno in palestra?»

«Ogni tanto mi iscrivo con entusiasmo ma non duro molto. È un ambiente che non mi appartiene. Mi sento fuori luogo. È cambiato tutto da quando ci andavo da ragazzino, anche il modo di fare stretching. A noi ci facevano mettere a gambe larghe e con la mano destra dovevamo toccare la punta del piede sinistro. Non le fa più nessuno quelle cose lì.»

Andrea rise.

Fecero un giro del parco. Correvano lentamente e chiacchieravano, Andrea era contento di condividere quel tempo con suo fratello. Gli sembrava di riappropriarsi del proprio senso di responsabilità. Si sentiva fratello maggiore e riacquistava la vicinanza e l'intimità di Marco. Era piacevole.

«In questi mesi sei uscito con qualcuna? Il famoso chiodo scaccia chiodo» chiese Marco.

«No, nessuna.»

«Ma nemmeno con quella Irene sei mai più uscito?»

«No, con lei ho fatto un passo indietro. Le ho detto che mi ero lasciato con mia moglie e avevo bisogno di stare un po' solo. Lei ha capito.»

«Ma non potevi andare da lei e farti una bella scopata? Senza fidanzarti.»

«C'ho pensato, ma un giorno mi ha detto che era innamorata di me. Non volevo approfittarmene.»

«Mica ha quindici anni, è una persona adulta.»

«Non volevo coinvolgere una come lei, con il rischio magari che Daniela tornasse. Quando con Irene ci siamo baciati era troppo presto, non sono riuscito ad andare oltre. Mi serve più tempo.»

«Ti capisco ma, fidati, ti fa bene uscire con un'altra. Sono donne, sono più sgamate di quello che pensi. Se non volesse, sarebbe la prima a dirti che non se la sente. Le donne sono esseri superiori.» Marco parlava ansimando, usando il poco fiato che aveva.

«Sai come sono fatto.»

«Certo che lo so, ma a volte si può entrare in una stanza senza portarsi dietro tutta la propria vita. Ci sono momenti e situazioni in cui si può lasciarla fuori.»

Andrea non rispose. Ascoltava suo fratello, sapendo che in quanto a donne se ne intendeva più di lui. Si fidava dei suoi consigli. «Non ho mai capito cosa vogliono le donne. Tu in questo sei un fuoriclasse. Cos'è che vogliono?»

«Nessuno sa cosa vogliono le donne, spesso non lo sanno nemmeno loro.»

«Andiamo bene.»

«Diciamo che molte volte vorrebbero essere ascoltate, vorrebbero fare cose insieme e starti addosso anche quando è scomodo.»

«Daniela voleva sempre fare cose insieme, soprattutto all'inizio. Magari il sabato ero a casa a leggere, finalmente non dovevo uscire per andare al lavoro e volevo starmene tranquillo con un libro, e lei voleva andare a fare una passeggiata in centro. Io allora le dicevo: "Ma perché non chiami una tua amica e vai con lei, tra donne è più divertente", ma lei mi rispondeva che le piaceva andare col suo uomo e che con le amiche ci sarebbe andata un'altra volta.»

«A loro piace passeggiare col proprio compagno. Ti ricordi quando eravamo piccoli e in giro la domenica si vedevano le coppie passeggiare e l'uomo aveva la radiolina per sentire le partite?»

«È vero, me l'ero dimenticato. Che tristezza a pensarci. Il problema è che sembra difficile trovare la misura giusta. O è troppo e si sentono soffocare o è poco e si sentono trascurate. È impossibile trovare un equilibrio.»

Andrea parlava e correva senza problemi, quella corsa per lui era defatigante, una passeggiata. Marco invece era tutto rosso in faccia e in debito d'ossigeno. Con un filo di voce disse: «Questa Irene è innamorata veramente?».

«Credo di sì, almeno così ha detto.» Poi Andrea fece una pausa e aggiunse: «Ti fa strano che una donna si innamori di me?».

«No, per niente. Era per sapere, a volte lo dicono ma non lo sono.»

Ci fu un silenzio. «E come si fa a capire se è vero o se sono solo parole?»

«Da come ti guardano.»

«E come ti guardano?»

«Quando lo vedi lo capisci» disse Marco con un sorriso. Arrivati vicino a una fontanella, si fermò a bere. «Devo smettere di fumare.»

Passo a prenderti per cena

Dopo essere stato dal padre in ospedale, Marco passò da casa, si fece una doccia veloce, infilò un paio di jeans puliti e una maglietta bianca con il collo a V. Passeggiava verso casa di Isabella, un percorso che aveva fatto milioni di volte, una vita fa. Gli venne in mente quando aveva percorso quella strada la prima volta, era andato da lei per chiederle se voleva diventare la sua fidanzata. Aveva circa quindici anni. Aveva conosciuto Isabella in piazzetta. Gli piaceva e non lo aveva confidato nemmeno ai suoi amici. Era bellissima, i capelli lisci castani, gli occhi chiari, la capacità di fermare il mondo con un sorriso. Era sempre riuscita a essere popolare senza dover seguire le mode, lei non si vestiva per piacere agli altri ma per piacere a se stessa, non ballava per farsi vedere dagli altri ma perché le piaceva ballare. Esisteva da sola, se il mondo non avesse avuto occhi sarebbe esistita comunque.

Non si erano mai parlati e frequentavano due compagnie diverse. Marco pensava che lei fosse fuori dalla sua portata. Negli anni Ottanta era molto importante cosa indossavi, come ti vestivi, gli oggetti avevano nomi propri: le scarpe avevano un nome, la cintura aveva un nome, il giaccone aveva un nome, perfino le calze. Quello che indossavi diceva quanto valevi.

In casa di Marco i soldi per comprare quegli oggetti costosi non mancavano ma i genitori non acconsentivano a quegli acquisti, pensavano fosse stupido e diseducativo. Non si erano fatti travolgere da quegli anni.

Isabella aveva tutte le cose giuste, sua madre le comprava tutto quello che voleva, un modo facile e poco faticoso per riempire lo spazio vuoto che c'era tra di loro. Le avevano comprato anche il motorino, un Sì della Piaggio che in quegli anni era il più ambito. Aveva la sella lunga ma le ragazze dovevano sedersi sulla punta per essere "giuste."

Marco sognava di avere il Caballero della Fantic Motor, ma il padre aveva detto di no anche a quello.

Per questo appartenevano a compagnie diverse, si sedevano su panchine agli angoli opposti: c'erano delle gerarchie, delle dinamiche territoriali.

Marco la guardava da lontano, inarrivabile, ed era pazzo di lei.

Un giorno si erano incontrati per caso e lei lo aveva salutato chiamandolo per nome. Lui era rimasto scioccato, l'idea che lei sapesse il suo nome gli sembrava impossibile. Era bastato per renderlo il ragazzo più felice del mondo.

Ogni tanto si guardavano da lontano, si sorridevano e senza farsi vedere troppo dagli altri si salutavano. Marco non aveva idea di come approcciarla, di come avvicinarsi, di come parlarle.

Con semplicità un giorno lei gli aveva chiesto di accompagnarla a prendere un gelato.

Parlarono molto. Si scambiarono anche i numeri di casa.

Dopo circa un paio di settimane, Marco si fece coraggio e la chiamò, le disse di aspettarlo sotto casa che sarebbe andato da lei, doveva chiederle una cosa.

Continuava a ripetersi il discorso: *Volevo dirti che a volte succedono delle cose che mi fanno venire voglia di scappare e non vedo l'ora di avere diciott'anni e andarmene via da qui. Perché ho capito che la vita è ingiusta e questa cosa mi fa incazzare. Allora immagino di andarmene da questa città, dalla compagnia, ma soprattutto dalla mia famiglia. Trovarmi un lavoro da qualche par-*

te e una stanza dove dormire. Non mi interessa diventare ricco o fare carriera, voglio solo stare bene. Un sacco di volte me ne resto lì sul letto a guardare il soffitto e cerco di organizzare e pianificare la fuga. Ultimamente però non ci riesco più. Quando sono incazzato o triste mi metto sul letto e immagino un posto dove andare per essere felice, mi vieni in mente tu. Non so perché, forse perché quando ti vedo quando parliamo quando andiamo a mangiare il gelato sento una cosa che non ho mai sentito prima, che vale più di tutti i posti del mondo. Non so spiegare bene questa sensazione, il cuore mi batte più forte e non è una cosa che posso controllare e mi fa anche un po' paura ma alla fine mi piace. E non c'è nulla che mi fa stare così. Per me sei la cosa più bella che abbia mai visto in vita mia, la cosa più bella che abbia addirittura mai immaginato. E allora adesso quando sono lì sul letto arrivi tu nella mia testa, sostituisci tutto e invece di un viaggio vedo te che mi parli, vedo te che sorridi, che cammini che ridi e mi agito. Vorrei venire da te e abbracciarti. L'altro giorno quando avevi freddo ti ho prestato la mia giacca. Credo di non essere mai stato così felice nel vederti con la mia giacca che ti stava così grande, mi veniva da ridere. Vorrei che tu mi chiedessi sempre la giacca quando hai freddo.

Questo voleva dirle, Marco, quindici anni, le mani in tasca piene di coraggio, mentre camminava verso casa di Isabella per chiederle di diventare la sua ragazza. Perché quel discorso finiva proprio così: *vuoi essere la mia ragazza? Puoi anche non rispondere subito se hai bisogno di pensarci.*

Le cose non andarono come lui aveva immaginato. Quando lei uscì di casa, in un secondo Marco dimenticò tutto, perfino il suo nome. Mise insieme un discorso sconclusionato e confuso. Isabella in quella timidezza, in quella emozione, in quelle parole goffe vide il volto di un ragazzo innamorato. Si commosse e accettò. "Sì, voglio essere la tua ragazza. Non ho bisogno di pensarci." Da quel momento erano insieme. Erano diventati subito una coppia invidiata, era bello il loro modo di stare insieme. I loro amici sognavano una storia d'amore così. Non si stavano sempre addosso, sempre abbracciati, quello lo facevano quando erano soli. In mezzo agli altri parlavano con persone diverse, potevano anche stare separati tutto il pomeriggio. La cosa bella era che ogni tanto si cercavano con lo sguardo senza che l'altro se ne accorgesse. Non per gelosia, solamente perché erano insieme anche se distanti. Una meraviglia.

Adesso, quasi venticinque anni dopo, stava facendo la stessa strada per andare da lei.

Era contento di passare a prenderla e andare a cena insieme.

Anche se erano solo amici, l'atmosfera sapeva un po' di appuntamento. Arrivato sotto casa si accese una sigaretta e aspettò che scendesse. Quando Isabella uscì dal portone, Marco rivide la ragazzina di una volta. Lei si scusò per il ritardo. Si guardarono in silenzio, lui per scherzo le chiese come tanti anni prima se voleva essere la sua ragazza. Lei rispose come quella prima volta: «Sì, voglio essere la tua ragazza. Non ho bisogno di pensarci».

Quelle parole, anche se per gioco, soffiarono sul viso di Marco portando una felicità inaspettata. Passeggiarono verso il ristorante, non era molto distante. Marco e Isabella avrebbero voluto mangiare nel giardinetto interno ma era tutto prenotato. Isabella andò a parlare con il titolare e riuscì, convincente come al solito, ad avere un tavolo fuori. Riusciva sempre a ottenere le cose: entrare alle feste, saltare la coda davanti ai locali, accedere ai privé in discoteca, trovare tavoli al ristorante. Un mistero. Certo, era una ragazza dal viso radioso, l'espressione sfrontata, gli occhi ridenti, ma c'era anche qualcosa d'altro, di invisibile. Forse era una questione di carisma.

«Devo stare attenta a cosa ordinare perché in questo momento ho una fame che rischio di prendere tutto, devo sforzarmi di non mangiare tutto il pane nel cestino.»

«È la tentazione a cui è più difficile resistere, anche se non sei affamato. Nel mio ristorante non lo portiamo a meno che non ce lo chiedano.»

«Tu sai già che prendi?»
«Un'insalata e della carne, salto il primo. La vuoi anche tu?»
«No, io la carne no.»
«Sei diventata vegetariana?»
«No, però cerco di mangiarla poco, soprattutto carne rossa. Prendo un primo.»
«Io sono ecologista e questa è la mia battaglia per un pianeta più pulito. Lo sai che le mucche sono una delle cause di inquinamento del pianeta? Una mucca produce più di cinquecento litri di metano al giorno e io un po' alla volta le elimino mangiandole. È una battaglia lunga, lo so.»
«Questa cosa me la stai dicendo per farmi capire che non sei cambiato in questi anni e che sei sempre il solito cazzone?»
«Più o meno.»
«Ha funzionato.» E risero.
Guardando due persone al tavolo di un ristorante si capisce quasi sempre se stanno insieme, se sono solo amici, se sono al primo appuntamento. Con loro due si faceva fatica a capire. Avevano confidenza, infilavano la forchetta nel piatto dell'altro con naturalezza e, come accade agli amori che stanno sbocciando, parlavano intensamente.
«Sai che mio fratello si è separato? E anche lui come te non me l'ha detto. Non capisco questa moda di separarsi e non dirlo a nessuno. In questo caso a me.»
«Ancora questa storia?»
«Sono curioso, perché vi siete lasciati?»
«Sinceramente non lo so.» Continuarono a mangiare in silenzio, poi lei iniziò a parlare del suo matrimonio. «Il giorno in cui mi sono sposata tu non sei venuto.»
«Ero lontano.»
«Quanto? Due ore di volo?»
«Meno.»
«Appunto.»
«Ero lontano dalla tua decisione di sposarti, intendevo.»
«Il giorno del mio matrimonio era tutto perfetto, la chiesa,

i fiori, gli invitati. Sono arrivata con una macchina d'epoca guidata da mio cugino, ero seduta dietro con mio padre, sembrava di essere in una favola. Mi ricordo che continuavo a chiedere di andare più piano. Volevo che durasse il più possibile. Ero emozionatissima, quando sono scesa dalla macchina avevo paura di cadere o che avrei letto o detto qualcosa di sbagliato durante la cerimonia.»

«Tuo marito era già lì?»

«Sì, era lì che mi aspettava con un sorriso meraviglioso. Era bello. Era emozionato. Quando sono arrivata al suo fianco ho dovuto trattenermi dallo scoppiare a ridere, non so, forse la tensione. Tutto era perfetto tranne una cosa.»

«Non lo amavi?»

«Certo che lo amavo. Il problema era il mio vestito, un vestito bellissimo, perfetto. Solo che la cerniera all'altezza delle scapole mi graffiava. Un microscopico puntino che mi dava un fastidio incredibile. Ovviamente non è che il prurito ha rovinato quel giorno, però sembrava un dispetto.»

«Forse erano i mie pensieri negativi.»

Isabella sorrise e poi continuò: «Durante tutti gli anni insieme ogni tanto sentivo quel graffio, quel piccolo pizzico. Un fastidio che non riuscivo a togliere. Un prurito interiore. Il nostro matrimonio era perfetto tranne una piccola cosa che non ce lo faceva godere».

«Cos'era?»

«Non l'ho mai capito, nemmeno adesso.»

«Ed è stato sufficiente per lasciarvi?»

«Non è stato facile, sai, avessi avuto un marito violento, aggressivo, anche solo maleducato, o che mi tradiva... Invece no. Era tutto solo molto noioso. Ecco, forse la verità è questa, mi annoiavo da morire.»

«Non mi sembra poco.»

«In realtà c'ho messo tanto a prendere la decisione. Ero diventata insopportabile, mi attaccavo a qualsiasi cosa pur di litigare.»

«Gli hai fatto mobbing?»

Isabella si mise a ridere. «Mobbing? Ma si può fare mobbing tra moglie e marito?»

«Certo, basta rendergli la vita difficile. Ma è veramente la cosa più meschina al mondo.»

«Comunque no, non gli ho fatto mobbing, mica lo odiavo. Ho iniziato a voler discutere per ogni cosa solo perché così mi sembrava di smuovere quella monotonia. Poverino, lui non se lo meritava proprio.»

«Avrà anche lui le sue responsabilità.»

«Certo che le ha, però almeno è sempre stato molto pragmatico e onesto, non è un passionale. È uno che fa la cosa giusta, non la cosa che sente. Forse nemmeno sente.»

«Sembra che tu stia parlando di mio fratello.»

«Sì, un po' si assomigliano. Per lo meno loro ci provano.»

«Cosa vuoi dire?»

«Niente.»

Intercorse un lungo silenzio, poi all'improvviso Marco le chiese: «Secondo te, noi ci siamo amati veramente o eravamo troppo giovani?».

«Certo che ci siamo amati. Io di sicuro ti ho amato e anche tu. Me lo ricordo, mi ricordo ancora come mi guardavi. Perché me lo chiedi?»

«Così, curiosità.»

Isabella era stupita da quella domanda, non se l'aspettava da Marco. «Tu non hai idea di quante volte mi sono innamorata di te.»

«Perché c'è stato un momento in cui hai smesso?» E si misero a ridere. Poi decisero di dividersi il dolce.

Era stata una bella serata ed entrambi sentivano che era un peccato salutarsi. Avevano la sensazione che fosse troppo presto. Arrivati sotto casa di Isabella, lei lo invitò a sedersi sui gradini del cortile interno. L'avevano fatto mille volte da ragazzini. Il muro che separava il palazzo da quello di fianco era coperto da un grande glicine in fiore. Adorava quel profumo intenso. Quando gli capitava di annusarlo pensava subito a lei. Il glicine per Marco sapeva di Isabella.

Mentre parlavano, Marco iniziò a passare le dita sul braccio di Isabella, a lei piaceva da morire. Chiuse gli occhi e smise di parlare. Rimasero in silenzio a godersi il momento. Marco la guardava e pensava che era sempre la donna più bella che avesse mai visto, anche se ne aveva viste di più belle. Improvvisamente si ricordò della prima volta che si erano baciati. Dopo tutti quegli anni erano ancora lì vicini sulle scale, vicini nel profondo. Quando si sfioravano c'era qualcosa di elettrico. Iniziò a guardarle le labbra, desiderava avvicinarsi e baciarla. L'avrebbe baciata delicatamente per un tempo infinito, l'avrebbe baciata e poi avrebbero fatto l'amore sulle scale come ai vecchi tempi.

Si avvicinò piano, lei aveva ancora gli occhi chiusi, le diede un bacio, un bacio che Isabella non si aspettava, aveva aperto le sue labbra come un fiore. Nel silenzio delle scale si sentivano solo i loro respiri. I loro baci erano sempre stati meravigliosi, avvolgenti, intensi. Morbidi.

Poi, come se si fosse svegliata da un sogno, lo allontanò.

«No, Marco.»

«Come, no?» Fino a quel momento, lui non aveva mai sospettato un suo rifiuto, fu una spiacevole sorpresa. «Scusa, pensavo ti andasse.»

«Non c'entra questo, semplicemente non ha senso. Credo sia meglio così.»

Marco si scostò da lei. Si trovarono dentro un lungo silenzio.

«Non fare l'offeso. È solo che non mi va di compromettere il nostro rapporto, ci tengo a te.»

«Va bene, ho capito.»

Ormai qualcosa era cambiato, parlarono d'altro ma quello che si era creato non poteva essere mascherato e nascosto, come se la leggerezza che li aveva accompagnati per tutta la sera fosse svanita.

Dopo qualche minuto Marco disse che era stanco e che sarebbe andato a dormire. Isabella capì e non insistette, lo accompagnò al portone e si scambiarono un abbraccio veloce.

Lei chiuse il portone e fece un sospiro. Aveva appena scoperto di amarlo ancora.

Marco fuori dal palazzo si accese una sigaretta e si incamminò con un'espressione dura in volto. Aveva la faccia di chi sta cercando qualcuno da prendere a pugni.

Forse è questa la felicità

Mentre salivano le scale per andare nell'appartamento di lei, a ogni pianerottolo Andrea e Irene si fermavano a ridere. Erano ubriachi. Ridevano di cose stupide e si divertivano come due ragazzini.

Davanti alla porta di casa Irene si mise a frugare nella borsa in cerca delle chiavi. Andrea, appoggiato al muro, la guardava. Per una frazione di secondo un pensiero lucido gli passò per la testa: di lì a poco avrebbe fatto l'amore con lei e non vedeva l'ora.

Dopo un lasso di tempo indefinibile, Irene trovò le chiavi ed entrò in casa. Andrea rimase ancora qualche secondo appoggiato alla parete. Gli venne in mente una frase che gli aveva detto sua moglie in una delle ultime litigate: "E poi tu, Andrea, non conosci il corpo delle donne, non sai nulla".

Erano anni che non si trovava nudo di fronte a una donna che non fosse Daniela e queste parole lo avevano agitato.

Irene andò in bagno, lui si guardò intorno. Era un appartamento piccolo, una cucina a vista, un bagno e una camera da letto senza porta, separata dal resto della casa da un pareo.

Il materasso era appoggiato su assi di legno, sembrava un futon, sulla cassettiera c'erano delle foto, un piccolo televisore e un portagioielli. Un paio di libri sul comodino e un abat-jour arancione. Sembrava la casa di una studentessa. Quando Irene uscì dal bagno, entrò lui. Anche il bagno era piccolo, ci stavano a malapena una lavatrice di quelle che si aprono dall'alto, tre ceste piene di spazzole, detergenti, creme di ogni genere, per il viso, per il corpo, per le mani e trucchi.

L'appartamento era molto accogliente.

Quando uscì dal bagno, Andrea si sedette sul divano.

Irene, in piedi davanti al lavandino, stava bevendo dell'acqua. «Ne vuoi un po'?»

«Sì, grazie.»

Lei si avvicinò e gli allungò il bicchiere, poi si sedette sopra le sue gambe. Andrea rimase immobile e lei lo baciò per un tempo infinito. Era eccitato come non gli capitava da anni. Irene iniziò a slacciarsi la camicia, bottone dopo bottone, fino ad aprirla tutta. I seni non erano enormi ma sembrava volessero uscire dal reggipetto che li stringeva. Lei si portò le mani dietro la schiena e fece saltare i gancetti. Curvando un po' le spalle in avanti se lo sfilò.

Andrea rimase incantato dai capezzoli turgidi e scuri, così scuri non ne aveva mai visti. Iniziò a baciarli, leccarli, dare piccoli morsi.

Dopo qualche minuto Irene si mise in ginocchio davanti a lui, gli slacciò la cintura, aprì il bottone, abbassò la cerniera e togliendogli le scarpe gli sfilò i pantaloni. Andrea in pochi secondi si ritrovò in camicia, calze e con un'evidente erezione. Irene si piegò su di lui e lo fece sparire nella sua bocca. Erano anni che una donna non gli faceva un pompino.

Si guardò attorno, respirava allargando le narici, stava bene: *Forse è questa la felicità.*

Poi lo sguardo andò su di lei, avrebbe voluto spostarle i capelli ma non lo fece. Come se lei avesse capito, spostò il ciuffo di capelli che le copriva il viso e lo mise dietro l'orecchio.

Andrea pensò che era molto più brava di sua moglie.

Dopo aver giocato un po' con mani e labbra, Irene tornò a sedersi nella posizione di prima. Erano nudi. Si baciavano, lei gli mordeva le labbra, il collo, i lobi e poi a un orecchio gli sussurrò: «Devi fare piano quando me lo metti dentro altrimenti mi fai male. Ce l'ho stretta».

Andrea sentì una scossa lungo tutto il corpo, per qualche strano mistero, qualche ragione a lui sconosciuta, le sue parole lo avevano eccitato ancora di più.

La toccava, era calda e molto bagnata, e lui si rese conto che era davvero molto stretta. Provò a fare l'amore, a infilarlo dentro, ma non ci riusciva. Irene si mise a sedere sopra di lui per guidare i movimenti, scendere e salire lentamente stando attenta a non sentire dolore. Allora per schiuderla usò tre dita. Due sulle labbra. Il medio sul clitoride. Fu un massaggio lungo.

Andrea era gonfio di piacere. Senza farsi vedere da lei si era leccato il palmo della mano e se l'era passato sulla punta per lubrificarlo. «Se ti faccio male dimmelo che smetto subito.»

«Dammi un bacio.»

«Ti faccio male?»

«Non mi fai male.» E Irene scese ancora un po'.

«Così? Va bene così? Non mi muovo, fai tu.»

«Così va bene.»

Quando l'erezione di Andrea entrava dentro di lei un po' di più, si fermavano e rimanevano qualche secondo immobili.

Piano piano Irene riuscì ad accoglierlo tutto. Rimase ferma, seduta. Le sembrava di sentirlo fino allo stomaco. Poi iniziò a fare dei piccoli movimenti.

«Senti male?»

«No, non preoccuparti. Adesso va bene.»

Andrea sentiva che Irene era bollente, calda, bagnata. Accogliente. Avrebbe voluto lasciare ogni controllo, non trattenere nulla e abbandonarsi completamente al piacere, a quella vertigine che non aveva mai provato in maniera così potente. La scopata durò solo qualche minuto, Andrea era stato molto passivo, ma la notte fu lunga, fecero l'amore fino all'alba. Al mattino prima di addormentarsi non gli sembrava possibile di aver raggiunto tre orgasmi. Con i tre orgasmi di quella notte era venuto più che negli ultimi due anni insieme a Daniela.

Con Irene non aveva dovuto concentrarsi per mantenere l'erezione, come spesso doveva fare con sua moglie, con lei non si era riconosciuto, non era lui.

Seguirono altri incontri, insieme si divertivano, giocavano ridevano, erano leggeri e soprattutto scopavano continuamente.

Andrea imparava molte cose sull'amore. Baciarla, leccarla, toccarla, darle piacere prima di iniziare a fare l'amore. Anche se l'impulso, quando la vedeva nuda, era di infilarlo dentro subito.

C'era una forte alchimia, la giusta chimica di energia e desiderio che si ha la fortuna di incontrare poche volte nella vita. Per Andrea era tutto nuovo, una felicità mai conosciuta, piena, eccitante, di quelle che vien voglia di cantare inventandosi le parole mentre si torna a casa dal lavoro.

Un giorno aveva pensato che il profumo della pelle di Irene gli ricordava l'estate. La fragranza delle ciliegie, le albicocche, le pesche. L'odore di pino, quello del mare. Sembravano due adolescenti alle prime esperienze, quelle che lui non aveva mai fatto. Anche il dover fingere al lavoro, dandosi occhiate di nascosto dai colleghi, era eccitante.

Il piccolo appartamento era il luogo perfetto per i loro incontri, un angolo dove rifugiarsi e lasciare fuori il mondo. Gli ricordava una frase che aveva letto in un libro: "La casa dell'amore è sempre un nascondiglio".

Andrea scoprì che gli piaceva starsene sotto le coperte a giocare, gli piaceva baciarla, leccarla, separare le sue labbra con la lingua, sentire le mani di Irene sulla testa, sentire i piccoli sussulti che anticipavano il momento finale, quella tensione che si impadroniva di lei fino a esplodere in un lamento. Aveva imparato una cosa nuova: possedere una donna con la punta della lingua.

Molte volte, mentre le dava piacere, Irene nascondeva la faccia sotto il cuscino e Andrea le prime volte si era chiesto se lo facesse per la luce o per timidezza. A lui piaceva sentire uscire da là sotto i suoi mugolii, i suoi lamenti, le sue urla ovattate.

Come poteva quella donna così dolce, tenera e delicata diventare così passionale, carnale ed erotica? Andrea non aveva mai pensato che due corpi potessero darsi tanto piacere, essere liberi, capaci di piegarsi, avvinghiarsi ed esplodere. Non aveva mai sentito il desiderio di mordere, sbranare e mangiare un altro corpo, strapparle la pelle di dosso, perché fare l'amore non bastava per saziare quella spinta.

Quel piacere nuovo era così potente che sembrava dare un senso alla sua vita, aiutarlo a dimenticare tutto, almeno per le ore che passavano insieme.

Fuori da quel piccolo angolo nascosto c'era un mondo pieno di problemi, loro invece erano felici.

In una settimana aveva anche saltato un paio di visite all'ospedale dal padre, non era mai successo.

Marco era contento di vedere suo fratello godere un po' della vita. Finalmente.

La cantina

«Marco, puoi venire a darmi una mano?» gridò Andrea dalla camera da letto del padre.

«Arrivo.»

Stava cercando di spostare la cyclette, un regalo che aveva fatto al padre e che lui non aveva mai usato. E che ormai non avrebbe più usato.

«Puoi aiutarmi a portarla di là?»

«Ho provato anche io ieri ma è pesantissima.»

«Tra l'altro sono giorni che mi fa male la vertebra atlante» disse Andrea con una smorfia di dolore.

«La che?»

«La vertebra atlante.»

«Cos'è?»

«La prima vertebra della spina dorsale si chiama "atlante". Come il personaggio della mitologia greca costretto a tenere sulle spalle tutta la volta celeste.»

Marco lo guardò un istante. «Tu sei un po' come Atlante, ti piace l'idea di tenere tutto il mondo sulle spalle.»

«Dici?»

«Tu stai bene solo quando hai un peso da portare.»

«Io mi sono sempre riconosciuto di più nel mito di Sisifo.»

«E che faceva Sisifo?»

«Era stato condannato dagli dèi a spingere un grosso masso fino alla cima di una collina per farlo rotolare dall'altro lato ma ogni volta che arrivava in cima il masso ricadeva dallo stesso lato e lui doveva ricominciare da capo. Viene usato come metafora di chi fa tanta fatica per nulla. Spingi spingi ma alla fine sei sempre al punto di partenza.»

«Perché non portiamo direttamente in cantina questa maledetta cyclette?» disse Marco interrompendo Andrea per paura che gli raccontasse tutta la mitologia greca.

«Tu ci sei mai stato ultimamente, in cantina?»

Marco fece no con la testa.

«Meglio che non vedi cosa c'è là sotto, se pensi che qui ci sia disordine e cose inutili, là ti prendi paura. Non so nemmeno se c'è il posto per la cyclette.»

«Ma è una cantina enorme.»

«È riuscito a riempirla tutta.»

«Adesso sono curioso, andiamo giù a vedere.»

Presero le chiavi. Sulle scale, Andrea era avanti di qualche gradino. «Sai cos'è il disturbo da accumulo compulsivo?»

«No.»

«È una cosa seria, il papà non ce l'ha ma ci va vicino. Riguarda quelle persone che non riescono a liberarsi di nulla. Pare sia legato alle connessioni neuronali adibite alla scelta, non riesci a buttare nulla perché pensi che un giorno quella cosa ti servirà.»

«Pure questo ha il papà, andiamo bene.»

Marco si ricordava perfettamente la cantina del padre, sembrava una sala operatoria, tutto era in ordine. Si ricordava le chiavi inglesi appese al muro sopra il tavolo in ordine di grandezza, il trapano, il martello, i cacciavite, anche quelli tutti in ordine. Ma soprattutto si ricordava che lui e il fratello non potevano toccare niente senza il suo permesso.

Quando Andrea aprì la porta, Marco rimase incredulo nel vedere un muro di oggetti impilati: barattoli, scatole, giornali, riviste, vecchi giocattoli, mobili, comodini, attaccapanni, assi di legno, bastoni, stampelle, biciclette rotte. Addirittura una brandina. Nel guardarsi attorno sbalordito, Marco incrociò lo sguardo di Andrea, e capirono che stavano pensando entrambi la stessa cosa: il giorno che il padre fosse morto liberare la cantina sarebbe stata un'impresa titanica.

Iniziarono a muoversi dentro quella giungla aprendosi varchi e sentieri formati dagli accatastamenti, un vero cimitero della memoria. Bisognava stare attenti a non urtare nulla, tutto sembrava provvisorio, traballante, in pericolo.

«Il papà qua non ci scenderà più, forse conviene iniziare il prima possibile» disse Marco. Nel finire la frase si rese conto che sarebbe stato ingiusto e soprattutto impossibile. Sgomberare la cantina mentre il padre era ancora in vita era come seppellirlo prima del tempo. Per questo cambiò subito discorso. «Non ci posso credere, ha tenuto anche l'acchiappamosche. Lo avevi vinto tu al luna park, assieme ai pesci rossi.»

«Eravamo diventati il terrore delle mosche, ti ricordi la gara a chi ne uccideva di più?»

«Che ridere, l'estate scorsa in Spagna ho comprato la racchettina elettrica. A volte beccavo delle cose volanti così grandi che per casa c'era odore di grigliata.»

«Cose volanti? Sono racchette per le zanzare, mica devi uccidere le farfalle.»

«Non uccido le farfalle, però è una cosa che ti prende, inizi con le zanzare, poi passi alle mosche, poi alle vespe e alla fine vorresti correr dietro anche ai piccioni, ai polli e alle galline. Ti vien voglia di provarla con tutto. Anche perché ci sono meno mosche adesso di quando eravamo piccoli noi, non ci sono molte cose che volano in casa. Mi ricordo che in cucina d'estate giravano in tondo ronzando intorno al lampadario. Adesso non ne vedo.»

«Colpa dei pesticidi, ci sono meno insetti.»

«Ti ricordi quando portavo in camera nostra le mosche morte e le mettevo sul comodino pensando che quelle vive, vedendo tutti i cadaverini, avrebbero capito che non era una zona amichevole e se ne sarebbero andate?»

«Me lo ricordo. Ti avevo anche detto che era una cavolata

e mi hai risposto: "Tu entreresti in una stanza piena di corpi umani morti?". Il tuo ragionamento non faceva una piega.»

Dopo una pausa Marco aggiunse: «Tu lo sai perché le mosche di giorno girano intorno al lampadario anche se la luce è spenta?».

«No, non c'ho mai pensato.»

«Per me è un mistero.»

In quella cantina, oltre a una montagna di cose senza valore, c'era anche parte della storia della loro famiglia, oggetti che portavano emozioni profonde e ricordi lontani.

«Andrea, guarda! Ti ricordi questa sveglia? Le lancette facevano tanto rumore che mi sono sempre chiesto come facessero a dormire il papà e la mamma.»

Andrea e Marco continuavano a chiamarsi a vicenda per mostrare l'uno all'altro qualche reperto ritrovato: una macchinina, il fortino con i soldatini, i libri di scuola, i quaderni con i disegni, la spada di Zorro.

Andrea trovò il cavallo nero di Big Jim e si girò per mostrarlo a Marco, che da qualche minuto era in silenzio. Lo vide seduto, intento a leggere dei fogli presi da una scatola rossa di latta che teneva sulle gambe. «Cos'hai trovato?»

«Sono delle lettere.»

Andrea si avvicinò.

«Sono della mamma. Le ha scritte al papà.»

«Forse non dovremmo leggerle» disse Andrea.

«Forse no.»

Erano lettere di quando non erano ancora sposati e di quando la madre si era ammalata.

Marco e Andrea avevano la strana sensazione di essere degli intrusi, di violare un'intimità che era loro così familiare, eppure nessuno dei due riusciva a togliere lo sguardo da quelle parole scritte a mano. Erano belle, parole d'altri tempi, che oggi nessuno userebbe più, piene di tenerezza, di sentimento, di pudore. E di amore, naturalmente. Parole delicate come lo era la calligrafia di lei. Inconfondibile, alta, elegante.

Nelle lettere prima del matrimonio raccontava la vita che

sognava di vivere con il marito. In quelle scritte durante la malattia si rammaricava di lasciarlo solo con due figli e si dispiaceva di non poter fare la madre.

Non si aspettavano di trovare una cosa così preziosa in quella confusione, erano impreparati a rivivere quel momento della loro vita. Rimasero in silenzio con le lettere in mano per diverso tempo, ognuno immerso nei propri ricordi.

Leggere le sue parole li emozionò, anche per la calligrafia. La calligrafia raccontava la dolcezza della madre, il modo in cui muoveva le mani, ma rievocava anche il suo sorriso, dolce, protettivo, e persino il suo odore.

Sotto le lettere, nella scatola, c'erano delle foto. In alcune si vedeva la madre con il padre, in molte era da sola, ce n'era una in cui era ritratta con un uomo.

«Questo chi è?» chiese Marco.

«È un amico del papà, non mi ricordo il nome. Quando eravamo piccoli veniva spesso a casa nostra. Poi non l'ho più visto. Tu eri troppo piccolo per ricordartelo. Una domenica sono anche andato a mangiare il gelato con lui e la mamma. Era simpatico.»

«C'era al funerale della mamma?»

«Non me lo ricordo.»

«Sarà morto?»

«Non lo so.»

«Adesso quando saliamo guardiamo su Facebook per vedere se lo troviamo.» Risero. Marco prese le lettere e le richiuse nella scatola rossa.

Risalirono in casa portando con sé le lettere, una foto del padre e della madre insieme, l'acchiappamosche e la spada di Zorro.

«Ma tu a Londra ce l'hai una cantina piena di cose che non usi?»

«No, dove abito io costano come un appartamento, lo spazio è un lusso. Con la crisi a Londra la nuova moda è ristrutturare le cantine e farle diventare monolocali. E poi se una cosa non mi serve la butto o la regalo. Perché? Tu hai una cantina con delle cose vecchie?»

«Non ho più nemmeno una casa, figurati la cantina.» E si misero a ridere.

Spostarono la cyclette in salotto.

«Mi fanno male ancora le gambe per la corsa dell'altro giorno, ho i muscoli a pezzi» disse Marco. «Devo andare a farmi fare un massaggio.»

«Sai che io non mi sono mai fatto fare un massaggio in vita mia?»

«Mai?»

«Mai!»

«Uno di questi giorni ti porto, offro io. Magari andiamo in un centro dove ti fanno anche l'happy ending.»

«Cos'è l'happy ending? Una festa a fine massaggio?»

«Più che una festa, ti trastullano il pisello.»

«No, grazie, preferisco un massaggio normale. Quello lo accetto volentieri.»

Marco era stupito, Andrea di solito diceva sempre no a tutto, negli ultimi giorni invece si stava lasciando andare, anzi, si stava facendo trasportare da una nuova euforia. Marco aveva la piacevole sensazione di aver ritrovato un fratello. Andarono in bagno insieme per lavarsi le mani. Marco fece la pipì.

Andrea si voltò a guardare suo fratello e disse: «Mi è venuta un'idea».

«Dimmi.»

«Devo fare il controllo alla prostata, ho pensato che domani chiamo e chiedo se mi danno un appuntamento anche per te. È il regalo che non ti ho fatto per i tuoi quarant'anni.»

Marco girò la testa come un gufo e fissò suo fratello aggrottando la fronte. Poi tornò a guardare avanti e, mentre si richiudeva i pantaloni e tirava lo sciacquone, disse: «Pensa la differenza tra me e te, io ti offro un massaggio con happy ending e tu una visita dall'urologo. Ti sembra normale?».

«Se non la prenoto io, tu non ci andresti mai. Si invecchia, caro mio» rispose Andrea sorridendo.

«Ho sempre saputo che si inizia a cinquanta, non a quaranta, stai barando.»

«Una volta si faceva dai cinquanta ma dei ricercatori americani hanno capito che è meglio dai quaranta.»

«È sempre colpa degli americani. Spero sia un esame del sangue.»

«Non è così attendibile, meglio l'esplorazione rettale.»

«Come, esplorazione? Fin dove devono andare?»

Andrea rise. «Lo scoprirai presto.»

Uscirono per andare in ospedale dal padre. Si erano chiesti se avessero dovuto portare al padre le lettere, ma avevano deciso di non farlo.

Mentre guidava, Marco a un certo punto disse: «Non ti vengono mai in testa dei pensieri violenti? Tipo voler salire sul marciapiede e investire tutti?».

Andrea guardò suo fratello. «Veramente no.»

«A me ogni tanto capita, sento una voce dentro che mi dice di farlo, così, per vedere poi che succede.»

«La senti anche adesso?»

Marco sorrise. «No, adesso no, ma se smettiamo di parlare magari la sento.»

Andrea alzò il volume della radio. Si misero a ridere. Stavano bene insieme.

Andrea dopo un po' si mise a cercare qualcosa in internet sul telefono. «Credo di aver trovato la risposta alla tua domanda.»

«Quale domanda?»

«Perché le mosche girano attorno al lampadario anche se è spento. C'è un professore che sostiene si tratti di tropismo.»

«So cos'è l'happy ending ma non il tropismo, è grave?»

«È una parola che viene dal greco *tròpos*. In sostanza le mosche sono insetti che si muovono in relazione agli stimoli dell'ambiente esterno, cioè il tropismo. In parole povere, le mosche girano intorno al lampadario perché è al centro della stanza e il centro della stanza è il posto migliore per conoscere l'ambiente in cui sono e decidere che fare.»

«Non si smette mai di imparare» disse ironicamente Marco.

Arrivati all'ospedale, trovarono il padre particolarmente confuso, poco lucido.

Il suo compagno di stanza disse loro che era stato strano tutto il giorno, farfugliava, diceva cose sconnesse e senza senso. «È da un'ora che parla della mamma.»

«Papà, cosa c'è? Stai bene?» chiese Andrea.

«No, non sto bene.»

«Cosa ti senti? Hai dolori da qualche parte?»

«È venuta la mamma.»

«Come, è venuta la mamma? In che senso?»

«Prima è venuta la mamma.»

«La tua mamma o la nostra?»

«Tua mamma è morta per l'aria.»

Andrea e Marco si guardarono allarmati, poi cercarono di tranquillizzarlo, e poco dopo il padre si calmò.

Marco e il padre

Marco stava bevendo il caffè mentre lentamente aspettava di svegliarsi. Vagava per la casa con la tazzina in mano. Si fermò in corridoio, appoggiandosi alla porta della camera del padre. Era diversa, quella camera non era più quella di sempre.

Quel letto nuovo, come quello degli ospedali, reclinabile, con le sponde, col triangolo per aggrapparsi. La stanza vuota occupata da quei due letti diceva così tanto sulla vita che poteva venirti il mal di testa a guardarla per un po'. C'era un graffio estetico, qualcosa che veniva da fuori, che non era della famiglia, non le apparteneva, un senso di estraneità. La stanza impersonale alludeva a un destino ineluttabile. La bellezza apparteneva a un tempo lontano.

Marco portò la tazzina nel lavandino della cucina, si preparò per uscire e andò in ospedale. Quando entrò nella stanza del padre, le infermiere stavano rifacendo il letto. Non potendosi alzare, lo imbragavano in una specie di lenzuolo e poi lo sollevavano con una piccola gru, il sollevatore.

Vide il padre sospeso nel vuoto come un neonato portato dalla cicogna, le gambe a penzoloni e il voluminoso pannolone che lo deformava. Gli sembrava tutto molto umiliante.

Suo padre rimaneva tutto il giorno sdraiato a letto e non era più in grado di fare molte cose, anche le più semplici.

Faceva sempre più fatica a ricordare e a riconoscere. A volte aveva difficoltà anche con loro, i suoi figli. Un discorso tutto di fila era ormai un'impresa impossibile.

Mentre lo osservava, mentre lo vedeva vivere in quel modo, Marco pensò che il padre non era solo un uomo con la sua identità, la sua vita e la sua esperienza personale, ma era tutti gli uomini. Conteneva tutti gli uomini e tutte le donne. L'umanità intera.

Sapeva che il presente di suo padre era il futuro che lo attendeva, per questo quando lo guardava non vedeva solo un "lui", ma un "noi", un destino collettivo.

«Ti faccio la barba, papà?»

«Va bene.»

Sarebbe stata l'ultima volta in ospedale, la mattina seguente lo avrebbero dimesso e sarebbe tornato a casa. Tutto era pronto, non solo la stanza ma anche una badante, si erano organizzati per farla venire dalle nove alle diciotto. Marco era disponibile a restare a casa o in zona e poi la sera i fratelli si sarebbero alternati.

Gli lavò il viso bagnandolo con dell'acqua calda, gli passò una crema al mentolo, poi la schiuma da barba. Per un attimo era sembrato Babbo Natale. Facendo molta attenzione, iniziò a raderlo. Il padre rimaneva immobile, a volte fissava il vuoto, a volte lo guardava dritto negli occhi e Marco si sentiva trafitto. «Ti faccio male?»

«No, sei bravissimo» gli rispose tenendo le labbra chiuse per non muoversi troppo.

Ogni volta che gli faceva la barba, per Marco era un'esperienza mistica. L'uomo che lui, da bambino, pensava fosse il più forte di tutti, non riusciva più a radersi e indossava un pannolone come un neonato. Quando guardava suo padre, Marco sapeva che era un'illusione.

Mio padre non c'è più, si era detto una volta uscendo dall'ospedale.

Era difficile da credere, da accettare, perfino da capire, ma era la verità. Suo padre, anche se era ancora lì, in realtà se n'era già andato. Era rimasto il suo corpo, un involucro sempre più malconcio, e la sua infinita capacità di commuoverlo e di ferirlo, ma tutto il resto non era più lì.

Quando suo padre stava particolarmente male, lo guardava con gli occhi spaventati e gli chiedeva: "Chi sei? Come ti chiami?". Marco sentiva un dolore sordo dentro lo stomaco.

Solo sua madre era riuscita a entrare così profondamente nelle sue fragilità. Marco non pensava nemmeno che fosse possibile provare la tenerezza e le emozioni dolenti che ora suo padre scatenava in lui. Suo padre era struggente.

Il suo cervello non funzionava più come prima e dava vita a una persona diversa, ma non per questo meno reale. La memoria vive di immagini e suo padre non ne ricordava molte, e quelle poche le mischiava. Marco si era reso conto che un uomo senza la sua memoria non è più se stesso.

Alcune cose sono perfino migliori in questa nuova persona che assomiglia a mio padre, aveva pensato.

La malattia lo stava portando via lentamente, come una candela che, invece di spegnersi per un colpo di vento improvviso, si spegne consumando tutta la cera. La lenta fiamma che si rimpiccioliva aveva reso quell'uomo dolce e indifeso, tenero e affettuoso.

Il giorno prima, mentre lo stava aiutando a sedersi sul letto, Marco si era avvicinato con la testa al suo viso, poi lo aveva afferrato e abbracciato per sollevarlo. Il padre si era aggrappato a lui come un bambino e all'improvviso gli aveva dato un bacio sulla testa.

Non credo mio padre mi abbia mai baciato in vita sua.

La malattia aveva creato una piccola crepa nel muro che il padre aveva costruito e difeso per tutta la vita. Nemmeno i figli erano potuti entrare. La malattia aveva cambiato le misure e creato una nuova vicinanza e sintonia dei corpi. Da quando andava aiutato, erano costretti a essere più fisici, a toccarsi, abbracciarsi, avere un continuo contatto.

Lo aiutavano a infilare la testa nel collo della maglia, finché non rispuntava come una marmotta che esce dalla tana, a infilargli le braccia nelle maniche e prendergli le dita incontrandole a metà strada, a sollevarlo quando durante il giorno scivolava nel letto, a mettergli le calze cercando di allargarle il più possibile, a pettinarlo e tagliargli le unghie, a lavargli la dentiera togliendogliela dalla bocca. Avevano infranto ogni pudore, bisognava andare oltre tutti i limiti, spinti dalla consapevolezza che in quella nuova condizione non c'erano regole, buone maniere, etichette, né margini di scelta.

Andrea e Marco non avevano mai visto loro padre nudo, in casa erano molto riservati. La nudità del padre era una cosa sacra. Ora avevano varcato quella soglia, ormai lo vedevano nudo ogni giorno. La prima volta Marco aveva provato un senso di ingiustizia, c'era qualcosa di sbagliato nel violare quell'intimità, come se lo derubassero della sua dignità. I figli vedevano e toccavano tutto di lui, gli prendevano il pene che si era fatto piccolo, raggrinzito, quasi nascosto dal folto ciuffo di peli, e lo infilavano nel pappagallo. La nudità del padre non aveva più segreti.

Quando suo padre lo guardava negli occhi, Marco a volte pensava che in realtà capisse tutto, che facesse finta. Come un attore nell'ultima, tragica e più autentica finzione della sua vita. Amava pensare che da qualche parte suo padre, quello che non lo aveva mai baciato, che non gli aveva mai detto "ti voglio bene", quello forte con cui per stupide ragioni a volte non si erano parlati, ci fosse ancora. *Non è vero che è malato, ha solo deciso di farlo credere a tutti. In realtà si è inventato questa malattia per poter essere ciò che ha sempre desiderato essere: se stesso. Dopo aver vissuto una vita che lo ha costretto a essere un altro da sé, ha scelto di baciarmi, abbracciarmi, dirmi che mi vuole bene, chiedermi quando torno a trovarlo. Ha gettato la maschera all'ultimo tornante prima del traguardo.*

Gli sembrava perfino di vedere una piccola luce nel suo sguardo, un sorriso malizioso come a dire: *Non lo dirò mai, ma sono sempre qui e finalmente sono libero.* Il dubbio di Marco veniva alimentato a volte da alcuni brevi momenti di normalità, di assoluta lucidità. Per qualche minuto il padre era in grado di fare dei discorsi di saggezza assoluta, come un veggente ispirato da un qualcosa di misterioso che non aveva mai manifestato.

In quei rari momenti, Marco tentava di capire più cose possibili della sua vita. "Ti ricordi quando dovevi trasferirti a Pisa per quella proposta di lavoro a cui tenevi molto e hai dovuto rinunciare per me e Andrea?"

"Certo che me lo ricordo."

"Eri arrabbiato con noi?"

Il padre lo aveva guardato con aria interrogativa.

"Nel senso che è stato per noi che non sei potuto andare."

Il padre aveva fatto un sorrisino.

Dopo un attimo di silenzio, Marco lo aveva incalzato sapendo che quei momenti erano brevi. "Ti sei mai pentito di aver sposato la mamma, che ti ha lasciato da solo con due figli?"

Il padre aveva continuato a sorridere per qualche secondo. Marco aveva pensato che forse era già tornato nel suo mondo confuso e onirico, invece aveva risposto: "Non mi sono arrabbiato quando ho dovuto rinunciare a Pisa, non mi sono pentito di aver sposato tua madre, né di aver avuto te e tuo fratello. Se potessi tornare indietro, rifarei tutto sapendo già come è andata a finire. Le cose più belle che ho fatto nella vita siete tu e Andrea".

Marco era rimasto sorpreso nel sentire quelle parole e si era chiesto quanto fossero autentiche e quanto frutto del suo stato mentale. Non aveva mai pensato che suo padre fosse stato felice un solo momento in tutta la vita. Aveva iniziato a vederlo in un modo nuovo, e aveva capito di aver sempre scambiato i silenzi e l'incomunicabilità del padre per un'infinita tristezza e infelicità.

La memoria di suo padre funzionava in maniera imprevedibile: poteva ricordarsi una poesia studiata a scuola, ricordarsi il numero di telefono di un amico che non sentiva da anni e non ricordarsi cosa aveva mangiato a pranzo o cosa aveva guardato alla TV qualche ora prima. Della madre ricordava tutto.

Marco gli chiedeva cose che non aveva mai avuto il coraggio di chiedere: "Che tipo era la mamma? Perché ti sei innamorato di lei?".

"Era la donna più bella che avessi mai visto, era gentile, ma non si faceva mettere i piedi in testa. Questo mi piaceva. Quando l'ho vista la prima volta aveva un vestito bianco, sembrava un angelo. Io non la meritavo una donna così. Se fosse ancora viva, non sarebbe contenta di quello che ho fatto con voi. Mi sono preoccupato di un sacco di cose, invece avrei dovuto preoccuparmi meno e stare più tempo con voi."

"Non è stato facile per nessuno, papà, soprattutto per te."

"Incredibile quanto sia facile ferire i propri figli, sono così delicati i bambini. Nelle preghiere le chiedo sempre di perdonarmi." Aveva detto le ultime parole con un'espressione diversa. Forse il momento di lucidità era finito ed era tornato nel suo mondo.

"Perché, tu preghi?"

A quella domanda non aveva risposto.

Marco avrebbe voluto chiedergli una cosa ancora, una cosa che si era domandato più volte: *Ma dopo che la mamma è morta sei mai stato con un'altra donna?*

Spero per te di sì, si era risposto. *Anche solo a puttane ma spero che tu non sia rimasto fedele alla mamma per tutti questi anni.* Non gli aveva chiesto più nulla.

Ora aveva finito di raderlo. Il padre, sbarbato e profumato, stava dormendo. Marco lo guardava, chiedendosi se la sua vita si potesse ancora chiamare tale. Per vita intendeva la dignità, la consapevolezza, ma anche l'avventura, il desiderio di scoprire, imparare, amare, sentire. Capire.

La vita di suo padre a quel punto era solo attesa, attesa di quella cosa che nessuno vuole nominare ma che è già un'ombra presente, com'era stato per sua madre. La differenza era che il padre non si rendeva conto di ciò che gli stava accadendo, la madre invece era lucida e lo sapeva. Per questo a volte si infastidiva se ci si rivolgeva a lei come ci si rivolge a un bambino, parlando piano, scandendo bene le parole o peggio ancora parlando di lei come se non fosse presente.

Il suo male era nel corpo e lei vi era imprigionata dentro. Quando quel corpo aveva detto "basta", si era portato via anche lei. La madre era morta stremata. Le loro giornate si erano svuotate di colpo, come un palloncino che esplode dopo averlo gonfiato troppo. Quando la morte non è improvvisa, quando la sua ombra è stata presente ogni istante, non ti sorprende più di tanto, il dolore che provi è un dolore accompagnato anche da un forte senso di liberazione. Come a dire: "Ecco finalmente di cosa stavamo parlando, questo è morire. Un atto definitivo". La morte si era portata via la madre ma anche l'angoscia della malattia, quel senso di chiusura e di soffocamento che coglie tutti. Finalmente si poteva gridare il proprio dolore e tornare a organizzare la vita. Nessuno è più come prima. Si è segnati per sempre.

La collina

Andrea prese una giornata di permesso dal lavoro. Insieme a Marco andò in ospedale a prendere il padre per portarlo a casa. Marco era seduto di fianco all'autista dell'ambulanza, Andrea dietro con il padre e un paramedico.

«Come ti senti, papà?»

Il padre non rispose. Si vedeva che era agitato e spaventato. Andrea gli teneva una mano sul ginocchio e cercava di tranquillizzarlo. Il padre era spaesato, il viaggio rompeva la sua routine, nella sua situazione ogni novità era come una montagna da scalare. Andrea cercava di spiegargli che stavano tornando a casa, che finalmente avrebbe dormito nella sua stanza.

Quando arrivarono a casa lo misero a letto e, anche se la situazione per lui era sotto controllo, continuava a essere scosso e nervoso. Andrea rimase seduto di fianco al letto finché non si addormentò. Marco in cucina riordinava le ricette del medico e faceva la lista delle medicine da comprare. Sul divano il suo telefono iniziò a squillare, ma lui decise di non rispondere e di finire quello che stava facendo. Più tardi andò a controllare chi lo avesse chiamato, era Isabella. Non la sentiva da giorni, da quel bacio sulle scale. *Penserà che non ho risposto per l'altra sera.* Per questo la richiamò subito.

«Scusa, non sono riuscito a rispondere, come va?» Aveva usato una voce senza sfumature e un tono sicuro che facevano intendere di non essere offeso.

«Sto bene e tu? Tuo padre?»

«Lo abbiamo portato a casa oggi.»

«Guarirà presto?»

Ci fu una pausa. «A lui abbiamo detto di sì, ma è una bugia, in realtà può solo peggiorare.»

«Meglio una bugia a fin di bene che una verità a tutti i costi.»

«Cambiamo discorso, tu come stai?»

«Bene, grazie, ti ho chiamato perché volevo dirti che dopodomani devo andare vicino a Modena per parlare con l'azienda con cui vorrei produrre la linea di vestiti. So che sei preso con tuo padre, ma magari hai voglia di staccare mezza giornata. Ti va di accompagnarmi? La macchina ce la presta mia madre.»

Marco ci pensò qualche secondo. «Va bene, a che ora dobbiamo essere là?»

«Entro mezzogiorno. Possiamo partire verso le nove, così siamo tranquilli.»

«La badante arriva alle nove, posso essere da te per le nove e mezza, va bene lo stesso?»

«Perfetto.»

Dopo aver chiuso la telefonata, Marco pensò che a volte Isabella era indecifrabile. Anche quando stavano insieme, lui non capiva certi suoi comportamenti. Non aveva fatto riferimento all'ultima serata insieme, come se fra loro non fosse successo nulla. La telefonata era stata sospesa in un delicato equilibrio.

Due giorni dopo Marco si svegliò con uno strano e inaspettato entusiasmo, una buona disposizione di spirito. Era contento di passare una giornata con lei. Prese uno zaino, mise dentro un libro, una maglietta bianca pulita e una sorpresa per Isabella. Quando arrivò sotto casa, lei lo stava aspettando con un sorriso. Gli lanciò le chiavi della macchina, Marco le afferrò al volo e le aprì la portiera. «Prego, *madame*, si accomodi.»

Impostarono il navigatore, dopo qualche secondo comparvero sul display la distanza e l'orario previsto e partirono. Quando usava il navigatore, in Marco scattava uno strano comportamento competitivo, faceva di tutto per arrivare prima dell'orario previsto dal TomTom. Un comportamento infantile, ma era più forte di lui. Era successo che non si fosse fermato anche se doveva andare in bagno per non perdere il tempo recuperato.

«Ho una sorpresa per te.» E dallo zaino tirò fuori dei CD. Erano playlist che aveva masterizzato la sera prima, musica che ascoltavano quando stavano insieme: *I Like Chopin, Please Don't Go, Call Me, Bette Davis Eyes, Ebony and Ivory, Let's Dance, Time after Time, Like a Virgin*. Aveva intitolato quella compilation con la famosa battuta di quei tempi: "80 voglia disco party".

Iniziarono a parlare della vacanza che avevano fatto in Sardegna a casa di un amico: il viaggio in macchina, l'ansia che avevano provato salendo sulla nave con la marijuana sotto la marmitta. Quella era stata una delle estati più belle della loro vita. Non volevano mai andare a dormire, perché dormire sembrava una perdita di tempo, perché sembrava che il mondo fosse lì per loro e che tutto fosse possibile. E dopo aver ballato e bevuto tutta la notte bisognava andare a fare colazione, e il sole era già alto. Erano giovani, belli, innamorati, incoscienti.

Ascoltarono la musica e parlarono continuamente durante tutto il viaggio. Il piccolo incidente del bacio respinto s'era come dissolto.

«È tanto che non faccio un viaggio guidando a sinistra.»

«È vero, non ci avevo pensato. Che effetto ti fa guidare a Londra?»

«Non mi succede spesso, non ho la macchina. Mi è capitato con quella di amici. Finché devi andare dritto non è complicato, è quando arrivi a una rotonda che le prime volte vai in panico e vorresti lasciare lì la macchina e scappare via a piedi.»

«Non ho mai provato.»

«Se vieni a trovarmi ti faccio guidare, ne affittiamo una e ce ne andiamo nello York e dintorni, un posto strepitoso. Case in pietra con vecchie signore sedute in poltrona davanti alla finestra che accarezzano il gatto sorseggiando tè.»

«Che immagine evocativa e romantica, andiamoci adesso.» Sorrisero.

«Sai perché i gemelli siamesi vanno spesso in Inghilterra?»

Lei lo guardò, non capiva la domanda.

«Così guida un po' anche l'altro.» Ci fu una pausa. «Lo so, è vecchia e fa ridere solo me.»

«Infatti, non fa ridere, però fai ridere tu quando dici queste cavolate, sei buffo.»

«*You mean funny, funny how? How am I funny?*»

«Sei impazzito?»

«Sto imitando Joe Pesci in *Quei bravi ragazzi*. "Buffo come? Buffo come un pagliaccio? Ti diverto?" Non hai mai visto *Goodfellas*?»

«No.»

«Segnati questo film come uno di quelli da guardare presto insieme.»

Poi ci fu un silenzio. Come succede quando si è in viaggio. Un pensiero ci distrae e restiamo assorti per qualche minuto. Isabella pensava a quello che era appena successo. Marco non se ne rendeva nemmeno conto. Era lei che adesso non ci sarebbe cascata più: quando lui faceva programmi per loro due, lei sapeva che quelle cose non si sarebbero mai avverate. In passato quante volte lei si era ritrovata ad aspettarsi quella cosa detta e lui nemmeno si ricordava di averla pronunciata. Non voleva più soffrire per l'ansia procurata da quelle attese perennemente frustrate.

Qualche anno prima lei avrebbe cominciato a pensare: *Allora ci vedremo ancora, allora stiamo insieme, c'è un'idea di rivedersi, di frequentarsi di nuovo, non è che adesso finisce tutto qui.*

Avrebbe cominciato a credere che un giorno sarebbero andati nella campagna inglese insieme a bere il tè e a fare l'amore e che avrebbero visto quel film.

Per quel motivo l'altra sera non aveva voluto baciarlo,

non aveva voluto fare l'amore con lui. Non voleva cascarci dentro per l'ennesima volta.

Lei per esempio quando stavano insieme non avrebbe mai potuto dire quelle cose, non avrebbe mai potuto fare progetti perché lui quasi sempre cambiava discorso, cominciava a tergiversare, ad agitarsi, si spaventava. Isabella negli anni aveva imparato a non dire quello che le passava per la testa, censurava non solo le parole ma anche i gesti e le azioni. Aveva imparato a frenarsi, a bloccare certi impulsi come quelli di abbracciarlo, baciarlo, prenderlo per mano. Perché non sempre era il momento giusto. A volte Marco era così altrove che a lei sembrava quasi di dover chiedere il permesso per potergli stare vicino. Le veniva voglia di dargli una carezza, un bacio, un abbraccio e non era sicura che a lui facesse piacere, come se le sue manifestazione d'amore lo facessero sentire troppo legato. Lo imprigionassero in una rete.

La sera che lo aveva respinto, era rimasta sveglia a lungo e si era ripetuta mille volte perché aveva fatto bene a fermarlo. Aveva fatto bene a fermarlo perché era stanca di fare tutta quella fatica, era stanca di dover fare acrobazie, di vivere in una confusione emotiva fatta di frustrazione per la paura di sbagliare. Aveva detto no perché lui non era uno con cui ci si poteva lasciare andare, stare bene, cogliere l'attimo, viversi il momento e poi via. Non era quello di Parigi che vedeva ogni tanto, ci faceva l'amore, passava una serata tranquilla e poi ognuno tornava alla propria vita. Marco non poteva essere una pausa tra le sue giornate, con lui era tutto diverso. Lei lo amava da sempre, lo amava ancora. Quel bacio sulle scale le aveva fatto girare la testa, per questo lo aveva spinto via. Perché ogni volta che pensava di esserne uscita, di potersi avvicinare senza ricascarci, si accorgeva che invece era già dentro con tutta se stessa.

Per la prima volta era riuscita a imporsi qualcosa. Di solito Marco aveva la forza di trascinarla anche contro la sua volontà, contro i suoi ragionamenti razionali. Annientava le sue piccole ribellioni interiori, aveva la capacità naturale di invalidare le loro esperienze del passato. In fondo lei non aveva mai desiderato sfuggirgli.

«A cosa pensi?» le chiese Marco.

«Niente in particolare. Alle cose da dire all'incontro.»

«Ci fermiamo per un caffè? Ho voglia di un cornetto con la marmellata.»

Isabella non voleva pensare a tutte quelle cose, non voleva appesantire la sua testa e voleva godersi la giornata con lui. Sapeva che non doveva andare oltre, ma non voleva privarsi di tutto. Si fermarono a fare una seconda colazione, comprarono dell'acqua e si rimisero in viaggio.

Sembrava stessero andando in vacanza, si sentivano in gita.

Arrivarono nel piccolo paesino vicino a Modena dove si trovava l'azienda, sul cartello stradale con il nome c'era scritto: PAESE DENUCLEARIZZATO E CONTRO L'APARTHEID, gemellato con una sconosciuta città africana.

Sotto qualcuno aveva aggiunto: "Guidate con prudenza, qui siamo già pochi".

«Sai che qui vicino c'è un paese dove in piazza c'è il busto di Lenin? E in un altro la statua di un maiale?»

«Dài, Marco, non dire cazzate.»

«Ti assicuro, quando hai finito te lo faccio vedere su Google.»

Si fermarono nel parcheggio di un supermercato poco più avanti, Isabella doveva prepararsi per l'incontro.

Da un sacchetto di plastica tirò fuori le scarpe col tacco e le indossò togliendosi quelle basse, poi guardandosi nello specchietto si sistemò il trucco e si pettinò. «Come sto?» chiese rivolgendosi a Marco.

«Sei bellissima.»

«Grazie. Ci vediamo dopo, mi spiace che adesso mi devi aspettare, un'oretta al massimo e ho finito.»

«Non preoccuparti, chiamami quando esci.»

Isabella si incamminò verso il suo appuntamento e Marco cercò un bar. La zona non era molto abitata, erano più che altro concessionarie di automobili, capannoni e qualche palazzina piena di uffici. Proseguendo sulla strada arrivò a un altro paesino, e dopo trovò anche un bar. Prese il suo libro e si accorse di aver dimenticato la matita. Faceva fatica a leggere se in mano non aveva una matita per sottolineare. Ne cercò una nel portaoggetti della macchina. Niente, non c'era nulla, né una matita né una penna. C'erano delle lettere, un CD di musica classica, uno di Michael Bublé e delle fotografie.

Marco iniziò a sfogliarle. Erano fotografie della madre di Isabella e della nipotina quando era molto piccola. In una foto c'era la bambina che rideva. Marco notò che come lui non aveva praticamente i lobi delle orecchie.

Rimise in ordine le foto, entrò nel bar e si sedette a un tavolino.

«Vorrei un toast, dell'acqua frizzante e un caffè.»

«Il caffè lo vuole subito o dopo?»

«Dopo, grazie.»

Nel bar oltre al titolare, un uomo enorme sulla cinquantina con la faccia piena di capillari esplosi come fuochi d'artificio, c'era una vecchia signora alle slot machine e a un tavolo una coppia giovane, lui sulla trentina, lei qualche anno meno.

Lei sarebbe stata anche bella ma era troppo piena di trucco, vestita in modo volgare e con i capelli tinti nero corvino. Le sopracciglia erano sottilissime, disegnate ad arco. Anche le unghie erano lunghe e dipinte con disegni fantasia.

Sembrava una delle attrici che recitano male nei video porno. Un paio di volte, senza farsi vedere dal fidanzato, guardò Marco in maniera provocante. Non che Marco fosse nei suoi interessi, era semplicemente uno che non era di quelle parti e lei voleva sedurlo.

Marco avrebbe voluto andare da quella coppia, spiegare a lui che era un coglione, "perché si vede subito che lo sei", e chiedere alla ragazza di seguirlo fino a casa. Ridarle un colore di capelli più naturale, farle mettere una maglietta meno scollata e di un tessuto migliore, toglierle le unghie finte, sfilarle tutti quei braccialetti, anelli, collanine che la facevano sembrare una madonna della donazione, spiegarle che il chewing-gum si può masticare anche senza spalancare la bocca in quel modo. Dopo tutto quel lavoro, finalmente scoparla, scoparla un pomeriggio intero fino all'ora di cena. Dopo l'avrebbe riaccompagnata nel bar e riconsegnata a quel mondo come una donna diversa.

Marco sorrideva dentro di sé per quello che aveva appena pensato. *Sono un uomo orrendo, lo so,* si era detto.

Nel frattempo erano arrivati il toast e l'acqua. Aveva fame. Finito di mangiare prese il caffè, pagò e salì in macchina. Gironzolava per il paese senza meta.

A un certo punto il suo telefono squillò. Marco pensò fosse Isabella che aveva già finito. Era Andrea. «Ciao, ti disturbo?»

«Per niente, è successo qualcosa?»

«No, volevo solo sapere se questa sera riesci a tornare per stare con il papà perché ho una cena importante.»

«Certo, sono a casa prima delle sette.»

«Grazie. Ciao.»

«Ciao, salutami Irene» disse facendogli intendere che aveva capito qual era la cena importante a cui non poteva rinunciare.

Dopo circa un'ora Isabella lo chiamò, lui passò a prenderla e lasciarono quel buco di posto fuori dal mondo.

Isabella il giorno prima aveva cercato un ristorante in zona, un'amica le aveva consigliato una trattoria in collina. Durante il viaggio chiamò la sua socia per raccontarle com'era andato l'incontro.

Quando entrarono nel cortile della trattoria, le ruote della macchina fecero scoppiettare la ghiaia. Era una bella giornata di sole. Ordinarono pollo alla griglia, insalata, patate al forno e formaggio fuso, vino rosso della casa, il lambrusco frizzante come lo champagne. Durante il pranzo risero e scherzarono.

Isabella era contenta, l'incontro di lavoro era andato bene.

«Sei felice?» le chiese Marco.

«Molto.»

Dopo pranzo, prima di salire in macchina, decisero di fare una passeggiata seguendo un sentiero che si trovava dietro il ristorante.

Marco aveva strappato un filo d'erba e se l'era messo in bocca come facevano nei film. Sapeva che non doveva fraintendere il loro rapporto, sapeva che ormai erano solo amici, e tutto sommato gli andava bene. Lo aveva accettato senza difficoltà, forse il suo era solo orgoglio, forse non era davvero quello che sperava per loro. Passeggiarono tra le piante in silenzio, il vino fresco e frizzante gli faceva girare la testa e gli aveva tolto la parola. Arrivarono fin sopra la collinetta. Tutto intorno era desolato, si vedeva solo la strada lontana. Si sedettero sotto una pianta.

«Chi ha avuto questa splendida idea? Sto morendo» chiese Marco ironicamente con il respiro corto.

«Tu.»

«Ah, ecco.»

Rimasero in silenzio, poi lei gli chiese: «Sei ancora arrabbiato con me per l'altra sera?».

«No, non sono arrabbiato.»

«Mi spiace, ci tengo a te.»

«Non devi giustificarti. Ho capito.»

«Pensavo non saresti mai venuto oggi, sono stata contenta che hai accettato.»

«Sono venuto volentieri.»

Lei sorrise. «Vieni qui, avvicinati» gli disse.

«Cos'è un trabocchetto per capire se ci casco?»

«Forse» e nel dire quella parola lo baciò.

Marco era confuso, non sapeva che fare.

«Baciami» disse lei. Per qualche secondo rimase ancora imbambolato, poi la baciò. Aveva paura che lei lo fermasse, ma durò solo qualche secondo. Il bacio divenne sempre più acceso. Lei si sdraiò sulla schiena portandosi dietro lui in quel gesto. Ora lui le era sopra, smise di baciarla e la guardò. Gli occhi si muovevano sul viso di lei, poi la accarezzò, iniziò a baciarle la fronte, le guance, le labbra, il collo. Affondò il naso nei suoi capelli e lì su quella collina, in mezzo al nulla e lontano da tutto e da tutti, fecero l'amore, storditi dal vino, dal pranzo e dal loro eterno desiderio. Nessuno li poteva sentire, nessuno li poteva vedere.

Quando finirono rimasero abbracciati. Stavano bene, erano pieni di vita, di emozione, così pieni che non c'era posto per altro, non c'era posto per le parole. Per questo rimasero in silenzio per un lungo tempo: erano felici. Dopo tutti quegli anni il loro amore era ancora lì, immutato.

“Tu sei di quelli laureati col massimo dei voti”

Andrea uscì dall’ufficio mezz’ora prima, passò da casa velocemente e poi raggiunse Irene a cena. Avevano scelto un ristorante all’aperto, lei lo aspettava seduta a un tavolo.

Andrea si avvicinò, felice nel vedere il suo sorriso raggiante.

«Scusa il ritardo.»

«Non sei in ritardo.»

Il pavimento era irregolare, appena seduti Andrea chiese al cameriere un pezzo di carta per sistemare il tavolo ed evitare che traballasse. «Fatto. Risolvere i problemi è la mia missione» disse in maniera ironica.

Irene lo guardò. «Lo dici scherzando, ma in ufficio quando c’è un problema le persone vengono sempre da te.»

«Mi piace aiutare quando posso.»

«Quando hai deciso di fare ingegneria?»

«In realtà alle medie sognavo di fare biologia, poi crescendo ho cambiato idea, non mi ricordo nemmeno più quando. Forse ero attratto dal fatto che anche mio padre era ingegnere.»

«Biologia? Anche a me è sempre piaciuta.»

«Sicuramente ci saremmo divertiti di più, manipolare geni, tessuti, proteine, hai a che fare con tutto: l’etica, la religione, il senso stesso della vita. La biologia è la terza rivoluzione industriale.»

«Tu sei di quelli laureati col massimo dei voti, ne sono sicura.»

Andrea sorrise.

«Lo sapevo, si vede che eri un secchione. Anche la lode?»

«Anche la lode.» Sorvolò sul dottorato e il master. Non voleva esagerare.

Il modo in cui lo guardava era quello di una donna innamorata, nei suoi occhi c'era ammirazione. «Assomigli più a tuo padre o a tua madre?»

«Di carattere forse a mio padre, siamo testardi uguali e ostinati come ingegneri, ma nei lineamenti non gli assomiglio per niente. Nemmeno a mia madre. È mio fratello che è identico a lei.»

Durante la cena guadagnarono intimità, per questo Andrea si sentì libero di dirle cose molto personali. Per superare il pudore e la timidezza, prese il pacchetto di grissini vuoto e iniziò ad arrotolarlo facendo dei nodi.

«Mi è sempre piaciuto studiare, lo confesso. Quando andavo al liceo mia madre era malata, così studiavo facendole compagnia.»

«Mi spiace, non lo sapevo.»

«Non preoccuparti, sono passati molti anni. Quando sono andato all'università, lei non c'era già più ma per qualche misterioso meccanismo ho sviluppato uno strano comportamento: tutto quello che facevo lo facevo anche per lei. Mi ero convinto che lei mi vedesse, perciò non mi lamentavo mai, non creavo problemi a mio padre e mi comportavo bene. Ho trasformato mia madre in una specie di sceriffo celeste che mi controllava, a cui dovevo dimostrare di essere un bravo figlio. Non mi andava che qualcuno potesse pensare che mi avesse educato male o non fosse stata una brava madre.»

«Sei molto legato alla tua famiglia, anche a tuo padre.»

«Si vede?»

«Di tua madre non sapevo nulla, ma si vede che tuo padre è importante per te. Quando ti chiedo come stai, attacchi subito a parlarmi di lui. Un secondo per dirmi di te, il resto è tutto per tuo padre. Ti ammiro, ti conoscevo per essere un uomo serio e responsabile ma non pensavo fossi anche così premuroso e affettuoso.»

Andrea sorrise, era piacevolmente sorpreso dalla sensibilità di Irene e dalla sua capacità di osservazione.

«All'inizio pensavo che fossi gentile e carino con me perché avevi un secondo fine, come fanno spesso gli uomini. Quando ho capito che invece eri proprio così, mi sei piaciuto. Mi alzavo più volentieri al mattino sapendo che ti avrei visto. Eri un buon motivo per venire ogni giorno al lavoro. Vederti, parlarti, discutere e ragionare insieme, scambiandoci opinioni, idee, informazioni. Tu sei più esperto di me e mi hai insegnato molte cose. Ho fantasticato molto su di noi all'inizio, ho perfino pensato di avere dei figli con te.»

«Sono proprio uno poco sveglio, lo sai che non mi sono mai accorto di nulla?»

«All'inizio pensavo facessi finta di non capire. Comunque, anche se mi piacevi, non ci sarei mai stata con te finché eri sposato. Non sono certo il tipo della rovinafamiglie.»

«Ho sempre apprezzato questa cosa di te. Sei una ragazza d'altri tempi, questi scrupoli non se li fa più nessuno.»

«Ho un'amica che finisce sempre ad avere storie con uomini sposati. È chiaro che alcune persone per portare avanti il loro matrimonio hanno bisogno di una terza persona, come i tavolini che stanno in piedi con tre gambe. A lei dico sempre: "Chi te lo fa fare di fare la terza gamba? Chi te lo fa fare di essere la terza persona che serve a far funzionare un'altra famiglia? Chi te lo fa fare di sopportare tutte queste umiliazioni, essere una toppa, una ruota di scorta? Posso capire se ti pagano, altrimenti è veramente inspiegabile fare un sacrificio così per gli altri".»

Andrea sorrise.

A fine cena lei si alzò per andare in bagno. Anche Andrea si alzò per galanteria e lì in mezzo alla sala, con il tovagliolo bianco in mano, la baciò davanti a tutti. Una cosa che non aveva mai fatto in vita sua.

Andrea chiese il conto. Mentre aspettava, fece una riflessione: Irene era una donna con cui avrebbe potuto essere un uomo felice. Era dolce, seria, divertente e di sani principi. Quando lui aveva avuto bisogno di tempo, lei lo aveva assecondato senza mettergli fretta. E poi era sexy, sexy da morire, una di quelle donne che quando ci fai l'amore rischi di mettere in discussione tutta la tua vita. Non aveva mai provato il senso di onnipotenza che aveva provato nel fare l'amore con lei. Lei sì che scopava bene. Una donna a cui piaceva e non lo nascondeva.

Mentre giocherellava con le briciole sulla tovaglia, i suoi pensieri furono interrotti dal cameriere. Dopo aver firmato la ricevuta della carta di credito, prese la borsa di Irene e si avvicinò all'uscita per aspettarla. D'un tratto sbiancò, sembrava avesse visto un fantasma. Gli si era seccata la gola all'improvviso: a un tavolo con delle amiche c'era Daniela.

Andrea era paralizzato, iniziò a battergli forte il cuore. Lei non lo aveva visto. Dopo quasi un minuto in cui non sapeva che fare, tornò indietro e uscì dal ristorante usando il piccolo cancello sul retro che dava sull'altra strada. Attraversò e si nascose in piedi dietro una macchina.

Dopo qualche minuto dall'ingresso principale uscì Irene.

«Sono qui» disse Andrea.

«Non ti trovavo più, pensavo te ne fossi andato. Potevi aspettarmi.»

«Lo so, scusa, ma il cameriere mi ha detto che gli serviva il tavolo e non volevo aspettarti in piedi in mezzo a tutti.»

«Figurati, certo che cafoni però.»

«Non importa, tanto stavamo andando.»

Mentre Andrea guidava verso casa di Irene, non aveva più parlato. Era sconvolto e lei se ne accorse. «Stai bene?»

«Sì. Sono solo un po' stanco.» Guidava in maniera automatica. Senza perdere la capacità di fare i movimenti giusti: cambiare marcia, azionare le frecce, ruotare il volante.

Irene nel silenzio della macchina iniziò a riavvolgere il nastro della serata per capire se avesse detto la frase inopportuna o fatto qualcosa di sbagliato. *Forse non avrei dovuto dirgli che con lui farei dei figli anche domani, forse ho esagera-*

to, l'ho spaventato. Forse è quando gli ho detto che russa come un trattore, magari si è offeso. Irene non capiva.

Andrea si accorse del suo imbarazzo, allora per la prima volta fece una cosa che non aveva mai fatto prima, mentì: «Mi ha scritto mio fratello, il papà non è stato molto bene, sono un po' preoccupato».

«Mi spiace, spero nulla di grave.»

Andrea si sentì una persona orrenda, non era da lui. *Sto diventando come mio fratello,* si disse.

Arrivati sotto casa si salutarono con un bacio.

Lui aspettò che fosse entrata nel portone prima di ripartire. Appena si trovò solo, poté liberare le emozioni che stava trattenendo. Fece un lungo respiro e soffiò fuori tutta l'aria che aveva nei polmoni. Era sconvolto dall'avere scoperto il potere che Daniela esercitava ancora su di lui. Eppure stava bene con Irene, in un modo leggero e spensierato.

L'aveva vista subito, era seduta con altre cinque amiche, ma la prima che aveva notato era stata lei.

Quanto è bella, chissà quando la rivedrò ancora.

Nel frattempo era arrivato sotto casa, spense la macchina e invece di scendere subito rimase lì in silenzio. Prese una gomma da masticare e se la buttò in bocca. Quello sarebbe stato il momento giusto per fumarsi una sigaretta se fosse stato un fumatore, ma lui non aveva mai fumato nemmeno una volta in vita sua.

Gli venne in mente una fantasia che Daniela aveva sempre avuto. Quando erano sposati, gli aveva chiesto più volte di incontrarsi in un ristorante e fingere di non conoscersi, corteggiarsi un po', cenare insieme e poi tornare a casa e fare l'amore. Andrea trovava l'idea ridicola e aveva sempre risposto che erano troppo cresciuti per quelle stupidaggini. Mentre ripensava alla fantasia di Daniela, gli arrivò un messaggio, sapeva che era Irene, aveva l'abitudine di dargli la buonanotte. Non controllò, continuava a fissare un punto fermo davanti a sé e a pensare che forse sarebbe dovuto tornare indietro per dire a Daniela che ora anche lui aveva capito e voleva giocare a quel gioco. Fu il pensiero di un attimo, sapeva che non era la cosa giusta da fare e temeva che lei gli avrebbe riso in faccia.

Cominciò a fare il gioco stupido dei "se", come quando studiava all'università. Se fossi nato in un'altra famiglia, se Hitler avesse vinto la guerra, se Baggio non avesse sbagliato il rigore. *Se* Daniela avesse cambiato idea e avesse voluto avere dei figli con lui. *Se* con dei figli si sarebbero lasciati ugualmente o certe priorità avrebbero cancellato tante piccole sciocchezze in cui si trovavano spesso invischiati: *Se tornassi in quel ristorante, se fossi stato più attento alle sue esigenze, se avessi lavorato meno e fossi rimasto più tempo con lei.* Il gioco dei "se" con lei era infinito.

Meglio se salgo in casa, si disse a un tratto. Davanti al portoncino, mentre cercava le chiavi, con un movimento maldestro schiacciò il telefono che si illuminò. Con grande sorpresa si accorse che il messaggio non era di Irene, ma di Daniela.

"Hai fatto finta di non vedermi o non mi hai visto veramente? Salutami Irene."

Andrea non riceveva un messaggio da parte sua da mesi, solo un paio di volte per cose burocratiche.

La prima preoccupazione fu che Daniela, vedendolo con Irene, avesse pensato che l'aveva già dimenticata.

Rilesse quel messaggio almeno venti volte, cercava di capirne il tono, l'intenzione, il sottotesto, il non detto, ma soprattutto la risposta da inviare.

Si sedette sulle scale di casa, nessuna risposta che aveva elaborato lo soddisfaceva. Alla fine scelse una strada semplice e sincera: "Ti ho vista solo uscendo e non sapevo che fare. Non volevo disturbare. La prossima volta ti saluto".

Inviò e rimase sulle scale ad aspettare la sua risposta. Quella faccenda doveva risolversi prima di entrare in casa.

All'improvviso il telefono iniziò a suonare nel silenzio delle scale: era lei. Si precipitò giù dai gradini e uscì. Non si aspettava certo una telefonata.

«Pronto, sono io.»

«Lo so, come va?»

«Sei solo? Puoi parlare?» Quella domanda fatta da lei suonava strana.
«Certo che sono solo.»
«Magari eri con la tua nuova fidanzata.»
«Non è la mia fidanzata.»
«Potevi salutarmi.»
«Non sapevo che fare, tu eri con le tue amiche.»
«Come stai, Andrea?»
Il suo nome pronunciato da lei lo ipnotizzava.
«Bene, non mi lamento.»
«Tuo padre?»
«Insomma, lui non molto bene, ma è la vita.»
«Mi spiace, ma è a casa o in ospedale?»
«Ora a casa.»
«Magari un giorno di questi passo a salutarlo, se non è un disturbo.»
«Sei sempre di casa, lo sai.»
«È bello sentirtelo dire.»
Andrea passeggiava avanti e indietro sul marciapiede. «Tu come stai? Ti ho trovata bene.»
«Non è stato un periodo facile.»
Stava per continuare ma Andrea la interruppe. «Nemmeno per me, lo sai.»
«Ho capito che su tante cose avevi ragione.»
Andrea si fermò e si appoggiò a una macchina.
Era una bella telefonata, erano gentili tra di loro, erano dolci, ridevano, stavano attenti alle parole, dosavano l'entusiasmo ma erano entrambi felici di parlarsi e di scoprirsi così, con una rinnovata complicità fatta di una strana e inedita miscela: l'intimità di sempre senza tutte le tensioni, i soliti problemi, le incomprensioni.
Al momento dei saluti erano entrambi dispiaciuti. Andrea guardò il telefono, la conversazione era durata un'ora e dodici minuti.
Quando entrò in casa, Marco gli disse che sarebbe uscito a bere una cosa con un suo vecchio amico. «Va bene, bevi una birra anche per me.»

A letto continuava a pensare alle parole che si erano detti, le riascoltava nella mente e cercava di capire se avessero un significato che gli era sfuggito. Quella sera Irene non aveva mandato il messaggio della buonanotte, ma lui non ci aveva fatto caso. La cena con lei sembrava una cosa successa mesi prima, in una vita precedente.

Per la prima volta dopo tanto tempo pensare a Daniela non era più così doloroso per Andrea. Quella telefonata aveva aperto uno spiraglio, aveva portato una speranza.

Quella sera si addormentò a fatica. E fece un'altra cosa che non faceva da molto tempo. Pensò a Daniela, al suo profumo e alle sue forme e si masturbò. Era troppo felice per chiudere gli occhi. S'era fatto una sega pensando alla sua ex moglie.

John Wayne

Da quando il padre era tornato a casa le giornate scorrevano più o meno nello stesso modo. Era lui a dettare i tempi, le priorità, le necessità.

Viveva una vita che costringeva se stesso e gli altri ad assecondare una serie di bisogni, di impulsi, di azioni automatiche. Il tempo trascorreva scandito da abitudini cadenzate, decise secondo chissà quale principio e quale modalità. Nessuno lo sapeva, nessuno lo ricordava.

Si svegliava più o meno verso le sei e chiedeva la colazione. A volte lo faceva durante la notte, apriva gli occhi convinto che fosse mattino, e ad alta voce diceva: "Portatemi la colazione".

"Papà, è presto, dormi" rispondeva uno dei due figli dall'altra stanza. Lui lentamente si calmava e si riaddormentava.

Il rito della colazione consisteva in caffellatte e cinque biscotti, non quattro e non sei, non rotti. Dovevano essere cinque e integri. Spesso era Andrea che si assumeva il compito di preparargliela e servirgliela, prima di andare in ufficio.

Verso le nove arrivava Sonia, lo vestiva, lo aiutava ad alzarsi e gli portava il deambulatore, lui si trascinava fino alla sedia in salotto e lei gli accendeva la televisione.

Tutto avveniva senza dover chiedere nulla, senza domande, senza risposte. Era così. Le uniche parole erano dei convenevoli, frasi di cortesia, ma per le cose da fare nella vita viaggiavano su un binario dove era già tutto stabilito.

Al mattino c'erano due programmi televisivi che lui voleva assolutamente vedere. Anche se non seguiva ciò che dicevano, anche se non capiva, ne era ipnotizzato. La TV era il chewing-gum del suo cervello. Quel ruminare di parole senza significato lo tranquillizzava.

Il pomeriggio guardava un film in DVD. Sempre lo stesso: *Il massacro di Fort Apache* con John Wayne.

Ogni volta che vedeva quel vecchio attore, Marco si ricordava di un documentario dove si raccontava che nei film con John Wayne le porte spesso venivano rimpicciolite per farlo sembrare più grande e grosso, più alto e imponente di quanto non fosse nella realtà.

Finito il film, Marco e Sonia aiutavano il padre ad alzarsi e a tornare a letto. Verso le sei e mezza cenava. Era Marco a dargli da mangiare, Sonia se ne andava dopo avergli preparato la cena, il suo turno era finito.

Era successo più di una volta che nel breve periodo in cui il padre rimaneva solo con Marco, tra l'uscita di Sonia e il rientro di Andrea, avesse bisogno di andare in bagno. Una volta Marco ironizzando gli chiese se lo faceva apposta. "Possibile che devi cagare sempre quando ci sono solo io?" Il padre aveva sorriso.

In quel caso Marco lo aiutava ad alzarsi dal letto, lo accompagnava fino al water mentre lui si appoggiava al deambulatore, gli abbassava le mutande, lo faceva sedere e aspettava che avesse finito. A volte restava in bagno con lui, altre volte usciva. Da quando si sedeva sul water a quando finiva, trascorreva un tempo che poteva variare da un minuto a mezz'ora.

In quel tempo ogni tanto Marco si informava. "Hai finito? L'hai fatta tutta?"

Se rispondeva "sì", Marco lo aiutava ad alzarsi, lo puliva, gli sistemava le mutande, tirava lo sciacquone, lo riaccompagnava in camera e lo metteva a letto.

Quando, scherzando, Marco gli faceva notare che c'era un odore insopportabile e che ne aveva fatta tanta, lui sorrideva.

Una volta, dopo averlo pulito, mentre Marco stava per tirargli su i pantaloni, il padre non aveva fatto in tempo ad avvisarlo e ne aveva fatta dell'altra. La merda era finita ovunque, sulle caviglie, per terra, sul bordo del water.

Marco aveva pazientemente ripulito il padre, lo aveva cambiato e rimesso a letto, per poi tornare con altrettanta pazienza a occuparsi del bagno. Mentre puliva non sapeva se piangere o ridere. Alla fine aveva riso. Quando era tornato in camera dal padre, gli aveva detto: "Papà, cazzo, caghi come un elefante". Lui prima di chiudere gli occhi era riuscito a sorridere con un sogghigno divertito.

L'incidente era accaduto quell'unica volta, perché suo padre avvisava sempre quando doveva andare in bagno. Una mattina dopo colazione iniziò a dire che voleva andare a casa. «Papà sei già a casa» rispose Marco, ma il padre insisteva: «Portatemi a casa, portatemi a casa». Allora Marco usando il deambulatore lo portò in ascensore, insieme scesero al pianoterra poi risalirono. Il percorso verso casa lo aveva convinto e tranquillizzato. Quando si sedette in poltrona davanti alla televisione, non disse più nulla.

Per la maggior parte del tempo era dolce, gentile, sereno. Solo quando si inceppavano il ritmo e la liturgia cadenzata delle sue abitudini, diventava nervoso e aggressivo. Quando alzava la voce o diceva cose violente e offensive, era uno dei momenti più difficili da gestire. E non tanto perché lo offendesse o lo maltrattasse, ma perché quel comportamento era così lontano dal modo di essere di suo padre che Marco capiva con sofferenza quanto fosse invadente la malattia che portava dentro, quanto fosse forte il mostro che lo possedeva. Erano crisi violente. Eppure lui era sempre più fragile.

Quando lo spogliavano per cambiarlo o per lavarlo, trovavano sul suo corpo dei lividi, delle macchie blu sempre più estese. Bastava poco ormai a procurargliele. Gli venivano quando lo afferravano per spostarlo o per farlo alzare.

A quella triste e faticosa routine partecipava anche Andrea quando tornava a casa dopo l'ufficio. Passava a salutarlo e suo padre gli parlava, se non era già caduto in uno dei suoi frequenti sonnellini.

Un giorno Andrea sentì un collega dire che quando per lavoro faceva tardi, non riusciva a salutare i figli perché al suo rientro dormivano già. Andrea pensò che era la stessa sua situazione con suo padre. Lui e suo fratello ormai erano diventati i genitori, il padre un figlio bambino. Un bambino che viveva al contrario, ogni giorno disimparava qualcosa, anche i gesti più elementari: allacciarsi le scarpe o la cintura, soffiarsi in maniera corretta il naso, usare le posate. Dimenticava i nomi delle cose e quelli delle persone. Quando qualcuno gli chiedeva come si chiamasse, rispondeva dicendo cognome e nome come un bambino all'appello in classe: Bertelli Luigi.

Il padre si addormentava definitivamente verso le dieci. Chi dei due fratelli passava a spegnere la luce, gli sfilava la dentiera dalla bocca e la metteva in un bicchiere insieme a una pastiglia effervescente. La televisione senza volume rimaneva sempre accesa perché il padre, se gli capitava di svegliarsi durante la notte, voleva vederla, anche se non sentiva nulla. Dal corridoio si vedeva la luce mossa della TV uscire dalla stanza.

«In un momento così brutto siamo fortunati che il papà non soffre, non ha dolori. Forse non è mai stato così bene in vita sua» disse una sera Marco a suo fratello.

«La sofferenza è più per chi gli sta intorno» aggiunse Andrea.

Una mattina Marco, dopo l'arrivo di Sonia, andò a prendere un amico di suo padre e lo accompagnò a casa. Si chiamava Giuseppe. Quando entrò, il padre non lo riconobbe. Giuseppe gli si sedette di fianco, a guardare la televisione con lui.

Guardavano le sparatorie di John Wayne insieme, apparentemente uno vicino all'altro, ma in realtà erano molto lontani. C'era stato un momento in cui Marco era passato a controllare che tutto andasse bene, aveva visto Giuseppe fissare suo padre, aveva gli occhi lucidi, le labbra gli tremavano nel tentativo di trattenere l'emozione. Marco si commosse, due vecchi amici rimasti per ore in silenzio uno di fianco all'altro davanti a un vecchio western. Un gesto d'amore e d'amicizia fatto solo di silenziosa presenza.

«Dovevi vederli seduti vicini, ti si spezzava il cuore» disse Marco la sera mentre era con Andrea in camera del padre.

Erano le dieci. Parlavano senza guardarsi, osservavano il padre dormire, sembrava sereno, finalmente rilassato.

«Come hai fatto a trovare Giuseppe?»

«Ho cercato il numero sulla rubrica del papà. Quella rubrica è un viaggio nella memoria. Ogni pagina che sfogli scopri dei nomi che non ricordi più. Quando ho visto quello di Giuseppe, ho pensato e sperato che il papà lo riconoscesse e per qualche magia potesse parlare con lui, ridere un po'.»

Ci fu un silenzio.

«Sai qual è uno dei ricordi più belli che ho con il papà?»

«Quale?»

«Avrò avuto ventitré anni, era il periodo in cui vivevo solo con lui. Sono tornato a casa verso mezzanotte e lui era in cucina sveglio. Solitamente a quell'ora dormiva già. Era stranamente di buonumore, forse qualcosa al lavoro, comunque sembrava contento. Io stavo andando a letto e lui mi ha chiesto se avevo fame. "Ci facciamo una pasta?" Io sono rimasto sorpreso, non mi aspettavo una richiesta così. Alla fine ci siamo fatti un piatto di spaghetti cacio e pepe e ci siamo bevuti una birra. All'inizio ero un po' a disagio, poi invece siamo stati bene, eravamo come due vecchi amici che non si vedevano da un po'. Mi faceva anche delle domande, mi ha chiesto come andavano gli studi, se ero innamorato. Avrei voluto che quella notte non finisse mai. Il giorno dopo era come se avessi sognato tutto. Lui era tornato l'uomo di sempre. Non sai quante volte mi torna in mente quella spaghettata.»

Marco sorrise.

Poi Andrea aggiunse: «Ti ricordi quando da bambino credevi che Miss Universo fosse una competizione tra donne extraterrestri?».

«Sì, certo che me lo ricordo.»

«Quanti anni avrai avuto?»

«Sei, sette. Mi avevi detto che Miss Italia era una competizione tra italiane, non era stupida come conclusione.»

«Era logica. Quando ti ho detto che non avevano ancora scoperto altre forme di vita nello spazio, ci sei rimasto male. Hai detto che allora quel premio non valeva.»

Risero.

A Marco venne in mente che, quella sera, prima di addormentarsi aveva immaginato che un giorno bellissime extraterrestri sarebbero venute sulla terra e sarebbero andate a casa di tutte le Miss Universo del mondo per farsi ridare il premio come si fa con gli atleti che hanno barato nelle loro competizioni. «Perché ti è venuta in mente questa cosa?»

«È stata l'unica volta che ho visto il papà ridere di gusto.» Sorrisero.

«Anche prima che la mamma stesse male, non è mai stato uno che esprimesse facilmente le sue emozioni e i suoi sentimenti» disse Marco. «Mi sa che abbiamo preso da lui. Io sicuramente.» Poi dopo una pausa disse: «Io me la sono quasi scopata una Miss Universo».

«Ma dove? A Londra?»

«No, in camera nostra a tredici anni.»

«Ah, ho capito.» E risero. Dopo un lungo silenzio, Andrea aggiunse: «Tu hai paura di morire?».

«No.»

«Neanche io. C'è gente che è terrorizzata dalla morte.» Fece una pausa. «Forse la differenza è tra chi ha un'idea della morte e chi ne ha fatto esperienza. Se la conosci forse spaventa meno.»

Per qualche minuto non parlarono, ognuno assorto nei propri percorsi mentali.

Fu Andrea a rompere quel silenzio. «Riesci a piangere?»

«Non tanto.»

«Nemmeno io.»

«Lo hai mai visto piangere?» chiese Marco.

«Chi? Il papà? Mai.»

«Io sì, una volta. Ma lui non lo sa.»

Andrea smise di fissare il padre e guardò suo fratello, sorpreso. «Quando? In questi giorni?»

«No, c'era ancora la mamma. Qualche giorno prima che morisse.»

«Perché non me l'hai mai detto?»

«A dir la verità, me l'ero dimenticato. Credo di averlo rimosso. Mi è venuto in mente dopo che siamo stati giù in cantina.»

«Piangeva per la mamma?»

«Credo di sì. Io e te avevamo apparecchiato per la cena, sono sceso in cantina a chiamarlo. Quando mi sono avvicinato alla porta ho sentito dei rumori strani, l'ho spinta un po' per aprirla, senza dire niente. Lui non si è accorto che ero lì, era di schiena, seduto su una sedia. Piangeva. Si teneva il viso tra le mani, andava avanti e indietro col busto e diceva: "Non ti perdonerò mai, non ti perdonerò mai". Mi sono spaventato, invece di chiamarlo sono scappato via. Non sapevo che fare. Sono andato alla porta, quella che dava sulle scale, ho fatto finta di essere appena arrivato e gli ho urlato che la cena era pronta. Lui mi ha risposto: "Arrivo". Quando è salito in casa è andato subito in bagno, si sarà asciugato le lacrime lavandosi la faccia, tanto che poi a tavola non sembrava che avesse appena smesso di piangere. Ho anche pensato di aver visto male, di essermi sbagliato.»

Andrea ascoltava suo fratello con attenzione. Catturava il suo sguardo col proprio, pieno di curiosità. «Come hai fatto a dimenticarti una cosa così?»

«Non ne ho la più pallida idea. L'ho rimossa completamente.»

«Secondo te, si riferiva alla mamma?»

«Forse.»

«Perdonarle cosa? Di essersi ammalata?»

Marco non rispose. Quegli anni erano pieni di eventi e di persone da perdonare.

Parlavano lentamente, facendo lunghe pause durante le quali si guardavano in silenzio con affetto. Andrea cercava di capire, magari a pensarci attentamente sarebbe riuscito a trovare una risposta.

Marco a un certo punto disse: «Se la vita fosse un gioco, in alcuni momenti sarebbe giusto sospenderlo, come quando durante una partita di calcio uno si fa male e l'arbitro fischia e ferma la partita. Bisognerebbe fermarsi per capire la gravità dell'incidente, capire se il giocatore è in grado di continuare. Invece la vita va avanti, il tempo non si ferma mai, senza tregua, e quando ti fai male devi continuare a giocare comunque, anche se zoppichi la partita continua. È questa la fregatura». Si fermò qualche secondo poi aggiunse: «Pensa al papà, che si è ritrovato all'improvviso senza moglie con due figli maschi e nonostante tutto doveva svegliarsi al mattino come sempre, come se nulla fosse successo, prepararsi il caffè, fare la strada per andare al lavoro, salutare i colleghi, risolvere i problemi, chiudere i progetti, e poi andare nei cantieri. Tornare a casa, fare la spesa, organizzare la vita domestica, occuparsi di noi. Ecco cosa manca nella vita reale: la possibilità di sedersi ogni tanto negli spogliatoi, bere un bicchiere d'acqua, farsi una doccia, tirare un po' il fiato, riposare e rivedere il replay della propria vita, magari cambiare tattica, cambiare strategia, capire cosa fare per sopravvivere».

Rimasero in silenzio, poi Andrea si alzò. «Andiamo a sederci sul divano. Il papà è tranquillo, lasciamolo dormire in pace.» Spensero la luce.

Si tolga i pantaloni, si abbassi le mutande

«Si tolga i pantaloni, si abbassi le mutande, poi si sdrai qui sul lettino e porti le ginocchia al petto.» Marco fece tutto quello che gli era stato chiesto. In quella posizione sembrava un uomo pronto a essere sparato nello spazio.

Il dottore si infilò i guanti di gomma facendoli schioccare, poi prese un tubetto di gel e lo strizzò sul culo di Marco. Era fresco, Marco sentì un brivido. Cercò di distrarsi, ripensò alla sera precedente quando lui e suo fratello si erano ubriacati insieme per la prima volta.

Andrea era sdraiato sul suo letto con la quarta birra in mano, Marco era seduto per terra e stava sfogliando le copertine dei dischi per sceglierne uno. Aveva acceso una sigaretta e preso *Urban Hymns*, l'album dei Verve.

"Ma tu ci pensi" aveva detto Marco "che hanno inventato e scoperto di tutto, hanno sequenziato tutto l'intero genoma umano, sequenziato il DNA, ma per capire se hai un tumore alla prostata siamo rimasti al dito infilato nel culo? A me sembra incredibile!" E si erano messi a ridere come due ragazzini che per la prima volte dicono le parolacce.

"Il papà direbbe che sono andati perfino sulla luna" aveva commentato Andrea.

Il padre, quando tentava di fare qualcosa, usava quella frase: "Sono andati sulla luna e noi non siamo in grado di riparare una lavatrice? Sono andati sulla luna e noi ci perdiamo a Milano?". Dopo l'impresa lunare di Armstrong si erano sentiti tutti dei falliti.

Avevano riso e dopo un breve silenzio Marco aveva detto: "Che lavoro assurdo".

"L'astronauta?"

"L'urologo."

"Invece è un lavoro importante."

"Pensaci, studi una vita per poi infilare dita del culo ad altri uomini."

"Come sei riduttivo, sono medici."

"Torni a casa la sera e tua moglie ti chiede com'è andata la giornata e tu cosa fai? Elenchi il numero di culi esplorati? Quando fai colazione al mattino, inzuppi il cornetto nel cappuccio, poi lo avvicini alla bocca e ti accorgi che lo tieni con lo stesso dito che hai infilato in un milione di culi."

"Guarda che ha i guanti."

"Ci mancherebbe anche che lo infilasse così a crudo." E dopo una pausa aveva aggiunto: "Secondo te, a forza di infilarlo è più sottile delle altre dita?".

"Sei ossessionato, però fai ridere. Lo sai che gli astronauti delle missioni americane atterrano in Florida ma se c'è brutto tempo atterrano in California? Se ci pensi è lontanissimo. Come se tu tornando a casa la sera dal lavoro parcheggiassi a New York, è la stessa distanza più o meno."

"Cosa stai cercando di dirmi?"

"Niente, mi era venuto in mente e te l'ho detto."

"Sei ubriaco."

"Ma ci pensi che alcune persone sono state su un altro pianeta? È incredibile. E la prima volta non avevano nemmeno i computer di adesso."

"Ti ricordi quando da ragazzini volevamo il computer?"

"Sì che me lo ricordo, il Commodore 64. Il papà ci aveva detto di no."

"Io lo avevo chiesto anche alla nonna per Natale e mi aveva risposto che era un regalo stupido, che il computer era una moda passeggera, perché i giovani avrebbero sempre preferito uscire a giocare invece che stare seduti delle ore. Se fosse ancora viva, chissà come ci sarebbe rimasta male."

"Una vera veggente la nonna."

"Quando vedo il cortile di casa mia vuoto, senza nessun bambino che ci gioca, mi viene una tristezza nel cuore."

"L'altro giorno sono passato davanti alla piazzetta dove ci si trovava il pomeriggio e non c'era nessuno. Dove sono i ragazzi adesso?"

"A casa su Facebook." Poi Marco aveva cambiato discorso. "Senti questa canzone. Quando ho comprato il disco l'ascoltavo continuamente, *Why Worry*, ancora oggi quando la sento mi viene la pelle d'oca."

Andrea non conosceva molto quel mondo, non aveva mai toccato i dischi di suo fratello. Aveva ascoltato la canzone in silenzio. Gli piaceva. "Chi sono?"

"I Dire Straits."

Andrea cominciava a sentire l'effetto delle birre, non aveva mangiato molto e non reggeva l'alcol. Nel silenzio della stanza era successo qualcosa. Si era emozionato. I suoi occhi erano diventati lucidi. Sulla melodia di Mark Knopfler, Marco e Andrea visitavano i luoghi della loro memoria e della loro intimità.

"A volte ho la sensazione di aver sbagliato tutto nella vita" disse Andrea. "Ho cercato in tutti i modi di fare quello che era giusto fare, volevo essere un bravo figlio, un bravo marito, un bravo fratello, un bravo ingegnere, e alla fine ho fallito." Parlava guardando la bottiglia di birra che teneva tra le mani. "Non sono importante per nessuno."

Marco aveva capito che suo fratello era uno dalla sbronza triste, quelli che da ubriachi si piangono addosso.

"Mia moglie mi ha lasciato, mio padre e mio fratello non mi sopportano e al lavoro devo lottare per non farmi fregare il posto in un'azienda che va di merda, piena di stronzi in doppiopetto."

"Non è vero che non ti sopporto e nemmeno il papà."

"Sì che è vero, io e te siamo fratelli e non ci sentiamo mai. Quando abitavi qui non mi parlavi per giorni."

Dopo la morte della madre, Andrea aveva assunto un atteggiamento protettivo e autoritario nei confronti del fratello. Si era preso il ruolo abbandonato dalla madre, aveva pensato fosse giusto sostituirla. Marco non gli riconosceva quel ruolo, né l'autorevolezza che il fratello avrebbe desiderato. Questo aveva generato distanza, incomprensione e lunghi silenzi tra di loro.

Andrea aveva alzato lo sguardo dalla bottiglietta di birra e aveva guardato suo fratello. Marco gli aveva detto: "Ti sei sempre comportato come se sapessi cosa era giusto o sbagliato. Guarda con il tuo matrimonio: hai scoperto che ti tradiva e per non scontrarti con una scelta fatta sei andato avanti. Tutti sbagliamo nella vita, la differenza è che tu pensi che la mancanza di contraddizioni ti renda un uomo ineccepibile. Mi sei sempre sembrato uno che nella vita va in giro con la voglia di bucare il pallone a quelli che non la pensano come te, a quelli che vogliono essere felici in maniera diversa dalla tua". Aveva dato una sorsata alla sua birra. "Non riesci mai a trarre piacere dalla vita. Come se non ti permettessi di stare bene, di essere felice. Rilassati un po'."

C'era stato un lungo silenzio. Andrea pensava alle parole di suo fratello. "È stata la mamma a chiedermi, prima di morire, di starti vicino e di aiutare il papà. Io non ho voluto sostituire nessuno. Molte volte avrei voluto lasciarmi andare, sfogarmi, abbandonarmi allo sconforto, ma le avevo promesso che sarei stato forte e mi sono fottuto da solo. Forse ero anche arrabbiato, pentito per la promessa che le avevo fatto. Mi sono caricato addosso un fardello di responsabilità superiore alle mie forze."

"Potevi anche dire di no."

"Non voglio darle tutta la colpa, credo che all'inizio quel senso di responsabilità mi piacesse, mi facesse sentire sicuro, adulto. Ho sbagliato tutto. Sono stato presuntuoso."

"Adesso non esagerare, si può anche ridere di quello che siamo stati. A me fa ridere pensare che mi rompevi le palle anche quando mi facevo le seghe. Ti ricordi quella volta che mi hai beccato in bagno e mi hai detto: 'Almeno a Natale potresti non farlo?'."

"Ti rompevo quando te le facevi qui in camera prima di addormentarti e sentivo il rumore sotto le lenzuola."

"Ma tu non te le facevi le seghe?"

"Certo, però meno di te. Dopo che è morta la mamma per un po' non me le sono fatte perché pensavo che lei mi vedesse."

"Anche io."

"Da quando mi vedo con Irene ho ricominciato."

"Spero per te che tu non lo faccia pensando alla tua ex moglie."

"Quando ero sposato sì."

"Lo capisci che sei malato? Quando sei sposato l'unico modo che hai di scopare un'altra è immaginandola mentre ti fai una sega. E tu pensavi a lei?"

Andrea non aveva risposto.

Marco aveva aggiunto: "Io mi porto il computer a letto, poi appena ho finito cancello subito la cronologia. Sarà il senso di colpa cattolico".

Andrea si era alzato per andare in cucina. "Non ho bisogno di sapere tutti questi dettagli, vuoi una birra?"

"Sì, grazie."

Era tornato con una birra, un bicchiere e una bottiglia di whisky. "Tieni, è l'unica fresca, le altre le ho messe in freezer. Nel frattempo mi faccio un whisky." Aveva fatto tintinnare la bottiglia di birra e il suo bicchiere. "Forse" aveva detto Andrea in piedi in mezzo alla stanza "il mio problema è che sono stato troppo ambizioso, mi sono sempre sentito destinato a grandi cose, in casa mi sentivo in gamba, poi però fuori nel mondo è stato tutto diverso. Ho pensato che siccome a scuola prendevo il massimo dei voti, siccome ero il primo della classe, sarei stato primo anche nella vita. Invece no. Perché nella vita la nozione è importante ma non è tutto, è quello che fai con quella nozione che fa la differenza. Servono molte altre qualità per primeggiare e io quelle non le ho mai avute."

"Secondo me non sei stato troppo ambizioso, era il papà a esserlo con noi. Le tue ambizioni erano le sue."

"Comunque ho fallito in tutto." Iniziava a biascicare.

"Non esagerare, è l'alcol che ti fa parlare così" gli aveva detto Marco per alleggerire il momento. "Una volta Isabella mi ha detto che ogni genitore prima di tutto è un modello per i propri figli, col comportamento ancor prima che con le parole. Perché loro seguono il tuo esempio, non i tuoi consigli. Anche con l'umore, se un genitore è una persona infelice sarà difficile per i figli non esserlo." Poi con un tono di voce più allegro aveva aggiunto: "Che poi non è che il papà abbia fatto grandi cose nella vita, è brutto da dire ma è così. Almeno non abbiamo il problema di certi figli che devono confrontarsi con la grandezza del padre. Pensa a essere figlio di uno dei Beatles o dei Rolling Stones o di Elvis". E si era alzato per buttare dalla finestra la sigaretta, che ormai era finita e spenta già da un po'.

"Pensa a essere figlio di Isaac Newton" aveva aggiunto Andrea. "Torni a casa da scuola tutto gasato per aver risolto un problema e lui nel frattempo ha scoperto la legge di gravità, la meccanica classica, il calcolo differenziale. O pensa al figlio di Einstein, di Enrico Fermi, di Gandhi. Di Freud."

"Che cazzo gli vuoi dire a un papà così? Pensa essere figlio di Neil Armstrong. Torni a casa da un viaggio e non ti viene neanche la voglia di fargli vedere le foto. Che cazzo gli vuoi dire a uno che è andato sulla luna: 'Papà, guarda, questo sono io in pullman che vado al mare?'." E si erano messi a ridere. Marco si era avvicinato a suo fratello e gli aveva appoggiato la mano sulla spalla, era rimasto aggrappato ad Andrea mentre affondava il viso nel suo braccio.

Avevano continuato a fare esempi di figli di personaggi famosi, ridendo come due ragazzini. Avevano finito con il figlio di Dostoevskij che tornava a casa con un tema.

Andrea si era buttato sul letto. "Almeno tu nella vita ti sei divertito. Non sai quante volte ti ho segretamente invidiato perché facevi sempre quello che ti andava e te ne infischiavi degli altri."

"Questa mi è nuova."

Andrea aveva bevuto un altro bicchiere di whisky. "Comunque hai ragione, ero un rompicoglioni, non ci posso credere che ti dicevo anche di non farti le seghe." E si era messo a ridere da solo. "Pensa" aveva aggiunto "che io i film porno non li posso guardare perché mi spiace per le attrici. Se è una ragazza bella, di quelle bellezze semplici, comincio a pensare: 'Ma perché una così carina è finita a fare questo lavoro?'. E quel pensiero mi distrae. Vorrei incontrarla per parlarle e aiutarla a trovare un lavoro vero, magari convincerla a cambiare il colore e il taglio di capelli."

Marco aveva iniziato a ridere. "Perché vorresti farle cambiare il colore e il taglio di capelli?"

"Per essere meno riconoscibile nella nuova vita."

"Ah, giusto. Sai, magari va a una cena con il fidanzato e tutti gli uomini cominciano a dirle: 'Ci siamo già visti da qualche parte?'." E si erano messi a ridere. "Non sdraiarti" gli aveva detto Marco. "Stai seduto."

"Sono stanco."

Non parlavano più. Marco si era messo a cercare un altro disco. Mentre stava per sceglierlo, Andrea si era alzato di scatto ed era corso in bagno a vomitare. Marco lo aveva seguito, lo sorreggeva tenendogli una mano sulla fronte, mentre schifato guardava dall'altra parte.

"Ti fa bene, così domani non stai troppo male."

Suo fratello non rispondeva, continuava a vomitare. Quando ebbe finito, si era seduto per terra nel bagno.

"Aspettiamo qualche minuto per vedere se devi vomitare ancora, poi ti porto a letto" aveva detto Marco.

Andrea aveva fatto sì con la testa.

"È bello vederti così, ti rende più umano."

"Più coglione, vuoi dire." Andrea aveva sorriso, poi, dopo una pausa di silenzio, aveva detto: "Nessuno mi vuole bene".

"Ecco, adesso sappiamo che tipo di ubriaco sei, ci sono gli aggressivi, quelli che ti dicono che ti vogliono bene, e quelli che si lamentano e rompono il cazzo come te."

"Non mi sto lamentando, dico solo la verità. Sono solo,

Marco, sono solo e nessuno mi ama veramente, nessuno mi ama come amano te. A te tutti ti amano."

"Stai dicendo delle cazzate."

"Cosa devono fare quelli come me? Noi che non siamo speciali o carismatici?"

"Non devi fare niente, adesso devi solo vomitare."

"Sai cosa vuol dire 'carisma' in greco?"

"Anche da ubriaco vomitante fai il professore."

"Carisma significa 'grazia', 'dono divino'. Capisci? È un dono, non c'è nulla che uno possa fare per averlo, o ce l'hai o non ce l'hai, io non ce l'ho, tu sì. La gente ama le persone interessanti, non quelle buone."

"Ma tu non sei nemmeno buono, sei solo ubriaco" aveva detto Marco con ironia.

"A me il papà non mi hai mai guardato come guarda te, non mi ha mai parlato come parla con te" aveva continuato Andrea. "Quando entri nella stanza, gli si illuminano gli occhi. Sei il suo orgoglio."

"È solo perché abito lontano e a te ti vede sempre."

Era vero che Andrea aveva vissuto la sua vita cercando in tutti i modi di farsi amare in maniera speciale. Dopo la morte della madre aveva cercato di calmare la sua inquietudine inquadrandola nel mondo delle regole. Lì aveva cercato rifugio dalle sue paure.

"Non sai quante volte, anche quando ero sposato, venivo qui ad aiutarlo a sistemare un po' ed era come se non ci fossi, in casa. Non so cosa dirgli, mi sembra tutto inutile quello che faccio."

Marco aveva pensato che anche lui spesso non sapeva che dire a suo padre. Aveva un rapporto strano con lui, quando era a Londra a volte gli mancava e decideva di tornare a trovarlo. Poi quando era a casa con lui non sapeva come comportarsi, cosa dire, che fare. Quando usciva di casa per tornare a Londra, sulle scale si sentiva sollevato, alleggerito, e poi dopo qualche giorno gli mancava ancora. In quel girotondo infinito non era mai nel posto giusto al momento giusto.

"Il papà vuole più bene a te che a me."

"Andrea, sei ubriaco e dici cose senza senso. Il papà ci vuole bene allo stesso modo, forse sei tu che volevi essere amato in un modo speciale." Nonostante Andrea fosse ubriaco, Marco aveva deciso di rispondere seriamente. "Con me fa meno fatica perché io e lui siamo meno perfetti. Cazzo, Andrea, a te nessuno può mai rimproverare niente, nessuno può smuoverti, nessuno può dirti che sbagli perché pensi che nessuno sia all'altezza di poterti fare delle osservazioni."

Marco aveva ascoltato se stesso mentre parlava, sentiva di essersi tenuto dentro quelle parole che voleva dirgli da sempre.

Andrea ormai era praticamente addormentato, con la faccia appoggiata all'asse del cesso. Marco guardava suo fratello e per la prima volta lo vedeva completamente ubriaco. Se lo era caricato sulle spalle e lo aveva portato a letto. Gli aveva messo a fianco una bacinella nel caso dovesse vomitare ancora. Poi anche lui era andato a dormire.

All'improvviso nel silenzio della notte aveva sentito uno strano scoppio ovattato che veniva dalla cucina. Marco aveva girato la testa come fanno gli animali quando mettono l'orecchio a favore del vento, ma non aveva più sentito nulla. Solamente qualche minuto dopo un pensiero rapido gli era entrato nella testa. "Cazzo, le birre nel freezer!"

Mentre pensava tutto questo, sentì il dito dell'urologo entrargli dentro. Non fu piacevole, strinse i denti, finché il medico gli disse che la sua prostata andava bene.

L'errore più grande

Irene parlò con una sua amica al telefono per ore. Le raccontò tutta la storia con Andrea, fino alla cena in cui lui aveva iniziato a essere strano e sfuggente. Nei giorni successivi lo aveva sentito distante e lui inventava scuse per non andare da lei. Era scostante.

Insieme all'amica fece un elenco di ipotetici motivi, di eventuali errori da parte sua, ma non riusciva a trovarne uno veramente valido, in grado di svelare quel mistero.

Forse si è solo stancato.

Nel frattempo Andrea e Daniela avevano iniziato a sentirsi tutti i giorni. Daniela lo aveva invitato per un aperitivo e lui aveva accettato.

In ufficio Andrea guardava Irene e non sapeva che fare, alla fine decise di dirle una mezza verità: «Oggi vado a bere una cosa con la mia ex moglie, dobbiamo parlare della casa».

«Certo, capisco.»

La mezza bugia lo tranquillizzò, si sentiva meglio nei suoi confronti. Gli venne in mente una frase che gli aveva detto Marco: "Nelle relazioni non è necessario dirsi tutto". Alle sette salutò Irene velocemente e uscì di corsa verso l'appuntamento con Daniela. Lo sguardo deluso di Irene mentre se ne andava gli scivolò via di dosso. Pensò all'influenza che le parole di Marco cominciavano ad avere anche sul suo comportamento. Poi non pensò più a niente. Se non a Daniela.

Arrivò prima di lei e quando la vide entrare nel bar era così contento che dovette deglutire per mandar giù l'emozione. Si salutarono con due baci di circostanza. Andrea nel sentire il suo profumo rivide il modo in cui lo metteva: lo spruzzava nell'aria e poi entrava in quella nuvoletta. Adesso erano seduti in un bar vicino all'ufficio di lei e sembravano due vecchi amici felici di rivedersi dopo molto tempo.

Daniela non nascondeva nulla, non fingeva di stare bene, di essere felice o altro, aveva deciso di essere sincera, di togliersi ogni maschera e confessare il suo stato d'animo. «Ho fatto un sacco di errori, un sacco di cose stupide, ma forse era necessario per capire, ora posso dire di aver capito tante cose.»

«Sono contento per te» rispose Andrea cercando di nascondere una gioia improvvisa.

«Sono stata superficiale, era un periodo strano, non stavo bene, non ero soddisfatta della mia vita e me la sono presa con te, solo perché eri il più vicino. Mi ero convinta che se ci fossimo lasciati sarei stata una donna libera, avrei potuto avere un vita più serena, senza tante complicazioni. Ho capito presto che non era così. Non mi perdonerò mai per le cose che ti ho detto e per il male che ti ho fatto. Ho rovinato tutto.»

Andrea era contento di sentire quelle parole e iniziò subito a tranquillizzarla, le disse che non doveva scusarsi con lui e che soprattutto non aveva rovinato proprio niente. «Anche io ho capito molte cose, forse dovevamo passare attraverso questa esperienza. Forse avevamo bisogno di distanza, di un distacco per capire.»

«Non so cosa mi ero messa in testa, avevo iniziato a pensare a cose che non esistevano.»

«Immagino che tu non ti veda più con quello là.»

«Lui è stato l'errore più grande della mia vita.»

Andrea la guardava e non capiva se stesse cercando di dirgli qualcosa.

Ci fu un breve silenzio in cui si guardarono negli occhi. Daniela era attraente. Le punte dei capezzoli emergevano dal tubino nero, aderente sui seni. Si sorridevano, sembravano quasi imbarazzati. Era una situazione familiare e nuova al tempo stesso.

All'improvviso Daniela disse: «Perché non ce ne andiamo a fare un weekend insieme in montagna?».

Andrea non credeva a quello che aveva appena sentito, il cuore a momenti gli scoppiò dalla gioia. «Questo weekend c'è mio fratello e può stare col papà, io sono libero. È troppo presto per te?»

«Sarebbe perfetto.» Erano felici.

«Hai da fare per cena?» chiese Andrea.

«Avrei dovuto vedermi con un'amica ma se sei libero le dico che non posso.»

Dopo l'aperitivo andarono a cena insieme. La loro gentilezza, le loro attenzioni, il comportamento che avevano li faceva sembrare due ragazzini alla prima cotta.

Andrea durante la cena aveva avuto due erezioni, era attratto dalla sua ex moglie come non gli era mai successo in tutti gli anni di matrimonio. Avrebbe voluto portarla nel bagno del ristorante, strapparle i vestiti e scoparla contro il muro. Da quando aveva fatto l'amore con Irene qualcosa era cambiato, desiderava mostrarle tutto quello che aveva imparato, provarle che non era più quello di prima. Voleva risentire l'antico odore di lei, toccarle la pelle, i capelli, il corpo molto più grande e austero di quello di Irene. Irene era un gatto, si piegava, si spostava, si inarcava. Daniela era tutta un'altra presenza.

Dopo cena la riaccompagnò a casa.

«Che strano portarti a casa nostra.»

Daniela lo guardò in silenzio qualche secondo, lui ricambiò il suo sguardo. Poi lei gli disse: «Vuoi salire?».

Era tutto surreale. Daniela gli aveva appena chiesto di salire da lei, o meglio da loro. Andrea rivide le scene immaginate che lo avevano eccitato a cena. «No, grazie» rispose «per questa sera va bene così.»

Mentre tornava a casa, sentiva di aver ritrovato la donna che aveva sempre voluto. Non era più sfacciata e lontana come nell'ultimo periodo.

Quasi sotto casa lei lo chiamò.

«Pronto, che c'è?»

«Niente, volevo solo dirti che sono stata bene e darti la buonanotte. E poi pensavo che forse prima abbiamo sbagliato, avrei voglia di averti qui.»

«Salirò solo quando potrò rimanere» rispose lui con una voce da uomo sicuro.

Mentre erano al telefono dal portoncino di casa uscì Isabella.

«Scusa un secondo» disse a Daniela. «Ciao, Isa, come stai?»

«Bene e tu?»

«Bene, grazie, non sapevo fossi in casa.» Andrea non voleva fare aspettare troppo Daniela al telefono. «Magari una di queste sere organizziamo una cena così mi racconti un po'.»

«Volentieri. Ciao, scappo.»

Erano stati formali, Isabella sembrava di fretta e aveva un'espressione tirata.

Al telefono a Daniela disse: «Avrà avuto una discussione con mio fratello».

«Perché, si vedono ancora?»

«In questi giorni si sono ritrovati dopo anni. Se tornano insieme sono contento, una così mio fratello non la trova più.»

Poi si salutarono con la promessa di risentirsi per organizzare il weekend.

La stessa stanza

La stessa sera in cui Andrea cenava con Daniela, Marco era a casa col padre. Gli aveva dato da mangiare, gli aveva acceso la televisione e poi si era cucinato un piatto di verdure saltate con un po' di quinoa.

Si mise comodo sul divano e sistemò il computer su una sedia di fronte a sé. Voleva vedere qualche puntata della serie televisiva che stava seguendo in quel periodo. Non le guardava mai in televisione, comprava i DVD o le scaricava da internet. Se ne sparava una dietro l'altra e faceva fatica a smettere. A volte, stravolto a letto, lottava per stare sveglio e calcolava quanti minuti mancavano alla fine dell'episodio. Era così fissato che quando ne guardava troppi di fila capitava che la notte sognava i personaggi, sognava di essere con loro. Addirittura durante il giorno gli capitava di chiedersi cosa stessero facendo i protagonisti, come se li conoscesse e fossero persone della vita reale.

Sapeva che era un comportamento ossessivo, come quando appena sveglio per prima cosa prendeva il telefono e controllava se aveva ricevuto dei messaggi. Nel buio della stanza faticava a guardare la luce del display ed era costretto a farlo con un occhio solo, come per guardare il sole. Certe mattine navigava addirittura in internet in quella posizione, così a lungo che le dita gli formicolavano. Era più forte di lui.

Mentre assaporava la cena e la puntata, squillò il telefono.
Chi è adesso? Isabella.
«Ciao.»
«Che fai?»
«Ho appena messo a letto mio padre, tu?»
«Anche io ho appena messo a letto Mathilde. Ti va di andare a prendere un gelato?»
«Mio fratello è uscito a cena, sono io l'infermiere questa sera. Sarei venuto volentieri.»
«Posso prendere una vaschetta di pistacchio e cioccolato e passare da te.»
«Mi sembra un'ottima idea. Ti aspetto.»
Dopo circa quaranta minuti arrivò Isabella.
«Posso salutare tuo padre?»
«Sta dormendo.»
«Allora un'altra volta.»
Si sedettero sul divano e iniziarono a mangiare il gelato.
«Da quanti anni non venivi in questa casa?»
«Almeno venti.»
Era strano e curioso per entrambi essere di nuovo insieme in quella casa.
Dopo il gelato la portò in camera sua a vedere la foto di loro due a Parigi.
«Non ce l'ho, la voglio. Ti ricordi quando venivi a trovarmi e il bar sotto casa la domenica aveva tutto quel pesce crudo?»
«Certo che me lo ricordo.»
«Vino bianco ghiacciato e ostriche. E alla fine sigaretta e pastis.»
«Mi ricordo la mansarda dove abitavi, il materasso a terra, i tuoi vestiti appesi a ogni porta e una fila infinita di scarpe che seguivano il perimetro della stanza.»
«Che senso di libertà, non c'era niente e avevamo tutto. Ne hai altre di foto?»
«Qui ho solo questa, le altre le ho a Londra.»
Isabella sorrise, era contenta.
Marco l'abbracciò da dietro e le baciò il collo. Lei chiuse

gli occhi, poi si girò e si scambiarono un lungo bacio. Marco le teneva il viso tra le mani, camminando verso il letto. Lei indietreggiò guidata da lui fino al bordo del materasso, poi insieme scivolarono sopra il suo vecchio letto, si spogliarono e fecero l'amore. Ogni volta che Isabella apriva gli occhi e vedeva quella stanza, le sembrava di non essere mai andata via.

Rimasero un po' lì, poi Marco andò in bagno lasciandola sola. Invece che esplodere di felicità, Isabella si sentiva tesa e provava una leggera tristezza.

Cosa sto facendo? Dopo più di vent'anni sono qui nella stessa stanza con la stessa persona che ha le stesse paure di allora. E io provo le stesse frustrazioni.

Iniziò a pensare che stava giocando un gioco pericoloso. Lo stesso di sempre.

Com'è possibile che con lui mi ritrovi sempre così? Come ho fatto a sbagliarmi continuamente fino a questo punto?

C'era una parte di Marco che lei amava, una parte intima che le scaldava il cuore. Che lei riconosceva nel modo in cui le parlava. Potevano essere attimi brevi, a volte invece un intero pomeriggio. Poi improvvisamente quella parte spariva. Lei gli era stata vicino tutta una vita in attesa di rivedere quella sua parte, di sentirne la voce. Si era chiesta più volte se gli appartenesse davvero, se fosse dentro di lui o se invece era qualcosa che passava, un'ispirazione, una grazia, il soffio di un angelo che lui interpretava.

Marco tornò e si sdraiò accanto a lei, l'abbracciò e rimase in silenzio. Lei si allontanò un po' con la testa solo per riuscire a vedere meglio il suo viso.

"Cos'è questa cosa, Marco? Riesci a trovarle un nome?"

"Quale cosa?"

"Questo rapporto, quello che siamo in questi giorni."

"Perché lo vuoi sapere?"

"Ho bisogno di capire, non voglio avere paura."

"Hai sempre avuto questa fissa."

"Quale fissa?"

"Definire le cose. Che ti importa come si chiama? Stiamo bene, non ti basta?"

"Non è questione di definire le cose, è questione di capire se stiamo andando da qualche parte o se invece è solo puro divertimento."

"Vuoi veramente parlarne adesso? Adesso che stiamo così bene? Non possiamo goderci questo momento?"

"Non voglio discutere, ti sto solo chiedendo chiarezza. Anche per evitare fraintendimenti."

"Fai sempre così, proprio quando stiamo bene insieme devi sempre rovinare tutto con la tua mania di definire."

"Io rovino tutto? Io non voglio rovinare tutto, solo che con te non si capisce mai e mi confondi. Perché quando mi allontano, quando finalmente mi libero di te, tu mi cerchi? Alla fine come un'idiota ho sempre accettato tutto."

"Io non ti ho mai chiesto di accettare nulla, se non ti va basta dirlo."

Isabella lo conosceva così bene che aveva immaginato tutto il dialogo. Succedeva spesso che facesse un ragionamento nella sua testa, prevedendo le risposte di Marco. Alla fine non diceva nulla, sapeva che Marco più che rispondere alle sue domande si sarebbe difeso. Lui si sentiva sempre minacciato e per istinto si chiudeva. O si metteva a sparare stronzate.

Si girò verso di lui come se aspettasse le risposte alle domande che non aveva fatto. Poi gli diede una carezza, lui le sorrise ignaro di tutto quello che le passava per la testa.

Il non dire nulla la riempiva di dubbi irrisolti e questo creava delle insicurezze che alteravano i loro silenzi.

Se voleva davvero prendersela con qualcuno, doveva farlo con se stessa. *In tutta la mia vita lui è stato l'unico a cui ho permesso di farmi sentire così piccola.*

«È meglio che vada.»

«Di già?» chiese lui aprendo gli occhi.

«Sì, domani mi devo alzare presto, porto Mathilde al parco acquatico.»

«Come ci vai?»

«In treno.»

«Se vuoi vi accompagno io.»

«In treno ci mettiamo meno.»
«Cos'è? Non mi vuoi al parco acquatico con te e tua figlia?»
«Preferisco andarci sola con lei.» Poi si alzò e andò in bagno.
Marco c'era rimasto male, la conosceva troppo bene per non accorgersi che era successo qualcosa. Sapeva riconoscere i momenti in cui lei gli parlava mentre stava pensando ad altro. Iniziò a pensare a come si era comportato, per capire dove avesse sbagliato: *Magari è perché ho chiuso gli occhi dopo aver fatto l'amore e ha pensato che dormissi.*
Nel frattempo lei era tornata in camera.
«Ma sei arrabbiata? Sei strana.»
«Non sono arrabbiata.»
In bagno Isabella si era pentita di non avergli detto nulla.
«Non vuoi che ti accompagni domani e lo capisco, ma lo hai detto in un modo che sembravi arrabbiata.»
Isabella fece una pausa, per decidere se lasciare perdere e rimanere in silenzio o liberarsi di tutto. «Non sono arrabbiata, non mi va che mia figlia si affezioni a una persona che poi a un certo punto non c'è più, chiude la scatola e si prende una pausa. Finché lo fai con me va bene, ma con i bambini è diverso. Tutto qui.»
«Cosa intendi dire con "chiudere la scatola"?»
«Dài, hai capito cosa intendo.»
«No, non ho capito.»
«La tua vita è come una grande scatola dove dentro ce ne sono altre più piccole. Adesso siamo qui e tu apri quella con sopra il mio nome, poi quando ti stanchi la richiudi e ne apri un'altra. C'è la scatola del lavoro, la scatola della famiglia, quella delle altre donne eccetera eccetera. Organizzi la tua mente in compartimenti stagni e se qualcuno vuole entrare in un'altra scatola tu lo elimini. Dobbiamo stare tutti entro i limiti che tu definisci e ci concedi. So già che quando partirai chiuderai quella con il mio nome e a Londra ne aprirai un'altra. Adesso hai capito?»
Marco si mise a sedere sul letto, Isabella era in piedi in mezzo alla stanza. «Non è che apro e chiudo scatole, è che

le nostre vite hanno preso direzioni diverse, viviamo lontani. È difficile per me avere una storia abitando in due posti diversi. Non mi piace scopare su Skype.»

«Marco, non ti sto chiedendo niente, voglio solo lasciare fuori mia figlia da questa cosa.»

«Lo capisco, ma so quello che stai pensando, ti conosco.»

«Bene, io so quello che pensi tu, tu sai quello che penso io, siamo a posto così» disse un po' seccata.

«Sei contenta così? Ti basta questo?»

«Cosa vuoi da me, Marco? Cosa ti aspetti che ti dica? Che sono d'accordo con il tuo modo di pensare, con il tuo modo di affrontare le cose? Fai sempre quello che ti pare ma a volte sembra che non ti basti, vorresti anche che tutti fossero d'accordo con te. La pensiamo diversamente, è sempre stata così, cosa vuoi sentirmi dire? Che non è responsabilità di nessuno ma è la vita? Lo sai che non la penso così.»

«Vuoi dire che è colpa mia se vivo a Londra e tu a Parigi? Spiegami bene perché non capisco» disse lui con fare di sfida.

Isabella non voleva discutere, voleva solo uscire dalla stanza e da quella situazione. Sapeva che era tutto inutile. Marco continuava a guardarla in attesa di una risposta che tardava ad arrivare.

«Non sei stato bene in questi giorni con me?»

«Che c'entra questo?»

Isabella fece un sorrisino. Sapeva già tutte le parole che Marco era pronto a srotolarle addosso. Le aveva sentite nella discussione immaginata. Ormai non poteva più andarsene via, ormai lui voleva poter dire le sue solite parole. «Marco, non voglio discutere, davvero.»

«Non stiamo discutendo, stiamo parlando.»

«Allora, se stiamo parlando» disse in maniera distesa Isabella «dimmi una volta per tutte cosa intendi quando dici che le nostre scelte di vita ci hanno allontanato e che non conta nulla come siamo stati in questi giorni.»

«Intendo dire che in questi giorni per una serie di circostanze siamo tutti e due nella stessa città e abbiamo condiviso dei bei momenti e siamo stati bene insieme. Ma queste non sono le nostre vite, io vivo a Londra, tu a Parigi. Cosa vogliamo fare? Una storia a distanza? Alla nostra età? Che futuro possiamo mai avere?»

«Che palle tu e le tue paure del futuro! Ma non riesci a essere felice per ciò che hai adesso? Possibile che per paura di quel futuro non ti permetti di vivere il presente?»

«Cerco solo di essere realistico. Pensaci bene, quanto potrebbe durare una cosa così?»

«Finché non ci proviamo non possiamo saperlo, forse una settimana, forse una vita. E poi il fatto che viviamo in due città diverse è un problema reale o è un'ottima scusa per non affrontare altre paure? Quelle vere, magari.»

«Quali paure?»

«Non lo so, dimmelo tu quali paure. Cosa ti terrorizza di una relazione? Sei convinto che se mi trasferissi a Londra staremmo insieme?»

«Tu non puoi trasferirti a Londra.»

«E chi te lo ha detto?» Ci fu un silenzio. Poi Isabella aggiunse: «Marco, non ti ho mai sentito dire una volta, una sola volta, che vuoi stare con me. Dimmi: vuoi stare con me?».

Marco non rispondeva.

Isabella lo incalzò: «Per me è più importante quello che c'è tra noi, quello che abbiamo, rispetto a quello che ci manca. Iniziamo dalle cose che ci uniscono, non da quelle che ci separano. Perderci per l'ennesima volta per evitare la fatica di spostarci non ci regala la certezza che avremo una vita più felice».

Marco continuava a non rispondere, lei lo guardava aspettando una parola, ma lui non riuscì a tirare fuori nulla.

«Mi spiace di aver creato questa situazione, questo silenzio. So che non ti piace quando stai così e che vorresti essere dall'altra parte del mondo.»

«A volte mi sembra che tu non veda le cose o che faccia finta di non vederle e mi tratti come se fossi un disfattista.»

Lei lo guardò. Sapeva che adesso lui era un muro invalicabile, lo stesso muro su cui lei si era schiantata più di una volta. Sapevano che si stavano lasciando per l'ennesima volta e che forse questa volta era per sempre.

Abbassò il tono di voce. «Marco, tu sarai sempre più bravo di me a spiegare le cose. Con te, lo sai, faccio fatica a sostenere le mie opinioni. A me piace credere che se due persone vogliono, possono trovare un modo. Tu preferisci perfezionare i tuoi discorsi sul perché è meglio non stare insieme, per convincere te stesso. Però anche se ce la metti tutta, anche se continui a ripetere le tue teorie, qualcosa ti sfugge sempre, qualcosa non funziona altrimenti non ti troveresti ancora qui con me. Se ancora facciamo l'amore, se ancora mi guardi in questo modo quando lo facciamo, significa che nelle teorie qualcosa resta fuori, c'è una mancanza. Siamo qui dopo vent'anni con gli stessi problemi, ancora allo stesso punto. Che fallimento. È sempre il futuro il tuo problema, quel maledetto futuro che ti terrorizza. Ti preoccupi di cose che non esistono, che non sono ancora successe e che molto probabilmente non succederanno mai. Il presente per te non conta nulla, è il futuro immaginato che domina le tue scelte. Vivi pieno di ansia preventiva.»

Marco rispose di scatto: «Non è ansia preventiva, semplicemente sono lucido e realista».

«Sei un indovino. Ma perché vivi se sai già tutto?»

«Non prendermi in giro adesso. Ho visto persone che spinte dall'entusiasmo si sono rovinate la vita, si sono ritrovate incastrate in situazioni complicate. Cerco di prevenire, di non fare cazzate per quanto mi sia possibile evitarle.»

«Se pensi che stare con me sia una cazzata, non so che dire.»

«Non dico che stare con te sia una cazzata, dico solo che se abbiamo già tutti questi problemi dove possiamo finire?»

«Stai sempre eludendo la risposta all'unica domanda che conta: vuoi stare con me oppure no? Tu pensi al futuro solo perché non hai il coraggio di rispondere a questa domanda, il futuro è la tua paura ma anche il tuo rifugio.»

Marco rimase in silenzio, aveva capito che Isabella era

disponibile ad affrontare qualsiasi richiesta da parte sua, mentre lui poco più di nulla.

Lei in quel silenzio aggiunse: «Ti conosco da una vita e so perché fai certe cose. Sto aspettando il giorno in cui ti deciderai a lasciare alle spalle il passato. Non fare l'eterno ferito, reagisci a quello che ti è successo, non fare che diventi una scusa accomodante».

Marco sentì una stretta alla bocca dello stomaco.

«Non dico che devi dimenticare o fingere che non sia successo» continuò Isabella. «È stato un grande dolore e lo so che non potrò mai capire quello che hai passato, però adesso lascialo andare. Non fare che la paura del futuro ti impedisca di scegliere e che il passato getti un'ombra lunga sulla tua vita.»

Isabella sapeva di aver toccato un punto doloroso, di essere entrata in un territorio delicato, ma lo aveva fatto in maniera sincera.

Marco aveva cambiato espressione. «Che cazzo c'entra adesso mia madre! Lei non c'entra proprio niente. Quello che cerco di dirti è che non voglio ritrovarmi incastrato in situazioni complicate. Io e te insieme non siamo la soluzione, siamo solo un altro problema.» Il suo tono di voce si era alzato. «Guarda te, per esempio, un ex marito francese con cui dovrai avere a che fare per tutta la vita, tu che non sai dove andare a vivere perché sei inchiodata dal dover scegliere per tua figlia e non per te. Se potessi tornare indietro, faresti scelte diverse e non ti troveresti con una bambina che ti impedisce di essere libera e fare ciò che desideri. Mia madre non c'entra proprio un cazzo.»

Ci fu un lungo silenzio.

Isabella lo guardava con un'espressione triste che Marco non aveva mai visto sul suo viso. «È meglio che me ne vada.»

Marco si accorse di aver esagerato e sentì il calore che accompagna un ripensamento, il calore di chi si accorge di aver detto le parole sbagliate. «Non fare l'offesa. Sto solo cercando di farti capire cosa intendo, cerco di non incasinarti la vita ancora di più.»

Lei gli rivolse uno sguardo definitivo, ormai erano lontani dal loro modo di stare insieme. Era delusa e scoraggiata. Anche ferita.

«Non guardarmi come se fossi un idiota, hai capito cosa intendo» aggiunse Marco.

Isabella non parlava più, si era voltata, era andata verso la porta, era uscita e aveva iniziato a scendere le scale cercando di non inciampare in un pianto. Sul marciapiede sotto casa incontrò Andrea al telefono.

«Ciao, Isa, come stai?»

«Bene e tu?»

«Bene, grazie, non sapevo fossi in casa. Magari una di queste sere organizziamo una cena così mi racconti un po'.»

«Volentieri. Ciao, scappo.»

Andrea tornò alla sua telefonata e Isabella si incamminò verso casa.

Mathilde

Marco era ancora infastidito dalle parole di Isabella. Aveva fumato una sigaretta e deciso di farsi una doccia. Era stata una giornata lunga, faticosa, che lo aveva stressato e aveva prosciugato le sue energie.

Si infilò sotto l'acqua e dopo essersi lavato rimase a testa in giù col getto caldo sul collo per qualche minuto, cercando di rilassarsi. Uscito dalla doccia indossò l'accappatoio. Lo specchio era appannato e non riusciva a vedersi.

Con la mano nella manica faceva cerchi sullo specchio per togliere la condensa.

Si controllò bene il viso, pettinò i capelli all'indietro, mise il deodorante, lavò i denti. Nella sua mente stava ancora litigando con Isabella: *Perché mi infilo in situazioni così? Perché devo giustificare il mio modo di essere? Tutti mi devono sempre dire come vivere la mia vita. Non chiedo mai niente a nessuno, voglio semplicemente essere lasciato in pace. Per fortuna tra poco me ne torno a casa mia. Da solo, senza nessuno che mi rompe le palle.*

Dopo essersi detto quelle parole allo specchio, si fece un mezzo sorriso di complicità e andò a buttarsi sul letto.

Una strana sensazione non lo faceva stare tranquillo: non poteva negare che con lei stava bene. *Se si potesse tornare indietro nel tempo, se tutti e due abitassimo ancora qui, se avessimo fatto scelte diverse nella vita, adesso avremmo potuto riprovarci.*

Il rumore delle chiavi nella porta lo distrasse dai suoi

pensieri. Era Andrea. Aveva l'aria felice quando si presentò in camera da letto.

«Sembri un principe, in accappatoio e con la sigaretta.»

Marco sorrise.

«Va tutto bene?»

«Sì, è stata una giornata lunga.»

«Isabella?»

«Cosa?»

«L'ho incrociata prima mentre usciva. Va tutto bene?»

«Sì, bene.»

«C'è una possibilità che vi rimettiate insieme?»

«No, ma che sei matto?»

«Peccato, sai che io tifo per voi.»

«Non sei l'unico, anche sua madre, ma è impossibile.»

«Perché impossibile?»

Marco rispose con lo stesso discorso che aveva fatto a lei poco prima: lui a Londra, lei a Parigi. Nessuna storia a distanza.

Poi si alzò dal letto, si tolse l'accappatoio umido e si infilò un paio di mutande.

«Avete già deciso che non volete nemmeno provarci?»

«Più che altro sono io, lei come tutte le donne si fa prendere dall'idea romantica che basta voler stare insieme per riuscirci ed essere felici e contenti.»

Andrea fece un sorrisino. «Non credo sia una questione di romanticismo, sarà una cosa in cui crede.»

«Può darsi. Lei dice così, io invece penso che è meglio non farsi prendere dagli entusiasmi e guardare in faccia la realtà. Non significa che non mi dispiaccia, semplicemente sono un po' più lucido e realista di lei. Un giorno mi ringrazierà.»

«Addirittura.»

«Sì, hai capito cosa intendo.»

«Sei stato bene con lei o c'è qualcosa che non ti convince?»

«Ma vi siete parlati? Fate le stesse domande. Certo che sto bene con lei, ma queste non sono le nostre vite, in questi giorni è come se fossimo in vacanza. Quante persone hai conosciuto che al mare si sono scambiate il numero con l'idea di sentirsi e poi lo hanno fatto veramente? Non tutte le cose belle della vita contengono un futuro, a volte durano il tempo in cui accadono. Lei dice che le mie sono solo scuse ma che in realtà ho paura. Forse ha ragione, ma non credo.»

«Una volta mi hai accusato di distruggere la mia vita a colpi di logica e razionalità, benvenuto nel club.»

Marco fece un mezzo sorriso.

Andrea insistette: «Hai paura della noia?».

Marco era facile alla noia. Si annoiava facilmente. Non solo delle persone o delle donne, di tutto. Poteva appassionarsi a una cosa e pensare solo a quella per ore, giorni, mesi, sentirsi innamorato, coinvolto, eccitato e poi in un *click* capire che non gli interessava più, che quello che aveva tra le mani era il guscio svuotato di un qualcosa che non c'era più. Perdeva completamente interesse.

L'idea di tornare a casa tutte le sere più o meno alla stessa ora, aprire la porta, chiedersi come è andata la giornata, cenare insieme, poi guardare un po' di TV e infine andare a letto, ecco, l'idea di fare così tutti i giorni lo opprimeva. Gli faceva venire l'ansia. Iniziava a pensare che in quella routine avrebbe perso vitalità come era successo a molti dei suoi amici e che quella vita lo avrebbe portato alla depressione. Lui stava bene con i suoi amici solo perché non li vedeva tutti i giorni. Infatti quando ci andava in vacanza non li sopportava.

«È sempre stata la mia grande paura» rispose.

Andrea fece una piccola pausa. «Intendevo il contrario, la paura non è che ti annoi tu, ma che si annoi lei, che se ci provate sia lei a non volere più stare con te. Per questo vivi sempre e solo degli inizi, ti defili sempre in tempo.»

«Come sei profondo oggi. Da quando scopi con Irene sei un'altra persona, ti si legge la felicità in faccia.» E sorrisero.

Andrea avrebbe voluto dire a Marco il vero motivo per cui era così felice, dirgli della cena con Daniela e delle parole che lei gli aveva detto, la sua disponibilità a riprovarci, il weekend che avrebbero passato insieme. Non disse nulla, un po' per scaramanzia un po' perché sapeva che lui non avrebbe approvato. Si limitò a dargli un consiglio: «Le persone cambiano, le situazioni cambiano. Tu tra qualche mese, tra qualche anno non sarai più quello di adesso e nemmeno lei. Provaci, fai un tentativo, se poi vedi che non funziona, almeno avrete un'esperienza e non solo ipotesi e teorie fumose su come sarebbe».

«Dovresti fidanzarti tu con Isabella, dite le stesse cose. Se vuoi ti do il numero. Non per fare lo stronzo, ma, obiettivamente, tutti e due siete separati. Venite da storie andate a male. Questi consigli dati da voi mi sembrano fuori luogo, non credi?»

«Che significa che io sono separato? Io e Daniela ci abbiamo provato, abbiamo cercato di essere felici insieme, più di una volta tra l'altro, non solo all'inizio, ma non siamo stati capaci. Questo non significa nulla. Un sacco di volte ci siamo dati un'altra possibilità ma ogni tentativo si è impigliato in qualche difficoltà e non ce l'abbiamo fatta. Io non sento di aver sprecato degli anni, mi spiace da morire perché sia io che lei c'avevamo creduto molto e ce l'abbiamo messa tutta, posso dirti che abbiamo imparato un sacco di cose. Non siamo più le persone che eravamo quando ci siamo sposati. E poi tu non sei me e Isabella non è Daniela. Non serve a nulla fare paragoni. E poi» e le parole che stava per dire erano causate dall'entusiasmo per la serata «non si può mai sapere, magari io e Daniela ci siamo solo presi una pausa, chi lo sa?»

«Ti auguro di no» rispose Marco ignaro di tutto. «Forse ho sbagliato a fare un paragone, però io sono diverso, non posso cambiare, sono quello che sono. Forse il punto è che non sono l'uomo che Isabella vorrebbe e, se cambiassi, prima o poi me ne pentirei.»

Andrea aveva iniziato a spogliarsi per farsi una doccia. Mentre si toglieva la maglietta la sua testa sbucò fuori e gli disse, in quella buffa condizione di decapitato: «Difendi sempre la tua individualità, ma rinunciarci un po' non significa non essere più se stessi, significa imparare a conciliare invece che scappare sempre. Il punto vero è se la ami oppure no».

Alla fine quelle discussioni erano come dei labirinti che conducevano sempre alla stessa porta. Anche a lui Marco non aveva saputo rispondere.

Andrea continuò: «Se non la ami e con lei hai solo delle affinità piacevoli, anche delle stupide incomprensioni diventano delle seccature, ma se invece la ami le incomprensioni rimangono tali e si superano, perché l'amore non inciampa in piccole cose».

Dopo quelle parole ispirate andò a lavarsi.

Marco si buttò a letto, era stanco morto ma sapeva che avrebbe faticato ad addormentarsi. La testa gli andava a mille. Anche Isabella in quel momento era a letto e non riusciva a prendere sonno. Erano due solitudini che si desideravano ma non sapevano rompere ciò che le divideva.

Andrea dopo la doccia tornò in camera e spense la luce. «*Goodnight and sleep tight!*» disse. Era proprio di buonumore. «Buonanotte, sciupafemmine.»

Marco per la prima mezz'ora si rotolò nel letto nel tentativo di trovare una posizione comoda. *Odio questo cuscino, la prossima volta che torno vado a comprarne un altro.* Lentamente riuscì a prendere sonno, ma dopo solo un quarto d'ora si svegliò di scatto come quando si sogna di cadere da un marciapiede e si ritrovò più sveglio di prima. Erano quasi le due.

Tutto era silenzioso, tranquillo, suo fratello dormiva, lo si poteva capire dal modo in cui respirava.

Al di là di quello che era successo con Isabella c'era dell'altro, come se qualcosa di più profondo dentro di lui si fosse staccato e stesse venendo a galla. Era sempre più agitato e non capiva il motivo. Sudava, ancora non lo sapeva, ma alcuni pensieri che giravano a caso dentro la sua testa, ancora nebulosi e inconsci, stavano dando vita a un disegno preciso che era sempre stato sotto i suoi occhi e che lui non era stato in grado di vedere.

Una supernova. Quella strana agitazione stava per avere un nome.

Una sensazione di calore invase il suo corpo. Aprì gli occhi. Avrebbe voluto alzarsi ma era paralizzato. Non riusciva a muovere nemmeno un dito. Rimase per qualche minuto sotto shock, poi accese la luce.

«Andrea, Andrea.»

«Che c'è? Il papà sta male?» rispose lui spaventato.

«Mathilde è mia figlia.»

«Cosa?»

«Mathilde. La figlia di Isabella è figlia mia.»

Di notte in cucina

Nella notte i due fratelli cercavano di fare ordine in quella valanga di pensieri che aveva colpito Marco come un'improvvisa grandine estiva.

«Adesso che ho capito, mi vengono in mente milioni di cose a cui prima non avevo dato importanza.»

«Secondo me ti sbagli» disse Andrea. «Com'è possibile che Isabella sia rimasta incinta di te e non ti abbia detto nulla? Non è una donna con cui sei finito a letto una sera per sbaglio.»

«Pazzesco pazzesco pazzesco.»

«Ma hai sentito quello che ti ho detto? Marco, Isabella non può avere una figlia da te, frequentarti e non dirti nulla.»

«Abbiamo fatto l'amore due mesi prima che si sposasse, lei avrà scoperto di essere incinta più o meno un mese dopo. Era già fidanzata, tutto era pianificato, tutto già organizzato, che doveva fare?»

«Come, che doveva fare? Mandare tutto all'aria, era incinta di un altro uomo. Vuoi dirmi che per non rovinare tutto si è tenuta dentro questo segreto?»

«Se avesse detto di essere incinta di me avrebbe fatto soffrire un sacco di persone. Sapeva che io non sarei stato contento. Avrà fatto un ragionamento lucido e avrà deciso di tenersi questo peso ed evitare un dispiacere a tutti. Non sarebbe certo la prima. Io ho conosciuto una che l'ha fatto.»

«Che ha fatto cosa?»

«Che si è sposata con un uomo ma il figlio è di un altro, del migliore amico del marito, per la precisione. Cosa poteva fare? Avrebbero sofferto tutti, litigato, si sarebbero incasinati molto di più.»

«Cosa poteva fare? Tanto per cominciare poteva non scoparsi il migliore amico di suo marito.»

«Ovvio, però trovandosi in quella situazione forse ha fatto la cosa giusta, meglio così.»

«Insomma, "meglio così" mi sembra un parolone. Anzi due.»

Ci fu un silenzio, Marco si accese una sigaretta.

«Se posso darti un consiglio» disse Andrea «la cosa che devi fare prima di saltare a qualsiasi conclusione è parlarle. E comunque sono sempre dell'idea che sia impossibile che si porti dentro un segreto così.»

Marco si alzò, prese una birra, richiuse il frigo e rimase lì aggrappato.

«Ne prendi una anche a me?»

Tirò la maniglia ma il frigo non si apriva, come succede spesso quando lo si è appena chiuso. Lo tirò con tale violenza che quasi lo rovesciò.

«Non c'è bisogno che smonti la casa adesso» disse ironicamente suo fratello, poi aggiunse: «Secondo me ti stai preoccupando di qualcosa che nemmeno esiste. Devi solo parlare con Isabella, magari si fa una bella risata».

«Forse hai ragione tu, ma ho una sensazione strana. Un presentimento, una consapevolezza inconscia.»

«Adesso finiamo la birra e chiacchieriamo un po' così ti calmi, poi andiamo a letto e cerchiamo di dormire. Domani mattina la chiami, la inviti a prendere un caffè e le parli.»

«Forse è meglio che non le dica nulla, anche perché la bambina è troppo grande per dirle che il padre è un altro.»

Andrea pensava che le parole di suo fratello fossero una scusa.

Marco si alzò, aprì la finestra e si mise a guardare fuori appoggiando i gomiti sul davanzale. Andrea discretamente non diceva nulla, aspettava che fosse lui a parlare. Poi Marco si pulì i gomiti e richiuse la finestra. «Ti ricordi che quando hai scoperto il tradimento di Daniela non le hai detto nulla per darti la possibilità di pensarci? Ecco, forse potrei non dirle nulla solo per avere un margine di manovra, più tempo per capire. Se le dico che lo so, non possiamo più fare finta e non è detto che le cose migliorino.»

Andrea capì che suo fratello era nel pallone, diceva cose assurde. «Non mi sembra la situazione in cui non dirsi le cose.»

Marco si era riseduto. «Se lei non mi ha detto nulla, posso non dirle nulla anche io. Almeno per un po', almeno finché non capisco che fare.»

«Se vuoi prenderti del tempo, ti capisco, ma non credo riuscirai a resistere molto con questo dubbio. Stiamo parlando di una figlia, pensi veramente di poter tornare a Londra e vivere la tua vita con questa incertezza? Non credo sia umanamente possibile.»

Marco prese il telefono e si mise a guardare delle foto che aveva fatto a casa di Isabella mentre giocava con la bambina. «Guarda, dimmi se non mi assomiglia? È addirittura senza lobi come me.»

Andrea guardò la foto e non notò una particolare somiglianza. «Potrebbe esserci qualcosa di familiare in questa foto dove sorride, ma non significa nulla.»

«Lo so che stai cercando di tranquillizzarmi, ma questa volta ci siamo, lo sento.»

«Marco, andiamo a letto, anche se non dormi è comunque meglio che stare qui a torturarti con foto e supposizioni.»

«Fumo un'altra sigaretta e arrivo.»

Andrea si lavò i denti per togliersi il sapore di birra dalla bocca e andò a letto. Era contento della sua cena con Daniela. Era contento della possibilità di tornare con sua moglie, era contento della sua vita semplice, normale, ordinata e senza assurde complicazioni. Non chiedeva altro.

Marco, dopo aver finito quella sigaretta, ne fumò un'altra e un'altra ancora. Non tornò mai in camera a dormire. Rimase sveglio in cucina a fumare tutta la notte, una notte che sembrò lunga tutte le ore di un anno, le ore di una vita. Poi alle sei del mattino si fece una doccia, si vestì e uscì di casa.

Gli vennero in mente le parole di Isabella: "Meglio una bugia a fin di bene che una verità a tutti i costi". Non si ricordava più qual era l'argomento, ma quella frase gli risuonava nella testa.

Passeggiò fino al parco proprio nel momento in cui i custodi stavano aprendo il cancello. Decise di entrare e continuare a camminare vicino agli alberi.

Quella mattina il cielo nuvoloso non prometteva nulla di buono. Il parco era vuoto, poi verso le sette iniziarono a spuntare alcune persone con il cane.

C'era odore di erba e legno bagnato, e l'aria fresca gli elettrizzava le narici e i polmoni. Decise di sedersi su una panchina, fare un lungo respiro e accendersi un'altra sigaretta. E pensare che da qualche mese si ripeteva di eliminare almeno quelle del mattino, ma questa non era la giornata giusta.

Smetto da settimana prossima... a parte dopo la colazione.

Quella era intoccabile, anche per una questione fisiologica. Marco era convinto che se al mattino dopo il caffè non avesse fumato una sigaretta non sarebbe più stato in grado di creare tutte le condizioni necessarie per andare in bagno. Secondo il suo contorto ragionamento da fumatore, la sigaretta del mattino era salutare, e lo faceva cagare.

Quel giorno al parco pensava a quanto assurda fosse la vita, a quanto tutto potesse cambiare in una frazione di secondo.

E adesso che cazzo faccio? continuava a ripetersi. Poi i suoi pensieri si spostarono su di sé, sul suo atteggiamento, il suo modo di affrontare la vita: *Cosa c'è che non va in me?*

Aveva da sempre la sensazione che dentro di lui ci fosse una bomba a orologeria pronta a esplodere da un momento all'altro e questo gli impediva di fare avvicinare le persone. La vita gli aveva insegnato troppo presto quanto è facile ferire chi ti sta vicino.

Era così convinto di avere dentro di sé questo misterioso esplosivo che tutta la sua esistenza era organizzata con l'intento di fare meno morti e feriti il giorno in cui fosse esplosa. Marco sembrava voler dire: *Amatemi pure ma tenetevi lontani.* Per questo era un uomo affettuoso ma distante. Più che dalla paura di soffrire, sembrava soggiogato dalla paura di far soffrire. *Sarà vero o anche questa è una palla che mi racconto da sempre?*

Qualcosa nelle sue solite risposte non funzionava, qualcosa in quel meccanismo si era inceppato.

Se avesse scelto una donna, per il resto della sua vita non avrebbe più potuto corteggiare e fare l'amore con le altre. Anche solo il pensarlo gli sembrava assurdo. Non riusciva a concepire un mondo senza infedeltà.

Non era solo una questione sessuale, non poteva sopportare l'idea di non cenare più con una sconosciuta, organizzare un weekend da qualche parte, prenotare una stanza d'hotel. La novità, l'imprevisto, l'avventura, l'inatteso. Esercitare la propria curiosità. Era difficile dire a se stesso: It's done! *Questa parte della tua vita è chiusa. Bacerai una sola donna, farai l'amore con una sola donna, conoscerai una sola donna per il resto della tua vita.*

Questa forse era la sua più grande paura, la cosa più difficile da accettare.

Eppure questa vita così eccitante non era stata sufficiente a renderlo un uomo felice. Mentre pensava, un cane si era avvicinato e iniziò ad annusargli i piedi finché la sua padrona non lo richiamò. Una donna carina, non bella ma interessante.

Ecco cosa intendo, si disse guardandola.

L'idea di poter chiacchierare con quella sconosciuta, bere un caffè insieme, accompagnarla a casa e fare l'amore con lei aveva l'effetto di una droga a cui non riusciva a rinunciare. La leggera eccitazione, il senso di conquista erano molto più forti di qualsiasi altra sensazione avesse provato in vita sua.

Tutto era nella sua testa, perché la donna non lo aveva

degnato neanche di uno sguardo, erano tutte sue fantasie. *Sono proprio un coglione,* concluse.

«Marco, ma sei tu?» disse una voce all'improvviso. Lui alzò la testa e vide Giada, una vecchia amica.

«Ciao, come stai?»

«Bene, sono venuta a portare il cane, che ci fai qui? Non vivi a Londra?»

«Sì, sono di passaggio.»

Lei iniziò a parlare e non la smetteva più, sembrava una di quelle persone che non hanno amici e quando trovano qualcuno con cui parlare non lo mollano. Marco pensò perfino di inventare una scusa e scappare via. Voleva rimanere solo, aveva cose importanti a cui pensare.

E poi, come accade quando non vedi una persona da anni, quando ti parla, parla alla persona che eri, non a quella che sei. Per lei tu sei quello di una volta e per non deluderla rispondi come avrebbe risposto il tuo vecchio te stesso. Un viaggio nel tempo a recuperare uno dei tanti tuoi io. Un io vintage che ora non indosseresti manco morto. Dopo un quarto d'ora infinito lo salutò: «Devo andare a lavorare, mi ha fatto piacere vederti e aver chiacchierato un po'».

«Anche a me» rispose Marco, anche se stava pensando: *Grazie a Dio ti togli dalle palle. E poi non abbiamo chiacchierato, sei tu che hai fatto un monologo. Che due coglioni tu e il tuo cane. E poi a me che cazzo me ne frega che quando i cani grattano per terra dopo aver fatto la cacca non lo fanno per sotterrarla, ma perché sotto le zampe hanno delle ghiandole che rilasciano una sostanza che serve a marcare il territorio. Ma ti sembra una cosa da dire a uno che non vedi da dieci anni?*

Si accese un'altra sigaretta, era l'ultima del pacchetto. Cercava di capire se fare come gli aveva suggerito Andrea o se aspettare, guadagnare tempo e chiarirsi meglio.

Avvertì un cambiamento dentro di sé, forse si sentiva già responsabile come succede a chi diventa genitore.

Dovrei smetterla di preoccuparmi di tante cose e fare ciò che mi sento adesso. Se sto bene con Isabella, per quale motivo non dovrei stare con lei? Potremmo provarci.

E in un istante iniziò a fantasticare su quella possibilità. Forse per l'aria fresca, per la pace che respirava nel parco, si sentì leggero, alleggerito da tante cose.

Fece una lunga boccata e buttando fuori il fumo si ritrovò con un sorriso sulle labbra.

Quando pensava alla paternità era ancora scioccato, eppure era stata questa a dargli la forza di fare pensieri nuovi. *Sono pronto,* si disse con un improvviso e inaspettato entusiasmo. Adesso che aveva una figlia non si trattava più di dover scegliere ma di essere all'altezza della situazione e prendersi le proprie responsabilità. *Visto che io non mi decidevo, la vita ha deciso per me. Sono contento.*

Spense la sigaretta e si diresse verso casa di Isabella. Era stanco, non aveva dormito tutta la notte. Più si avvicinava, più si convinceva che stava facendo la cosa giusta.

Decise di aspettarla sotto casa, sapeva che Isabella e Mathilde sarebbero uscite presto. Dopo circa mezz'ora sentì le loro voci dietro il portone. Quando Isabella lo vide, fu sorpresa.

«Che ci fai qui?»

«Ho bisogno di parlarti.»

«Possiamo farlo questa sera quando torniamo o meglio ancora domani.»

«Non so come e in che modo ma credo sia arrivato il momento di smettere di scappare.»

Isabella non credeva alle parole che aveva appena sentito. Citofonò alla madre e fece risalire la bambina in casa.

«Cosa intendi quando dici "smettere di scappare"?»

«Voglio dire che sono pronto, che ho capito cosa voglio.»

«E cosa vuoi?»

«Stare con te.»

Isabella fece un sorriso. Il suo sguardo si era aperto. «È la verità o ti senti in colpa per la discussione di ieri?»

Adesso era lui a sorridere. «Non sarà facile, dovremo organizzare le nostre vite, uno dei due dovrà cambiare città.»

Ci fu un breve silenzio.

Marco tutto eccitato aggiunse: «Oppure cercarne una nuova per tutti e due».

Isabella esitava, lo osservava confusa.

«Perché mi guardi così? Non è quello che vuoi?»

«Ti guardo così perché non mi sembri tu, stai bene?»

«Sto benissimo, non sono mai stato meglio in vita mia. Partirei adesso con te. Decidi tu dove andare.»

«Con calma, una cosa alla volta.» Quelle parole le disse sorridendo.

«Adesso sei tu che hai paura.»

«Non è che ho paura. Mi sembri un po' agitato e hai la faccia stravolta. Hai dormito stanotte?»

«Non tanto, sono rimasto sveglio tutta la notte e ho capito cosa volevi dirmi quel giorno a Londra quando non sono venuto. Ho fatto i calcoli con gli anni.»

«In che senso? Non capisco.»

La felicità che Isabella aveva sul viso era sparita in un secondo.

«Cosa dici, Marco, ti senti bene?»

«Lo so, non è facile da dire e se pensi che per la bambina sia troppo tardi io lo capisco, è una cosa che possiamo anche affrontare più avanti quando sarà grande.»

Lei era sempre più incredula e sconvolta. «Vuoi dirmi che hai deciso di stare con me perché pensi che Mathilde sia tua figlia?»

Marco non rispose. Ci fu una pausa.

«Sei proprio un idiota. Se pensi che io mi leghi a un uomo solo per i suoi sensi di colpa non hai capito un cazzo di me.» Dopo un secondo aggiunse: «È meglio se te ne vai».

Marco si sentì ridicolo.

«A volte penso che l'amore che provo per te mi faccia vedere un uomo che non esiste e che in realtà da sempre ti sopravvaluto. Adesso salgo a prendere mia figlia e quando scendo gradirei non ritrovarti qui. Marco, vaffanculo.»

Isabella si girò per andarsene, ma prima di chiudersi il portone alle spalle gli lanciò un ultimo sguardo.

«Pensi veramente che io mi sarei portata dentro una cosa

del genere per tutti questi anni? Mathilde e suo padre sono due gocce d'acqua... e tu sei un cretino. E adesso sparisci.»

Il portone si chiuse, Marco si ritrovò solo sul marciapiede e in una frazione di secondo si rese conto del delirio che aveva creduto reale. Quel delirio gli era costato per sempre Isabella.

Darsi una seconda possibilità

Marco era in camera e guardava le copertine dei suoi dischi. Sembravano dei quadri: le facce dei Rolling Stones in primo piano di *Out of Our Heads,* quella rock di Bruce Springsteen in *The River,* quella hippie di Carole King in *Tapestry,* Carly Simon in ginocchio con solo una sottoveste e stivali neri su *Playing Possum,* quante volte da ragazzino si era eccitato guardandola.

Amava *Night Beat* di Sam Cooke, Marvin Gaye con la cuffia rossa in *Let's Get It On* e la chitarra resofonica in mezzo al cielo di *Brothers in Arms* dei Dire Straits.

In quei giorni riascoltava molte di quelle canzoni e ogni volta si stupiva di come nei vinili il suono fosse diverso. Più caldo e preciso. Una volta in un negozio di Londra un vecchio rocker nostalgico gli aveva detto che i giovani d'oggi sono una generazione di sfigati: mangiano male, scopano male, si drogano male e ascoltano musica di merda, e anche quella la ascoltano male. Nei loro iPhone.

Decise di portare alcuni di quei dischi a casa sua a Londra dove aveva un impianto stereo con giradischi, amplificatore valvolare e casse in legno anni Settanta. Nell'ultimo periodo ne aveva già portati parecchi.

Era piegato sulle ginocchia con la sigaretta sul lato della bocca e ogni tanto tirava indietro la testa per evitare il fumo negli occhi.

Sfilò un disco dalla copertina e poi dalla protezione di carta e lo mise sul piatto del giradischi. Prese la puntina e la appoggiò sulla seconda traccia.

Dopo pochi secondi e qualche scoppiettio Jimi Hendrix iniziò a suonare e cantare *Castles Made of Sand*.

Finì la sigaretta mentre la musica riempiva la stanza.

Aveva ancora negli occhi l'ultimo sguardo di Isabella e non riusciva a credere a quello che la sua mente aveva costruito. In tutta la sua vita non si era mai sentito tanto stupido. Come aveva potuto pensare che lei si fosse tenuta un segreto così?

Sentì un rumore, abbassò il volume.

«Marco... Marco.»

Era suo padre. Se non rispondeva subito iniziava a chiamare a ripetizione. «Arrivo.»

Fermò il giradischi e andò da lui.

«Che c'è? Ti dà fastidio la musica?»

«Quale musica? Tirami su.»

«Va bene, aspetta un attimo.»

Spostò il comodino, preferiva afferrarlo da dietro stando in testa al letto. Gli veniva più comodo.

«Papà, contiamo fino a tre e al tre ti aiuti puntando il piede buono, così riusciamo meglio se mi dai una mano.»

«Va bene.»

In quella fase della malattia obbediva come un bambino.

Mentre Marco lo sollevava, entrò in casa Andrea e apparve sulla soglia della camera. «Che state facendo?»

«Lo sto tirando su.»

«Guarda che non vuole essere aiutato, vuole farlo da solo.»

«Veramente me lo ha chiesto lui, ero di là e mi ha chiamato.»

«Ma come? A me dice sempre che non vuole essere aiutato.»

Andrea si innervosì, si girò e se ne andò in cucina, aprì il frigorifero e sistemò la spesa.

Perché quell'uomo era ancora in grado di ferirlo così tanto?

Mentre sistemava la spesa pensava che era ingiusto come lo trattava suo padre, all'inizio non voleva mai il suo aiuto però poi Andrea doveva sempre intervenire per sistemare i danni che nel frattempo si erano ingigantiti. E sempre a un passo dall'irreparabile.

Eppure non gli rinfaccio mai nulla, vorrei solo che una volta mi dicesse "grazie", che mi riconoscesse qualcosa.

Da sempre era tutto una trattativa, una trattativa difficile perché c'era qualcosa in Andrea che a suo padre non piaceva, ne era certo.

Qualcosa di me in fondo lo innervosisce. Eppure ho sempre fatto quello che mi ha chiesto nella vita. ma forse non conta ciò che faccio. Conta ciò che sono.

Ecco cosa lo infastidiva. Un grandissimo senso di ingiustizia. Andrea si era sempre adeguato ai desideri del padre, quando si era sposato aveva comprato casa nello stesso quartiere per potergli stare vicino. Per tutta la vita suo padre era stato la misura di ogni cosa. Andrea era diventato ingegnere come lui. Aveva rinunciato alla sua vocazione per la ricerca e la teoria e aveva intrapreso un mestiere troppo pragmatico per lui. Era cresciuto coltivando un mondo di speranze represse, aveva passato una vita ad aspettare che il padre lo facesse sentire compreso, amato e complice. Voleva una intimità forte con lui, invece non aveva mai capito cosa realmente il padre pensasse di lui, cosa si agitasse nel suo cuore. Sotto l'apparente gentilezza, sentiva un forte risentimento e spesso si era chiesto da dove venisse tutta quella rabbia.

Non ricordava che quando era arrivato suo fratello lui aveva circa tre anni e tutto era cambiato. Non era più figlio unico e aveva smesso di ricevere tutte le attenzioni di prima.

Ormai era quello grande, in realtà era solo *più* grande, ma il bambino era suo fratello. Quando andavano da qualche parte, se erano stanchi di camminare la mamma prendeva in braccio Marco: "Lui è piccolo, tu ormai sei grande".

Una domenica erano andati tutti insieme in montagna e Andrea si era fatto male alla caviglia. Aveva sette anni. Il padre lo aveva preso in braccio. Quel ricordo aveva accompagnato Andrea per la vita intera. Avrebbe voluto rompersi le caviglie tutte le domeniche.

Se sbagliava sentiva frasi come: "Belle cose che insegni a tuo fratello".

E non poteva fare i capricci, non poteva piangere, non poteva sbagliare. Doveva essere responsabile e dare il buon esempio. Troppa adultità in un bambino di qualche anno.

Uno dei ricordi dell'infanzia che più tornavano alla mente di Andrea era la mattina in cui era andato a scuola con suo fratello senza la madre. La strada non era lunga e per fortuna era tutta dritta, con un grande marciapiede spazioso, tranne qualche metro appena dopo la gelateria Floris dove il marciapiede diventava più piccolo. La madre gli aveva detto: "Quando fate il pezzo di strada dove il marciapiede è stretto, stai tu sul lato della strada e lascia tuo fratello su quello del muro".

Da quel momento non aveva avuto più dubbi: sua madre voleva più bene a Marco che a lui. Toccava a lui morire travolto da una macchina. Eppure lui si sforzava di piacere, era il tratto distintivo della sua natura cercare di compiacere gli altri.

Andrea era geloso del tempo che Marco passava col padre. Dal lavoro chiamava spesso per sapere come stava, se serviva qualcosa. Voleva essere più partecipe, era quello il reale motivo delle telefonate. Avrebbe preferito di gran lunga stare a casa a cambiare pannoloni piuttosto che in ufficio.

Marco, dopo aver aiutato il padre, andò in cucina. «Sei incazzato?»

«No. Hai fame?»

«Non molta. Vuoi che ti cucini qualcosa?»

«Mi faccio un'insalata veloce, nemmeno io ho molta fame.»

Marco si sedette a tavola e rimase in silenzio mentre suo fratello, dandogli le spalle, tagliava i pomodori, il basilico e li condiva con olio, capperi e origano.

«Andrea, non puoi prendertela con un uomo che non sa nemmeno dove si trova.»

«Lo so.»

Marco usando l'accendino si aprì una birra, Andrea iniziò a mangiare.

«Non è solo il fatto che non vuole essere aiutato da me, è che mi sento impotente davanti a questa situazione. Non so cosa fare.»

«C'è poco da fare.»

«Sarà questo che mi rende nervoso, non so come rendermi utile.»

«Credo che la nostra presenza sia l'unica possibilità di aiutarlo, stare qui con lui finché è ancora lucido.» Marco diede una sorsata alla birra e poi aggiunse: «Il papà è un vortice che rischia di trascinarci dentro tutti se non stiamo attenti. È come se fosse trasportato dalla corrente di un fiume e noi non possiamo nemmeno allungare una mano per tentare di salvarlo, è questo che ci fa sentire impotenti e in colpa. L'unica cosa che si può fare è restare qui e farci guardare da lui mentre si allontana per fargli capire che ci siamo e che non morirà solo. Morire soli credo sia la cosa più brutta».

Dopo quelle parole Andrea iniziò a guardare suo fratello negli occhi. Erano rimasti così, in silenzio, a fissarsi per qualche secondo. Ognuno sentiva la commozione dell'altro.

«È brutto da dire, ma dobbiamo darci dei limiti, capire fino a dove possiamo arrivare e dove no. Annullare le nostre vite non serve a nessuno.»

Finito di mangiare si misero a lavare i piatti come avevano fatto molte volte quando erano ragazzi. Andrea lavava, Marco asciugava. Ad Andrea era sempre piaciuto di più lavare, gli piaceva vedere lo sporco sparire, le ultime bollicine di detersivo sul piatto bianco che con un ultimo risciacquo se ne andavano via. Marco invece preferiva tenere lo strofinaccio buttato su una spalla, aspettare il piatto pulito e poi farlo girare come il volante di una macchina, impilarli uno sopra l'altro e sentire il suono tintinnante di quando si toccavano.

«Questo weekend ho detto a Irene che sono con te» disse Andrea all'improvviso.

«Invece con chi sei?»

«Con un'altra persona.»

«Un'altra donna? Mi stupisci, ci hai preso gusto.»

Andrea fece un mezzo sorriso.

Marco dopo aver riflettuto disse: «Non fare cazzate».

«In che senso?»

«Nel senso che ho capito. Dimmi che sbaglio.»

«Se intendi Daniela non sbagli.»

«Stai facendo una cazzata.» Andrea senza rispondere gli passò un bicchiere, Marco ci infilò dentro lo strofinaccio e aggiunse: «È un'idea sua, vero?».

«Sì e allora? Cosa c'è di così assurdo?»

«Non farlo, stavi andando bene.»

«Le persone sbagliano, Marco, e a volte si accorgono dei propri errori. È giusto darsi una seconda possibilità.»

«Come fai a non vedere cos'ha in testa?»

«Tu che ne sai di queste cose? Di relazioni stabili, di rapporti di matrimonio?»

«Abbastanza per dirti che stai sbagliando. Pensi che dimenticherai quello che ti ha fatto?»

«Non lo dimenticherò, i tradimenti non si dimenticano, si perdonano. E io l'ho perdonata. Non voglio sembrarti sgarbato, ma non mi sembri nella posizione ideale per dare questo tipo di consigli. Io non voglio rimanere solo come te.»

Marco appoggiò l'ultimo piatto sulla credenza e appese lo strofinaccio. «Meglio se chiudiamo qui la conversazione, vado a comprare le sigarette.»

Uscendo chiuse la porta con forza.

Andrea rimase in cucina a finire di sistemare. Si era pentito della risposta che aveva dato a suo fratello. Infilò i piatti nello sportello della credenza e poi andò a controllare il padre. Dormiva con la televisione accesa, se ne stava lì sdraiato a pancia in su con la testa un po' reclinata di lato. Ad Andrea venne in mente il *Cristo morto* del Mantegna, con la differenza che lui teneva sempre in mano il telecomando. Era l'ultima forma di potere che gli era rimasta.

Tolse il volume della televisione e si sedette accanto al letto a guardarlo, suo padre era un mistero. Nel silenzio e nella penombra lo fissava.

Ebbe la tentazione di appoggiare una mano sulla sua, ma non lo fece. Quell'uomo malato poteva essere la prefigurazione del suo futuro: un giorno forse anche lui si sarebbe trovato in un letto in attesa della morte. Cercava di immaginare chi sarebbe stato al suo fianco, si chiedeva se avrebbe mai avuto dei figli a tenergli la mano. Gli dispiaceva non aver fatto in tempo a dare a lui dei nipoti e a loro un nonno. Per i suoi figli lui sarebbe stato solo un nome, il protagonista neanche tanto eroico di qualche storia raccontata.

Mentre guardava suo padre dormire, si rese conto che anche lui era molto stanco. Non solo per la giornata faticosa, forse si stava trascinando una stanchezza più profonda, più antica. Si alzò dalla sedia per abbassare le tapparelle e oscurare la stanza. Voltato verso il padre, vedeva l'ombra scendere sul suo corpo. *Va bene così*, si disse sottovoce.

Il padre aprì gli occhi.

«Sono io, papà, sono Andrea, dormi.»

Li richiuse.

Non riusciva a immaginare che suo padre se ne stava andando, che quelli forse erano gli ultimi mesi in cui lo poteva vedere, osservare, parlarci. Iniziò a piangere, suo padre era bello. Piangeva perché era bello, come lo era stata la madre prima di morire. C'è una bellezza in quella fragilità che non è spiegabile, non si capisce da dove provenga. Ma c'è, si vede, si sente. Perfino quando il corpo segue il suo percorso di disordine, piegandosi al tempo, logorandosi e disfacendosi, esiste una strana luce, una bellezza sospesa che appartiene a quei momenti. Il mondo spegne i suoi rumori quando qualcuno si siede accanto a un malato. È tutto così feroce e delicato al tempo stesso.

Andrea, mentre guardava il padre, pensava a quando aveva visto la madre con le mani giunte senza che la vita la abitasse più. Quell'immagine, seppur dolorosa, era bellissima. Non bella come quando lei girava per casa, quando era indaffarata a vivere, quando era tra loro, era di una bellezza diversa. Era perfetta, serena, finalmente liberata.

Andrea rubava dettagli di suo padre, lo rubava a piccoli pezzi. Guardava le sue mani in ogni particolare e gli sembrava di vederle per la prima volta. Anche quando gli tagliava le unghie non gli sembravano mani conosciute ma di un estraneo: le dita, le unghie, le pellicine. Gli rubava le macchie sulla fronte, le sopracciglia che erano cresciute lunghe e folte.

Le dita dei piedi che negli anni erano diventate tutte storte, con le unghie dure fatte a strati.

Iniziò a chiedersi molte cose mentre si sentiva strano, fragile, spossato: *Ma la vita è tutta qui? Un matrimonio durato poco, una moglie che se ne è andata subito, due figli, niente nipoti. Una casa troppo grande e vuota, un cognome sul campanello, un canone da pagare, un frigorifero da riempire e svuotare.*

Una persona è come cammina, come si muove, come salta le pozzanghere. È come parla, è quello che dice e che non dice. È come ascolta, è quello che pensa. Una persona è il suo sorriso, è come ride, è come si arrabbia. Come ama, come bacia, come abbraccia. Come suda.

Una persona è il suo odore, è il suo profumo, è come guida la macchina, come va in bicicletta, è la faccia che fa quando passeggia con un mazzo di fiori. Come si guarda allo specchio quando è sola in ascensore. Una persona è il suo modo di buttarsi indietro quando scoppia in una risata, è il suo modo di piegarsi in avanti quando piange, quando quel dolore fa male alla pancia. Una persona è quello che è, quello che resta e quello che se ne va. E tante altre cose che popolano il mondo per un po', lo tengono in piedi e un giorno in un click *non ci sono più. E se è stato bravo ha infilato un pezzettino di sé, una piccola scheggia, in quelli che restano.*

Da quando il padre aveva quella malattia, in certi momenti sembrava potesse rispondere sinceramente alle domande che nessuno era mai riuscito a fargli. Era senza difese, senza barriere.

Andrea pensò che fosse sleale farlo, che fosse come rubare, ma forse era l'ultima occasione, l'ultima possibilità.

«Papà, mi vuoi bene? Eh, papà? Mi vuoi bene? Io sì. Sono stato un bravo figlio? Sono stato quello che desideravi? Papà, ti ho deluso? Dimmi la verità, perché io a volte mi sono sentito invisibile ai tuoi occhi. È perché non ho combinato molto nella vita? È per questo?»

Poi rimase qualche secondo in silenzio come se aspettasse una risposta.

«Non capisco perché non siamo mai riusciti a fare una bella chiacchierata. Non puoi nemmeno immaginare quanto abbia voluto essere tuo amico, stare più con te, parlare. Non puoi nemmeno immaginare quante volte ho litigato con te. Quando litigavo con Marco, con un collega, con uno sconosciuto che mi aveva tagliato la strada, in realtà stavo litigando con te. Litigavo con te per tutte le volte che avevo bisogno di un tuo sguardo di complicità, di una pacca sulla spalla, di una parola di incoraggiamento, un complimento, un abbraccio, e non sono mai arrivati. L'altro giorno mi sono chiuso in macchina, ho parcheggiato in un posto isolato e mi sono sforzato di piangere. Niente, nemmeno una lacrima.»

Poi Andrea chiuse gli occhi e iniziò a piangere, in maniera silenziosa.

Avrebbe desiderato che il padre lo ringraziasse, che gli dicesse che era stato il figlio che ogni genitore sognava di avere.

Poi si alzò e uscì dalla stanza accostando un po' la porta. In corridoio si imbatté nella sua immagine allo specchio. Si fermò a guardarsi, dopo qualche secondo non vedeva più il suo volto riflesso, vedeva un altro uomo che lo guardava.

Quello che era appena successo sembrava lontano anni luce, una cosa passata, un momento di debolezza.

Si guardò negli occhi ancora arrossati, poi controllò le rughe, i denti, i capelli, le orecchie, il collo. Si esaminava, si scrutava come faceva ultimamente con il padre. Si guardò le mani e anche quelle gli sembravano invecchiate, come tutto il resto.

Si fissò nuovamente allo specchio, dritto negli occhi, e non seppe dirsi nulla: lo sconosciuto allo specchio era ancora più misterioso di suo padre.

La nostra famiglia

Quando Marco rientrò, fu accolto da un odore che ultimamente stava diventando familiare.

Andò nella camera del padre e la prima cosa che vide era Andrea intento a pulirlo.

«Meno male che sei tornato così mi aiuti a cambiare le lenzuola.»

Marco si avvicinò. «Ma l'ha cagata tutta da solo o ce n'è anche un po' della tua?»

Andrea lo guardò senza ridere.

«Non ce l'aveva il pannolone?»

«Sì, ma a quanto pare non è servito a molto, è arrivata fino a metà schiena, non so nemmeno come c'è riuscito.»

«Papà, perché non hai chiamato? C'è merda fino alle orecchie.»

Il padre fece un ghigno divertito, quando parlavano di merda rideva come un bambino.

Marco si infilò i guanti e aiutò suo fratello.

Dopo una ventina di minuti il padre dormiva nel letto tutto profumato.

Andrea stava mettendo a bagno nella vasca le lenzuola sporche prima di buttarle in lavatrice.

«Senti, per questo weekend al papà ci penso io, però non posso più fermarmi così tanto. Devo tornare a Londra e occuparmi del ristorante.»

«Non c'è problema, quando devi andare vai.»
«Lo so, ma non puoi occupartene da solo.»
«C'è Sonia.»
«Sì, c'è Sonia, ma c'ero anche io in questi giorni, lei da sola non basta.»
«Ne prenderò un'altra.»
Marco cercò lo sguardo di suo fratello, voleva che lo guardasse negli occhi. «Ma non vedi che una persona da sola non è sufficiente? Se non arrivavo io come le cambiavi le lenzuola? Anche a prendere una persona fissa che dorme qui, per le emergenze ne servono due. Non puoi continuare a far finta di non vedere, l'unica soluzione è portare il papà in una struttura adeguata.»
Andrea si girò e aprì l'acqua nella vasca per risciacquare le lenzuola. Dando le spalle a suo fratello disse: «Il papà ha sempre detto che voleva morire a casa come ha fatto la mamma, assistita da tutti noi, dalla famiglia. Io non lo porto in un posto dove a occuparsi di lui ci sono degli sconosciuti che lo considerano solo un vecchio. Glielo devo. Quei posti sono per la gente che non ha figli.»
«Smettila, Andrea, questa cosa non la stai facendo per lui, la stai facendo per te. Non metterti in mezzo, non stiamo parlando di te ma di lui. Spostati, Andrea, spostati e lascialo andare.»
Ci fu una pausa di silenzio.
«Facciamo così, tu vai a Londra e qui ci penso io, una soluzione la trovo.»
«La smetti di parlare al singolare? Non sei figlio unico.» Marco uscì dal bagno e andò in camera a preparare la borsa.
Andrea fece partire la lavatrice e raggiunse suo fratello. «Guarda che forse mi sono espresso male o mi hai frainteso, non volevo decidere da solo. Il mio voleva essere un gesto gentile nei tuoi confronti, liberarti di queste rotture.»
Marco smise di piegare una maglietta, si girò verso il fratello e guardandolo dritto negli occhi sbottò: «Ma vaffanculo, Andrea... tu e le tue buone maniere, i tuoi sentimenti, la tua finta bontà del cazzo».

«Ma sei ubriaco? Sono venuto a scusarmi e mi aggredisci così? Tu non sei normale, cresci piuttosto.»

«Non chiamare gentilezza i tuoi ricatti del cazzo.»

«Ricatti? Ma di che cosa parli? Il mio è senso di responsabilità, altruismo, è tenere alle persone. È il contrario del tuo egoismo, è il contrario di te che pensi solo a te stesso.»

«Se fossi egoista non sarei qui in questo momento.»

«Grazie che ci onori della tua presenza» disse Andrea con sarcasmo.

«Ma vaffanculo, perché non lo cominci adesso il tuo weekend romantico?»

Andrea guardò suo fratello. Una rabbia improvvisa, un fuoco, un fastidio gli stavano salendo dentro. «Tu sei uno stronzo, uno stronzo immaturo del cavolo. Una persona più egoista di te non l'ho mai incontrata in tutta la mia vita. Per te esisti solo tu, i tuoi bisogni, quello che ti va di fare e gli altri si devono sempre adeguare o lasciarti in pace. A te frega solo di te stesso, sei sempre stato così e non sei cambiato per niente. Nemmeno di fronte a tuo padre malato.»

«Dacci un taglio, Andrea.»

«Dov'eri quando la mamma stava male? E dopo che è morta? Dov'eri quando il papà aveva bisogno, quando questa famiglia aveva bisogno di te?»

Marco non si aspettava quelle parole violente, taglienti, quell'aggressività lo ferì. Fece una pausa di qualche secondo prima di rispondere, poi con un tono di voce più pacato disse: «Andrea, ma tu pensi veramente che la tua sia bontà? Che sia altruismo? Non ti è mai venuto il dubbio che la tua generosità sia un modo per tenere le persone legate a te nella speranza di essere amato? Ma non sei stanco di mentire?».

Andrea non rispose, non trovava le giuste parole per ribattere.

«La verità è che sei un codardo» continuò Marco. «Usi i problemi e i bisogni degli altri per distrarti da te stesso, perché hai paura di sapere chi sei, hai paura di scoprire che non sei così buono come credi. Aiutare gli altri è molto nobile, è il modo migliore per nascondere la verità. Tu sai relazionarti con le persone solo se hanno bisogno. Ti piace piacere, essere ammirato. Creare dipendenze. Guarda quando il papà ha iniziato a stare male, guarda come ti sei svegliato, come sei rinato. Sei eccitato quando c'è da fare qualcosa per qualcuno. Anche con Daniela, adesso che è tornata e ha bisogno di te, tu corri da lei come un coglione.»

«Daniela non ha bisogno di me, se è tornata è perché mi ama ancora e questo ti fa incazzare perché sei invidioso.»

«Ma che cazzo dici? Se c'è uno incazzato quello sei tu.»

«Perché dovrei esserlo? Cosa dovrei invidiarti? Il fatto che ti porti a letto un sacco di donne?»

«Sei incazzato con me perché io il tuo aiuto non l'ho mai voluto, nemmeno quando ne avevo bisogno. Non ti ho mai riconosciuto quel ruolo del buon samaritano e questo ti ha sempre mandato fuori di testa. Ho fatto un sacco di errori nella mia vita e ne faccio ancora, ma almeno sono quello che sono, invece tu sei un presuntuoso del cazzo che non si mette mai in discussione, non fai altro che continuare ad approvare te stesso pensando di essere sempre migliore di tutti.»

«Non penso di essere migliore di nessuno, sei tu che te la racconti per giustificare il tuo comportamento.»

«Cosa devo giustificare? Il fatto che vivo la mia vita? Devo sentirmi in colpa perché non sto qui a marcire insieme a te nella speranza che mio padre mi dica che è orgoglioso di me?»

«Preferisco marcire qui col papà piuttosto che fare come te, che scappi sempre. Tu vuoi sbatterlo in un ospizio e toglierti il problema, così non lo vedi e puoi tornare alla tua vita come hai fatto con la mamma.»

«È già la seconda volta che tiri fuori la mamma. Vacci piano, stai attento a quello che dici.»

«Certo che tiro fuori la mamma, perché col papà stai facendo la stessa cosa. Vuoi fregartene e voltare le spalle.»

«Testa di cazzo. Quando la mamma è morta io avevo sedici anni, che ne sai tu di come stavo? Pensi di aver sofferto più di me? Che ci sia una classifica del dolore? Dovresti imparare ad avere più rispetto del dolore degli altri, anche se è diverso dal tuo e non sei in grado di capirlo.»

«L'unica cosa che non ho mai capito è qual è il tuo problema, perché tu a un certo punto devi sempre scappare.»

Marco si fece rosso in faccia, provò l'impulso di appendere suo fratello al muro.

«Vuoi sapere qual è il problema? Sei tu il mio problema. La tua faccia da cazzo sotto i miei occhi ogni giorno, il tuo atteggiamento da maestrino perfetto, la continua aria da vittima, la tua arroganza. Sei tu il mio problema, Andrea, avrei preferito essere figlio unico piuttosto che avere un fratello del cazzo come te.» Dopo quelle parole si diresse verso la porta, ma prima di uscire si voltò e aggiunse: «Vuoi che faccia io il presuntuoso per una volta? È vero che Daniela ama qualcuno, ma quel qualcuno non sei tu. Se vuoi ti spiego com'è andata: prima di sposarti stava con un uomo che ha amato più di quanto ha amato te, un uomo che non è stata in grado di tenersi e nel tentativo di farlo si stava distruggendo. Poi sei arrivato tu a dirle che era una donna speciale e unica. Quando ha incontrato quello con cui scopava alle tue spalle, ha pensato che era sprecata a stare con te. Quello, quando ha saputo che Daniela ti ha lasciato, l'avrà usata ancora un paio di volte e poi le ha dato un calcio nel sedere. Ed ecco che torni in scena tu, a farla sentire di nuovo speciale. Se ti va bene, o ti rimolla per uno che la scopa meglio di te o ti ritrovi al fianco una donna triste e frustrata. Passerai la tua vita nel tentativo di convincerla ad accontentarsi di un uomo come te. Mangio un cane se non è andata così».

Andrea per la prima volta in vita sua sentì uno strano impulso, in maniera goffa cercò di colpire suo fratello con uno schiaffo in faccia. Marco riuscì a evitarlo e a bloccargli la mano per il polso.

Si guardarono negli occhi, in quel momento capirono di essere arrivati a un punto pericoloso, sulla soglia di una porta da cui sarebbe stato impossibile tornare indietro. Al di là c'era un luogo dove le azioni restano per sempre e sono difficili da perdonare.

Marco allentò la presa, Andrea lasciò cadere la mano e si spostò per far passare suo fratello.

Marco prese il pacchetto di sigarette dal tavolino davanti alla porta d'ingresso e uscì di casa.

È un nuovo giorno

È un nuovo giorno, pensò Marco seduto in cucina. Non erano ancora le sette e il profumo di caffè era ancora vivo nell'aria.

Allontanò la sedia dal tavolo per poter accavallare le gambe. Dalla finestra aperta entrava la primavera.

La luce timida si appoggiava sugli oggetti, li illuminava e sembrava li spostasse, uno alla volta li elencava. Nel chiarore della stanza Marco vedeva volare del pulviscolo. Allungò un braccio attraverso quei raggi di sole per sentirne il calore sulla pelle. Tutto era silenzioso e delicato, tutto era presente e lontano allo stesso tempo.

All'improvviso entrò Andrea. Dopo la litigata della sera prima non si erano più parlati e in quel silenzio si sentiva tutto il disagio di due persone che desiderano essere lontane ma che la situazione costringe a stare vicine.

Marco si alzò, spense il fornello dove stava scaldando il latte, lo versò in una tazza e andò a portarlo al padre.

Andrea, dopo aver preso una tazzina di caffè, tornò in camera a finire di preparare la borsa per il suo weekend con Daniela.

Prima di uscire per andare al lavoro decise di salutare suo fratello. Dal corridoio riusciva a scorgere un pezzo di stanza del padre. Da quello spicchio di porta vedeva Marco mentre gli dava il latte con i biscotti. Quella immagine lo incantò. Rimase fermo nell'ombra del corridoio. Suo padre indossava la bavaglia. Fino a quando aveva potuto l'aveva sempre rifiutata. Marco aveva imparato che bastava dirgli che era un tovagliolo e il padre non opponeva più resistenza.

Quando Andrea entrò nella stanza, Marco pur avendone percepito la presenza non alzò lo sguardo. «Ciao, vado al lavoro poi parto per la montagna. Se hai bisogno chiama, mi raccomando.»

«Va bene, ciao.»

«Ciao, papà» e uscì.

Non riuscirono a dirsi altro quella mattina ma entrambi erano dispiaciuti.

Andrea arrivò in ufficio. Lentamente riuscì a buttarsi alle spalle quella brutta sensazione. In quel momento doveva gestire un altro disagio: non sapeva come comportarsi con Irene.

Non sapeva che dirle, come affrontarla. Non voleva ferirla, era stato bene con lei ma voleva dare a se stesso e a Daniela un'altra possibilità. Con Daniela il rapporto era diverso, condividevano un passato lungo, era la donna che aveva sposato. Oltre a questo Andrea non era mai riuscito ad accettare il fallimento del suo matrimonio.

Eppure in qualche modo sentiva di tradire Irene, proprio come aveva sentito di tradire Daniela quel giorno quando era ancora sposato. *Che strana la vita,* si disse.

Durante tutta la giornata Andrea fece il possibile per evitare Irene. Quando alle cinque uscì, lei aveva già capito tutto, per questo il sorriso con cui lo salutò era di quelli che nascono e muoiono sulle labbra prima ancora di aprirsi.

Daniela lo stava aspettando in macchina sotto l'ufficio. Andrea aprì la portiera posteriore, buttò dentro la borsa e si sedette al suo fianco.

«Come va?» gli disse lei.

«Bene, scusa il ritardo.» E le diede un bacio sulla bocca. «Quanto ci mettiamo ad arrivare?» le chiese, finalmente elettrizzato dalla felicità.

«Se non troviamo traffico, in tre ore e mezza siamo lì.»

Durante il viaggio Andrea e Daniela parlarono di tante

cose, tranne che di loro e di quello che era successo in quei mesi nelle loro vite.
«Tuo fratello come sta?»
«Bene» rispose Andrea in maniera sbrigativa.
«La malattia di vostro padre vi avrà riavvicinato.»
«Sì, anche troppo.»
Nel viaggio ci furono anche momenti di silenzio. Andrea si voltò verso il finestrino e durante il sorpasso di un camion vide la propria immagine riflessa. Gli vennero in mente le parole del fratello. Dopo qualche secondo guardò Daniela. «Posso farti una domanda? Poi su questo argomento non ti chiedo più nulla.»
«Certo.»
«Perché è finita con quello con cui ti vedevi?»
L'espressione del suo viso si irrigidì. «È finita perché ho capito di aver fatto una cazzata e ho chiuso.» Dopo aver risposto si voltò un istante a guardare fuori dal finestrino per paura che Andrea potesse accorgersi che era una bugia.

Marco torna a casa

Marco era tornato a Londra. Adriano lo aveva chiamato dicendogli di passare al ristorante, aveva un sorpresa per lui. Sapeva già di cosa si trattava. Non era dell'umore di far festa, non aveva voglia nemmeno di passare dal ristorante ma forse gli avrebbe fatto bene distrarsi un po', dopo giorni pesanti. Le discussioni con suo fratello, con Isabella, la condizione di suo padre, tutto questo andare avanti e indietro lo avevano stremato. Era stanco e in fondo anche triste. Aveva la sensazione di fare molto, di mettercela tutta, di spingere più che poteva ma anche tutto questo sforzo non serviva a nulla. Si ritrovava sempre allo stesso punto, come su una macchina con la marcia in folle, accelerava ma non andava da nessuna parte. Come quel personaggio della mitologia greca di cui gli aveva parlato suo fratello, ma di cui non ricordava il nome.

Aveva scritto ad Adriano che non stava bene e preferiva stare a casa tranquillo.

Nelle sere successive andava al lavoro ma non era di buonumore come tutti erano abituati a vederlo. Quando chiudeva il ristorante diceva no a tutte le proposte: ai suoi amici, persino alle donne con cui spesso si vedeva per una scopata di fine giornata. Tornava a casa e si metteva a letto a guardare le sue serie televisive. Si addormentava a notte fonda e spesso prima che facesse mattino si svegliava in un bagno di sudore. Passava da un'apatia diurna a un'agitazione notturna. Un sapore amaro gli saliva dallo stomaco, se lo ritrovava in bocca, qualcosa che bruciava come un reflusso gastrico. Si sentiva solo, perfino più solo di quando era arrivato a Londra la prima volta da ragazzino, quando per sentirsi meno perso andava nei supermercati a leggere nomi di prodotti italiani. Riconosceva quei cibi familiari e in qualche modo, toccando i barattoli dei pelati e le scatole degli spaghetti, si scaldava il cuore.

Marco non aveva mai dimenticato la sensazione della prima sera in cui aveva dormito fuori casa, lontano dalla sua famiglia, dalla sua camera da letto, dai suoi dischi, dalle sue sicurezze. L'ansia di non sapere cosa gli sarebbe successo. Non poteva ancora immaginare in quale girandola di incontri, in quale vortice di avventure sarebbe entrato di lì a poco. La prima cosa che lo aveva reso felice era che a Londra tutti venivano da ogni parte del mondo, da un altrove con le loro culture, ed erano disposti a condividere speranze, a mischiare i desideri. Per la prima volta dopo anni lui non era più quello a cui era morta la madre. Niente etichette. Nessuno che gli chiedesse quale scuola avesse fatto o si interessasse al mestiere di suo padre. Negli occhi di chi frequentava non vedeva riflesso il se stesso di sempre.

Si era accorto che il poco inglese che aveva imparato non serviva a molto, anche quando sentiva dire da qualcuno parole che conosceva, non le capiva. La pronuncia era completamente diversa. Si sentiva impotente e solo, ma aveva la sensazione che con un piccolo sforzo avrebbe raggiunto una libertà che non aveva mai conosciuto. Le prime notti aveva dormito in un bed and breakfast di suore. All'ingresso vicino alle scale c'era un crocifisso enorme. Gli faceva impressione che fosse lo stesso anche per gli inglesi. Lui aveva sempre pensato che Gesù fosse soprattutto italiano. "Beato te che sai tutte le lingue" gli aveva detto andando in camera, con quel senso di frustrazione nel non riuscire a esprimersi con le persone.

Adesso restava a casa fino a quando doveva andare al lavoro, si negava a tutti. Si sentiva in gabbia. Faceva fatica a prendere sonno e non aveva voglia di alzarsi al mattino. Imparò quanto sono lunghe le notti quando c'è qualcosa che non va, quando non si sta bene. Il buio amplifica tutte le sensazioni e, se si sta male, lo si vede arrivare già a metà pomeriggio. A un certo punto si alzava e si metteva a camminare per la stanza, senza sapere bene cosa fare. Non c'era ancora luce. Marco si era ritrovato in un territorio che non conosceva, un territorio inedito, inaspettato, che non sapeva governare. Aveva sempre lottato per qualcosa, amava lottare. Questa mancanza di entusiasmo era una cosa nuova per lui. Nulla gli sembrava valesse la pena. "La vita è volontà di vivere" aveva letto da qualche parte e lui non aveva più quella volontà.

Com'è possibile?

Aveva perso la rotta, aveva perso la direzione. Il senso delle sue azioni. Lo scopo.

Un giorno, mentre chiacchierava con un'amica, lei gli chiese: «Come ti vedi tra dieci anni?». E lui non seppe dare una risposta. Stava male ed era un male nuovo, che non conosceva. Conosceva il male violento e pieno di rabbia che aveva provato quando sua madre era morta, conosceva il male commovente che aveva provato quando suo padre si era ammalato, ma quello che stava provando ora era un dolore sconosciuto, sleale e più subdolo.

Il dolore per i genitori era profondo ma ti dava un vantaggio: aveva un nome. Questo nuovo nemico invece era anonimo, impalpabile. Non aveva forma, non aveva un corpo. Non si capiva nemmeno quando si era presentato. A un certo punto se l'era trovato sdraiato a letto al suo fianco e aveva dovuto farci i conti. Quel male senza volto e senza nome lo aveva circondato. È difficile organizzare una battaglia quando non si sa nulla del nemico.

«Non sono un uomo felice» si disse un giorno ad alta voce mentre era a casa da solo, seduto sul divano di fronte alla televisione spenta.

Quel malessere aveva fatto saltare l'illusione che tutto fosse tranquillo, sereno e sotto controllo. Qualcosa aveva spezzato il suo modo di vivere e aveva portato a galla il vuoto delle sue convinzioni. La sua reazione era stata di correre ad aprire il baule dove teneva le maschere da indossare, ma si era accorto per la prima volta che il baule era vuoto, le aveva già consumate tutte. C'era solo uno specchio.

Per tutta la vita aveva desiderato di essere solo senza le rotture degli altri e adesso che ci era riuscito non stava bene.

Una mattina, facendosi la barba, ricordò quando la faceva a suo padre. Con la schiuma in faccia, guardandosi allo specchio, per un instante nei suoi lineamenti vide il volto del padre. Risentì le parole che gli aveva detto in uno dei rari momenti di lucidità: lui e Andrea erano una delle cose più belle che aveva avuto nella vita, non si era pentito, avrebbe rifatto tutto nonostante le sofferenze e i momenti difficili.

Una sera passeggiava verso casa, saranno state circa le sette, scendeva una pioggerellina fastidiosa.

In un silenzio che sembrava irreale, qualcosa di violento e di improvviso entrò nella sua testa, come un tuono, il suono assordante di un treno che fischia e si ferma. Poi subito delle grida, un rumore di portiera che sbatteva, si girò e vide un ragazzo a terra. Era stato investito. La gente accorreva, le voci si accavallavano: "*Oh my God, oh my God... Ambulance, call an ambulance*". All'inizio Marco rimase distante, guardava da lontano, poi lentamente si avvicinò. Voleva vederlo in faccia, un'insensata curiosità lo attraeva.

Il ragazzo era biondo, chiaro di carnagione e dalla bocca gli usciva della schiuma. Aveva gli occhi semichiusi e dal naso colava un rivolo di sangue. Una folla di persone in cerchio era china su di lui. Un uomo in ginocchio gli sosteneva la testa, una ragazza lo guardava tenendo una mano sulla bocca e piangeva. Dopo qualche minuto arrivò un'ambulanza e lo portò via.

Per terra ora si vedeva il sangue che gli era uscito dalla

testa. Era molto scuro, non era rosso, sembrava marrone. Marco ricominciò a camminare. L'immagine di quel ragazzo gli tornava alla mente in continuazione mentre vagava per la città, ma non sentiva nulla, non era sconvolto né triste. Eppure, senza accorgersene, si era perso. Non sapeva esattamente dove fosse. Decise di tornare indietro.

Mentre camminava, lo sguardo gli cadde sull'altro lato della strada. Dietro una finestra accesa vide una famiglia cenare, padre, madre, due bambini maschi. Il più piccolo, in ginocchio sulla sedia, si stava versando da bere nel bicchiere prendendo la bottiglia con due mani. Si erano appena seduti, tutti si passavano le cose da mangiare, si servivano il cibo dai piatti di portata. Uno dei bambini parlava, muoveva le mani e agitava le braccia in maniera espressiva, stava sicuramente raccontando una storia. Marco era totalmente catturato dall'immagine, avrebbe voluto ascoltarlo, sapere cosa stava raccontando. A un certo punto il papà e la mamma scoppiarono a ridere. Marco rimase lì, a rubare di nascosto quel momento di vita così intimo, così caldo e coinvolgente, e provò invidia. Non desiderava essere il padre, ma uno dei due bambini.

Un dolore a cui non avrebbe saputo dare un nome lo colpì. Dalla bocca dello stomaco salì un sapore di ruggine. Un dolore profondo che nasceva dove nasceva ogni suo respiro. Marco ricominciò a camminare per tornare a casa, ma dopo pochi passi qualcosa lo bloccò, come un crampo. Le sue gambe si piegarono, cedettero e lui cadde a terra. Si spaventò a morte.

«Che cazzo mi sta succedendo?» si disse a voce alta. *Che cazzo mi sta succedendo che cazzo mi sta succedendo,* e scoppiò in un pianto. Piangeva, e la saliva gli colava dalla bocca.

Si alzò e si nascose dietro una pianta, si appoggiò al tronco come quando si conta a occhi chiusi mentre tutti gli altri si vanno a nascondere. Ma lui quella sera non trovò nessuno.

Riprese la strada verso casa. Si fece un doccia lunga e bollente. Quello che era successo era inspiegabile.

Un pomeriggio, mentre era sdraiato a letto, fissando il soffitto pensò di aver trovato la parola giusta per descrivere come si sentiva in quei giorni: vulnerabile. Si sentiva vulnerabile, come se un guscio che lo aveva avvolto da sempre si fosse rotto.

Mi manca il papà

Dopo il weekend passato insieme, Andrea e Daniela fecero molti progetti, decisero di non vendere la casa. Volevano riprovarci. Per Andrea la situazione era complicata, non aveva previsto il ritorno di Daniela, era una possibilità che viveva da tempo nel mondo dell'impensabile. Adesso lei era tornata, ma non era il momento migliore. Il padre aveva bisogno di lui, sapeva che ogni minuto passato insieme era prezioso, però sapeva anche che con Daniela non poteva aspettare. Un'incertezza, un inciampo, un breve rimando avrebbe potuto compromettere tutto. Non poteva permetterselo.

Non era una decisione facile da prendere, per questo la notte dormiva male, poco, sembrava la scelta della vita. Qualcosa dentro di lui lo tormentava. Era tirato da due forze, un passato, un futuro.

A Daniela non disse nulla, le spiegò solamente che si stava organizzando ma in realtà quella decisione non l'aveva ancora presa. Non sapeva proprio che fare. Restava ore in camera col padre a fissarlo mentre dormiva e non riusciva a trovare la forza per lasciarlo andare. Non ancora. Poi quando era solo con Daniela sentiva che non poteva perderla. Non se lo sarebbe mai perdonato. Gli tornarono in mente le parole di Marco: "Il papà è un vortice che rischia di trascinarci dentro tutti se non stiamo attenti".

Ha ragione mio fratello, si disse un giorno. *Non posso sacrificare la mia vita per la sua che sta finendo. Non ha senso.*

Sapeva che avrebbe dovuto parlarne con suo fratello, ma anche questo non era facile. Chiamarlo significava ammettere di aver avuto torto, ammettere che Marco aveva capito tutto in anticipo, mentre lui era andato avanti con i paraocchi, con la sua solita presunzione.

Dopo l'ennesima notte insonne, decise di mettere da parte l'orgoglio, lo chiamò e gli spiegò la situazione. Marco non provò alcun piacere nel sentire suo fratello scusarsi e ammettere di essersi sbagliato. Anzi, cercò di sollevarlo dal senso di colpa con cui Andrea stava lottando da tempo. Si risentirono anche il giorno seguente. C'erano volute diverse telefonate per convincere Andrea che portare il padre in una struttura adeguata era l'unica soluzione. Quando chiuse l'ultima conversazione con Marco, Andrea avrebbe voluto piangere. Si sentiva male, come se stesse tradendo qualcuno. Era una di quelle decisioni che anche se uno ci mette dentro tutto se stesso rimane sempre fuori un pezzo, una parte di sé, quella che dubita e giudica.

Il venerdì seguente Marco tornò a Milano, il lunedì mattina avrebbero accompagnato il padre nella casa di cura che Andrea aveva individuato con l'aiuto di Daniela.

Nel weekend Andrea traslocò, tornò a vivere con lei nella sua vera casa. Nonostante lui e suo fratello avessero dovuto prendere quella decisione insieme, nonostante le ultime telefonate, il rapporto tra loro due era ancora freddo e difficile.

«Lo sai che dobbiamo parlare anche della casa» disse Marco. «Ci sono aspetti burocratici che dobbiamo affrontare finché il papà ha ancora dei momenti di lucidità. Soprattutto per quel conto corrente che avete insieme.»

«Sì, lo so, ma non possiamo aspettare?»

Marco fece un'espressione come a dire che c'era poco da aspettare.

Quando le questioni burocratiche coinvolgono una persona malata sono sempre difficili da affrontare, ci si sente in colpa, sembrano sempre di cattivo gusto. E di pessimo augurio, prevedendo un cattivo destino. Ma sono inevitabili.

«Ci penso io la settimana prossima, parlo con un mio amico notaio e cerco di capire cosa dobbiamo fare» disse Andrea.

Marco rimase col padre tutto il tempo in quel fine settimana. Andrea si era trasferito nella sua nuova vecchia vita, in verità non era stato un grande trasloco: un paio di valigie, una sacca grande, qualche sorriso.

Il lunedì mattina Andrea si presentò a casa del padre molto presto, qualche minuto prima delle sette. L'ambulanza per il trasporto sarebbe arrivata alle otto. Quando entrò, sentì subito profumo di caffè. Marco era in cucina. Aveva gli occhi lucidi.

«Che c'è?»

«Niente.»

Andrea si versò il resto della moka in una tazzina. In silenzio mescolò lo zucchero e dopo aver bevuto disse: «Se hai cambiato idea possiamo ripensarci. Una soluzione la troviamo».

«Non ho cambiato idea. Stavo pensando ad altro.»

«Sei sicuro?»

«Sì.»

Il padre quella mattina era particolarmente confuso, quando Marco gli aveva dato la colazione non aveva detto una sola parola, guardandolo come si guarda uno sconosciuto. L'atmosfera calda di intimità che si era creata tra loro due in quell'ultimo periodo si sfaldava tristemente nell'attesa dell'ambulanza.

Nel viaggio fu Andrea a stargli vicino e a tenergli la mano. Lo sguardo impaurito del padre infilzò Andrea come un pugnale nella carne.

Dopo averlo accompagnato rimasero con lui per un po' nella sua nuova stanza. Nessuno parlava. A Marco tornarono gli occhi lucidi. Era provato. Sembrava essere lui quello che stava accusando di più la situazione.

In quel silenzio stava prendendo una decisione: dire o non dire una cosa a suo fratello. Una cosa che aveva scoperto quel fine settimana, il motivo per cui era tanto sconvolto.

Non fece in tempo a decidere perché fu interrotto prima dalle parole di Andrea: «A che ora hai il volo per Londra?».

«Alle due.»

«Devo andare in ufficio altrimenti ti avrei accompagnato all'aeroporto.»

«Non fa niente, grazie. Devo passare da casa a prendere le mie cose.»

Nella stanza tornò il silenzio.

Quando si salutarono davanti alla casa di cura, Marco disse: «Fammi sapere quando fissi l'appuntamento col notaio».

«Ti chiamo appena ho una risposta. Non preoccuparti per il papà, verrò qui tutti i giorni.»

Si guardarono negli occhi qualche secondo, poi si diedero una pacca veloce sulle spalle. Si salutarono così. *Non sparire,* avrebbe voluto dirgli Andrea, ma non riuscì a dire nulla.

Tornato a Londra, Marco stava male, la cosa che aveva scoperto gli aveva fatto capire molto di suo padre, svelandogli i lati oscuri del suo modo di essere.

Nei giorni successivi visse la sua vita in maniera distaccata, era frastornato e confuso, come un pugile che barcolla prima di andare al tappeto. Un giorno non si presentò nemmeno al lavoro. Passò la prima settimana così.

Dopo una decina di giorni Andrea lo chiamò per dirgli che aveva fissato l'appuntamento con il notaio.

«Non posso tornare in quella data, la ragazza al ristorante è via due settimane. Guarda se c'è un'opzione libera più avanti, fra una quindicina di giorni.»

«Va bene.»

«Il papà?»

«Sono passato ieri sera, aveva un po' di tosse. Ormai non riconosce più nessuno. Sono rimasto lì più di un'ora e gli ho letto alcune pagine di un libro. Non credo se ne sia nemmeno accorto. Lo so che non serve a nulla, forse lo faccio per me.»

«Non è vero che non serve. Magari non capisce ma in qualche modo sente che ci sei. Torno presto e gli facciamo compagnia insieme.»

Lentamente, giorno dopo giorno, Marco iniziò a riprendersi. Era sempre stato un lottatore, non amava trascinarsi, zoppicare, soccombere. La cosa che lo sorprese era che gli mancava suo padre. Gli era già successo in passato di sentire nostalgia per la sua famiglia, soprattutto i primi tempi dopo che se n'era andato di casa. Succedeva in momenti inaspettati: prima di andare a dormire, cenando a casa solo, sentendo l'odore di pane, mentre fissava un bicchiere di vino, o alla fine di una risata.

In quei momenti pensava che sarebbe dovuto tornare a vivere vicino alla sua famiglia, fare cose con loro.

Ora invece non gli mancava la famiglia, gli mancava proprio suo padre, la sua compagnia, il padre che era stato quando lui era piccolo, o quella persona nuova e affettuosa che era diventato con la malattia.

Avrebbe voluto fare una passeggiata con lui, tenerlo per mano. Cucinare per lui, bere una bottiglia di vino rosso insieme, chiacchierare. Andarci a pesca, giocare a carte, fare un viaggio in macchina, voltarsi verso il sedile del passeggero e trovarlo lì col suo sorriso, il sorriso che aveva imparato a conoscere solo nell'ultimo periodo. Dirgli che gli dispiaceva per il segreto che aveva dovuto tenersi dentro per tutta una vita.

Pensando a quelle cose, spostò l'attenzione su suo fratello e si disse che era stato stupido litigarci, anzi, era stato stupido non essersi rappacificati subito: *Non bisogna sprecare tempo con le persone a cui vogliamo bene.*

Mentre pensava a quelle parole, squillò il telefono. Rimase piacevolmente sorpreso: era Andrea.

Gli era capitato anche in passato di pensare a una persona e ricevere una chiamata proprio in quel momento, oppure di sognarla e al mattino trovare un messaggio nel telefono.

Quando gli succedeva amava pensare che c'era un legame speciale con quella persona. Un legame intimo in una dimensione invisibile.

«Marco.»

«Andrea, incredibile, ti stavo pensando» disse pieno di entusiasmo.

«Marco, il papà è morto.»

Un giorno insieme a Londra

Quando il padre era morto, per Andrea fu una sofferenza infinita, così profonda da non poterlo immaginare prima. La morte di un genitore è sempre un dolore intenso, ma la reazione di sconforto di Andrea andò oltre ogni aspettativa. All'inizio si era comportato nel suo solito modo, controllato, responsabile, tenendosi dentro tutto. Escludendo il mondo dalle sue emozioni interiori. Perfino al funerale non aveva versato una sola lacrima, non aveva mostrato un momento di debolezza, perfettamente mascherato e protetto dal suo ruolo di uomo tutto d'un pezzo. Poi quando Marco era tornato a Londra, nonostante vivesse con Daniela, si era sentito profondamente solo ed era crollato. Aveva avvertito quella mancanza come qualcosa che non poteva essere colmato.

Capì subito che qualcosa non andava, che c'era dell'altro oltre alla perdita di suo padre. Stava male fisicamente, aveva forti mal di schiena che lo costringevano a stare a letto. Provava dolore nel camminare.

Una sera, mentre era solo a casa, iniziò a vomitare, anche se non aveva mangiato quasi nulla. Vomitava una sostanza gialla e, quando i conati si placarono, iniziò a piangere. Per la prima volta Andrea piangeva a fiotti. Piangeva per il lutto del padre, per la malattia della madre, per il suo matrimonio che ancora si ostinava ad avvitarsi in stupide incomprensioni, per le cose che aveva scoperto di sé. Era infelice. E imperfetto.

La vita che aveva abilmente tenuto sotto controllo da sempre iniziava a cadere a pezzi e a smontarsi sotto i suoi occhi. Andrea non si era mai dato il permesso di stare male, di poter esprimere il proprio dolore.

Aveva sempre anteposto il dolore degli altri al proprio, i bisogni degli altri ai suoi. Ora non poteva più evitare la persona che stava evitando da sempre. Se stesso. Nudo. Indifeso.

La morte del padre segnava anche la fine di un meccanismo, di un atteggiamento che aveva sempre avuto: con il padre se n'era andata la persona a cui lui aveva dedicato la vita, ma soprattutto se n'era andata la persona su cui scaricare colpe e responsabilità. Il capro espiatorio buono per legittimare ogni sua debolezza, nascosta dall'arroganza. Di colpo ebbe la rivelazione scioccante di essere un uomo. Non era più un figlio. Avvertì un enorme senso di vuoto. Si era dovuto reinventare una nuova vita, un nuovo modo di essere, quello vecchio non si adattava alla nuova situazione.

Con Daniela all'inizio aveva funzionato, erano felici di essere tornati a vivere insieme nella loro casa e tutto sembrava andare nella direzione giusta. Poi, da quando era stato lui ad avere bisogno di lei, le cose si erano complicate. La trasformazione che Andrea stava vivendo aveva trascinato via il matrimonio come un'onda anomala. Quella perdita, che aveva rinnovato il lutto mai elaborato della morte della madre, portò nella sua vita voglia di chiarezza, un senso nuovo del tempo, fatto di accelerazioni ma anche di ripensamenti. La dinamica di coppia era stata svelata e aveva perso il suo potere, facendo crollare la loro intesa.

Dopo poco più di un mese dal funerale del padre, Andrea, magro pallido e sciupato, lasciò Daniela, nella stessa stanza in cui lo aveva deciso lei la prima volta.

«È inevitabile» le disse alla fine del discorso.

Daniela era stata meno civile e meno comprensiva di lui. Aveva iniziato a insultarlo.

Si ritrovò solo, solo come non mai. Pensava che peggio

di così non potesse andare. Una mattina, arrivato al lavoro, il suo capo lo chiamò in ufficio e gli disse che a causa della grossa crisi l'azienda a fine anno non gli avrebbe rinnovato il contratto. «Mi dispiace, è una decisione molto triste. Io purtroppo ho l'ingrato compito di annunciartela. Se potessi lo eviterei, credimi.»

«Ma perché io? In più di dieci anni che lavoro con voi non ho mai fatto nemmeno un minuto di ritardo. Ho dato tutto a questa azienda. Perché la testa dev'essere la mia?»

Il capo lo guardò negli occhi. «Non è una cosa che parte da me.»

Alzarsi al mattino per andare a lavorare dove era andato per anni sapendo che dopo pochi mesi sarebbe finito tutto gli tolse ogni entusiasmo. Non capiva cosa fosse successo alla sua vita. In poco tempo tutto si era disintegrato, sbriciolato, svuotato. Non gli era rimasto nulla.

La mancanza e il vuoto lasciati dal padre avevano frantumato le sue abitudini e lo avevano costretto a un percorso di autocoscienza come unica via di sopravvivenza. La sofferenza era stata un grande regalo, perché fu la chiave d'accesso verso se stesso.

Non riconosceva più nulla del suo vecchio modo di essere, gli sembrava privo di significato, privo di autenticità.

La solitudine che all'inizio lo aveva terrorizzato ora gli era amica. Voleva stare solo, ne aveva bisogno. Avvertiva un senso di urgenza, sentiva di dover trovare un luogo, una risposta, una emozione, qualcosa che gli corrispondesse. Una frenesia di vivere.

Aveva lasciato Daniela e decise di lasciare anche il lavoro, chiudere il contratto senza aspettare la fine del preavviso. La prima cosa che si comprò con i soldi della liquidazione fu un biglietto per l'Australia. L'uomo nuovo che stava scoprendo di essere aveva bisogno di sistemare molte cose. Sapeva che non avrebbe trovato tutte le risposte che stava cercando, ma sperava di farsi un'idea più chiara, sentiva che in quel viaggio qualcosa sarebbe successo, era fiducioso. Voleva incontrare gente nuova e parlare con degli sconosciuti. Aveva una voglia infinita di sentirsi vivo. Niente di più per ora. Semplicemente vivo, per la prima volta.

Il volo per l'Australia partiva da Londra verso le venti. Andrea decise di andare a Londra un giorno prima, salutare il fratello e passare una giornata insieme a lui.

Verso l'ora di pranzo Marco andò a prenderlo alla stazione dei treni provenienti dall'aeroporto e lo portò al ristorante. Mangiarono lì. «Mi piace questo posto, ha personalità ed è elegante. Si mangia anche bene, chi sceglie il menu?»

«Io e Adriano.»

«Non avevo mai mangiato le uova di tacchino affogate nello yogurt. Buonissime.»

Marco era seduto con Andrea e ogni tanto si alzava per fare il conto agli altri tavoli.

«Te lo porto un dolce?»

«Prendo solo un caffè.»

«Arrivo.»

Quando Marco tornò a sedersi, Andrea gli disse: «Ho pensato che la casa potremmo affittarla, con la crisi non è certo un buon momento per vendere».

«E tu dove andrai a vivere?»

«Non lo so, non so nulla della mia vita adesso. Comunque non credo che riuscirei a vivere lì. E poi è troppo grande per me. Io mi cercherò un appartamento più piccolo.»

«Facciamo così, adesso te ne vai in vacanza e non pensi a nulla. Poi quando torni ci vediamo a casa e ne parliamo con calma. Ti ricordo che solo per svuotare la cantina ci vorranno mesi. Una soluzione la troviamo. Tra l'altro ci sono un po' di novità anche per me.»

«Torni a vivere in Italia?»

«Non lo so, sicuramente non adesso.» Arrivarono i caffè. Marco, passando una tazzina ad Andrea, gli chiese: «Che tipo di lavoro cercherai? Sempre nel tuo campo o sei aperto a tutto?».

«Ho una proposta di lavoro da parte di una grossa società, con uno stipendio più alto di quello che prendevo prima, ma ho detto che devo pensarci. In realtà non so nulla, forse cambierò completamente. Adesso ho bisogno di tempo, voglio aspettare.»

«Che bello, se non ti fai prendere dal panico, sei nella condizione migliore, è tutto nuovo.»

Andrea guardò il fratello. Le sue parole erano gentili, in quel momento della sua vita era molto importante per lui. «Sono contento, Marco, che le cose ti vadano bene, sei sempre stato in gamba. Ti ricordi quando ti ho detto che il mondo era ingiusto perché tu avevi più successo di me e guadagnavi molti più soldi nonostante io avessi studiato tanto, mi fossi laureato e tu no?»

«Certo che me lo ricordo.»

«Erano un sacco di cazzate. Ero arrabbiato e me la sono presa con te.»

«Non avevi tutti i torti a essere arrabbiato, magari era sbagliato esserlo con me, ma avevi tutte le ragioni.»

«Ero rancoroso con la vita, col mondo, con tutti. È vero che mi sono laureato con il massimo dei voti, che ho dato l'anima per l'azienda e quando non hanno più avuto bisogno di me mi hanno dato un calcio nel culo, ma questo non significa nulla. Io volevo tutto e mi sono sempre dovuto accontentare delle briciole. La verità è che io non sono mai stato nel mondo come te, non sono mai stato capace di capire in anticipo le situazioni ma le vedevo solo quando c'ero dentro fino al collo, non sono mai stato morbido, adattabile, flessibile. Sono sempre stato rigido, ostinato nel portare avanti le mie scelte a tutti i costi, in maniera ottusa. Ho sempre attribuito alla mia verità una validità assoluta che doveva valere per tutti. Tu ce l'hai fatta non perché il mondo è ingiusto ma perché sei sempre stato bravo a interpretare, capire e trovare soluzioni, a vedere un futuro che non c'era. Tu ce l'hai fatta e io no semplicemente perché tu sei più in gamba di me. Io ho studiato ma sono rimasto un provinciale. La crisi non c'entra nulla.»

«Ho scelto una strada diversa dalla tua perché tu sei sempre stato più bravo in tutto ed era inutile per me competere. Non è stato facile avere un fratello secchione come te. Questo in fondo mi ha aiutato molto.»

Sollevarono i due bicchieri di vino e fecero un brindisi.

Quando Marco finì di lavorare, passarono da casa per lasciare le valigie e andarono a fare un giro. Era quasi innaturale per entrambi ritrovarsi soli a passeggiare. Ma vagare senza meta in quella città piena di vita era una bella sensazione. Erano felici.

Mentre passeggiavano per Upper Street, Marco all'improvviso gli chiese: «Ma perché non mi hai chiamato subito, quando stavi male? Potevi venire qui a trovarmi, oppure sarei venuto io da te. In qualche modo ti avrei aiutato».

«In quel periodo non ci eravamo ancora perdonati del tutto la discussione a casa del papà. Mi sono ritrovato in una condizione che non avevo mai vissuto, non riuscivo a fare nulla, non riuscivo a stare solo e non riuscivo a chiamare nessuno. Non sono stato capace di chiedere. Però ho capito una cosa: per poter aiutare qualcuno bisogna riuscire a farsi aiutare, altrimenti non serve a nulla.»

Parlarono molto, risero, scherzarono. Decisero di cenare a casa tranquilli.

Andrea era seduto al tavolo della cucina di Marco e guardava nel bicchiere che teneva in mano come se cercasse lì, sul fondo, le parole da dire. «A differenza tua, per me il papà è stato la guerra che non ho mai avuto il coraggio di combattere. La persona a cui non ho mai avuto il coraggio di chiedere ciò che volevo, per questo ho vissuto una vita aspettando. Lui ovviamente aveva altro a cui pensare e io ho sempre creduto che desiderasse il figlio che non sono riuscito a essere. Avrei voluto alleggerire la sua sofferenza, ma in questo ho fallito.» Poi appoggiò il bicchiere.

Marco stava lavando dei piatti dando la schiena a suo fratello. Si voltò un istante per guardarlo, le parole di Andrea meritavano attenzione. Dopo qualche attimo di silenzio tornò alle stoviglie. «Ti trovo meglio, hai un'espressione diversa.»

«Gli ultimi mesi sono stati duri, adesso ho bisogno di

stare un po' da solo per chiarirmi delle cose. È incredibile come abbia scoperto tardi me stesso. Ti rendi conto che ho quasi quarantacinque anni ed è la prima volta che cerco di capire cosa mi rende veramente felice, cosa voglio fare, chi voglio essere?»

Marco iniziò a preparare la cena.

«Ho vissuto la mia vita con una pena costante, tipica delle persone come me.»

«Cosa intendi? Come sono le persone come te?»

«Quelli che non hanno realizzato i propri sogni. Perché non mi sono nemmeno mai chiesto quali fossero.»

Marco lo guardò e non seppe che dire. Rimase in silenzio facendo un mezzo sorriso.

«Ti ricordi i giorni in cui ci siamo messi a dipingere e sistemare casa e abbiamo fatto quel gioco della lampada di Aladino? Tu mi hai chiesto quali fossero i miei tre desideri e io non ho saputo rispondere. Ecco, in quel silenzio c'era tutta la mia vita. Sono sempre stato un uomo senza desideri, e non so se esiste qualcosa di peggio di un uomo che non sente di avere un destino.»

Marco continuava a cucinare, ogni tanto alzava lo sguardo.

«Dopo la morte del papà ho capito molte cose. Anche grazie a te. Questo è uno dei motivi per cui sono qui. Per ringraziarti.»

Marco ascoltava suo fratello e gli sembrava di sentirlo parlare per la prima volta. Era una persona diversa, molto sincero, molto onesto. «Ringraziarmi di che? Non devi ringraziarmi di nulla.» E mentre lo diceva gli versò dell'altro vino rosso nel bicchiere.

Marco finì di tagliare delle verdure per fare un pinzimonio. Poi prese il tagliere con la cipolla tagliata e la buttò nella padella a soffriggere. Il suono che faceva la cipolla a contatto con l'olio bollente era una delle cose che amava di più quando cucinava. Poi si spostò al lavandino per scolare i capperi.

Mentre li sciacquava, alzando un po' la voce per via dell'acqua corrente, disse: «Tua moglie l'hai più vista?».

«Al rogito per la vendita della casa, non mi ha mai guardato in faccia.»

«Sai che ho avuto i brividi quando ho visto che eravate tornati insieme?»

«Non ho mai capito perché Daniela non ti piacesse.»

«Non è vero che non mi è mai piaciuta, come persona la conosco poco e mi era anche simpatica. È il vostro rapporto che non mi piaceva, il modo in cui stavate insieme. Non era un rapporto sano. E poi con una che al compleanno ti regala lo spazzolino da denti elettrico non vai molto lontano.»

Risero.

«Quando siamo tornati insieme, in fondo non ero convinto neppure io ma sentivo che dovevo provarci ancora una volta. Sai che quando prendevo una decisione non cambiavo mai idea. Rinnovarla, portarla avanti era come se mi rigenerasse. Adesso sono un po' più bravo a mettermi in discussione. Con Daniela alla fine è stato giusto così.»

«Lo penso anch'io. Credo che a volte desideriamo così tanto che funzioni con una persona che, quando lei parla, invece di ascoltare quello che racconta di sé ci lasciamo distrarre da quello che vogliamo che sia, e alla fine ci confondiamo.»

«Credo sia andata così tra me e lei, anche quando ci siamo sposati.»

«E quella Irene con cui scopavi come un riccio?»

«Quando sono tornato con mia moglie non l'ha presa molto bene, alla fine sono riuscito a deluderle tutt'e due» disse ironizzando.

«Tu che non hai mai voluto deludere nessuno nella vita. Ti ricordi la volta che a casa della zia c'era quella ragazza che leggeva le carte e ti diceva delle cose assurde e tu, invece di dirle che stava dicendo cazzate, annuivi?»

«Non riuscivo a dirle la verità, ero in imbarazzo per lei e poi hai ragione tu, non volevo deluderla. Che pirla che sono.»

«Guarda qui cos'ho?» E tirò fuori una cipolla rossa di Tropea come se fosse un gioiello prezioso. Poi iniziò a tagliarla. «Questa la mettiamo all'ultimo minuto, praticamente la mangiamo appena scottata.»

Andrea guardava suo fratello e in quel momento pensò che forse anche lui avrebbe dovuto imparare a cucinare un po'.

«Adesso che sei solo» disse Marco «e libero di fare tutto quello che vuoi, non pensi sia meraviglioso?»

«Devo dire di sì, mi fa bene stare un po' solo, è il motivo per cui non ho chiesto a nessuno di venire con me in questo viaggio.»

«Anche perché l'Australia non è proprio dietro l'angolo.»

«E tu stai con qualche donna in particolare o sempre il solito viavai?»

«Sinceramente da un po' non vedo nessuna, solo un'amica, ma mi sa che sono le ultime volte.»

«Come mai?»

«Ci siamo detti un po' tutto quello che dovevamo dirci.»

«Isabella la senti ancora?»

«Dopo quella figura di merda gigante che ho fatto, per un po' non ci siamo più sentiti. Dopo il funerale del papà ci siamo chiariti, ha accettato le mie scuse, ha capito che stavo passando un momento difficile. Alla fine Isabella rimarrà l'unica donna che ho amato. Tra me è lei c'è un rapporto speciale.»

«Così speciale che non state insieme. Questa cosa non l'ho mai capita.»

«Mi ha mandato una lunga mail la settimana scorsa. Sono io adesso a doverle rispondere.»

Andrea aveva avvertito in quelle parole un cambio di tono nella voce di Marco. Si capiva che per lui era ancora un territorio difficile da affrontare. «Posso aiutarti a fare qualcosa?»

«Ho quasi finito. Se ti va possiamo scaldare del pane e fare delle bruschette.»

«Volentieri, fammi almeno lavare il basilico, altrimenti mi sento proprio un ospite.»

Andrea si alzò e strappò qualche foglia da una piantina che stava vicino alla finestra. Marco si spostò dal lavandino e lasciò un po' di spazio al fratello.

Andrea lavava le foglie e le metteva su uno straccio ad asciugare. «Lo sai che siamo gli ultimi due rimasti della famiglia? Il primo che se ne va lascia l'altro da solo.»

«Mi sa che quello che resterà solo sarai tu, anche se io sono più piccolo.»

«Speriamo» rispose Andrea ironizzando. «Dove sono i pomodori per le bruschette?»

«Nel frigorifero. Se vuoi puoi prendere quelli che ho già tagliato per il sugo.»

«No, mi piace che ce ne sia molto sulla pasta. Mi occupo io delle bruschette.»

«*Ok, you are in charge*» rispose Marco.

Entrambi cucinavano, ogni tanto si fermavano e bevevano un sorso di vino.

Dopo circa una mezz'ora si sedettero a tavola per mangiare.

«Marco, posso farti una domanda? È una curiosità che ho sempre avuto.»

«Dimmi.»

«Ma tu non senti mai l'esigenza o la voglia di una famiglia?»

«Credo che tutti prima o poi ci pensino.»

«Io adesso sento che faccio bene a stare solo, però so che è una situazione provvisoria. A me piace l'idea di avere una persona al mio fianco. È un'idea, forse un sogno, a cui non ho rinunciato. Sento che non basto a me stesso, sono diverso da te. Ho sempre invidiato la tua autosufficienza così radicata, la tua forza interiore.»

«Chissà se è veramente una questione di forza. Forse è il contrario, non lo so, per adesso sto bene così.» E nel dirlo ebbe la sensazione di non essere stato veramente sincero, almeno non come lo era suo fratello in quel momento.

«Ti ricordi quando andavamo a trovare il papà in ospedale i primi giorni? Gli facevamo la barba, gli cambiavamo la maglietta, lo aiutavamo a mangiare, stavamo lì a turno io e te. Mi ricordo il signore che stava nel letto a fianco, non aveva una moglie e non aveva figli, mai una visita. Sai quante volte gli ho dato una mano? Gli aprivo lo yogurt, lo aiutavo a cambiarsi, chiacchieravo per fargli compagnia, lo sollevavo. Un paio di volte gli ho fatto pure la barba. In quella solitudine mi faceva una tenerezza infinita. Nonostante tutto noi ci siamo l'uno per l'altro e ci siamo stati per il papà quando aveva bisogno. Ti dico la verità, mi piacerebbe avere un rapporto più intimo con te. Tu sei la mia famiglia, è un rapporto prezioso.» Si guardarono per qualche secondo con tenerezza, non era facile per loro parlare di queste cose. «Posso dirti la verità?» aggiunse Andrea.

Marco annuì.

«Penso che sbagli a non stare con Isabella. Avere una persona che ti ama come ti ama lei è una grande fortuna nella vita. È una specie di magia che accade tra due persone. È una cosa così speciale proprio perché succede. Ed è una fortuna che molte persone in tutta la loro vita non proveranno mai. Sono stato sempre un pessimo fratello maggiore, ma questa cosa te la volevo dire.»

Marco era commosso, riuscì solo a dire: «Non sei stato un pessimo fratello maggiore». Si sorrisero, poi continuò: «Stiamo diventando due vecchi nostalgici rompicoglioni».

Andrea si mise a ridere e tornò ai suoi pensieri. «Alla fine se mi chiedessi adesso che cosa voglio dalla vita ti risponderei subito: una famiglia, una donna, dei figli.»

«Ma non ti è bastata la nostra?»

«È vero, siamo stati una famiglia sgangherata ma è la nostra e va bene così. Lo senti questo legame? Lo stesso che a volte sembra che ti soffochi, che ti tolga il respiro, quello che forse ti ha spinto a vivere lontano. Senti quanto è forte? Quanto è profondo? Io lo rivoglio. Voglio qualcuno vicino a cui poter dire che sono felice.»

Le parole di Isabella

Marco era ancora sveglio e dalla porta della cucina guardava suo fratello dormire sul divano. Indossava la sua maglietta. Era la prima volta che vedeva Andrea con addosso un indumento suo. Quando erano ragazzini era sempre Marco a indossare le cose del fratello. Forse anche un po' per questo lo odiava. Gli sembrava di non poter essere se stesso, di indossare il costume di suo fratello. Fino all'adolescenza erano pochi i vestiti nuovi che aveva avuto. Gli toccavano sempre quelli smessi da Andrea. E quindi erano sempre fuori moda, sapevano di vecchio, proprio nell'età in cui vorresti avere sempre la cosa più nuova, l'ultima, quella appena uscita che vogliono tutti per sentirsi esclusivi. Esclusivi come tutti.

Adesso guardava Andrea russare sul divano e pensava che gli voleva bene, a lui che gli aveva sempre rotto le scatole fin da ragazzino, a lui che aveva sempre voluto dimostrare di essere il più bravo, a lui che era già vecchio da giovane. E pensava che adesso non gli avrebbe dato per nulla fastidio indossare i suoi vestiti smessi, se solo non fossero stati così formali.

Marco finalmente aveva capito Andrea. Da quando suo fratello aveva mostrato la sua fragilità, tutto era stato più chiaro e semplice da comprendere.

Durante la cena, Andrea gli aveva confessato che il suo

unico rammarico era di non essere riuscito a capire il padre, non essere riuscito ad alleggerirlo di quel carico.

Marco guardava suo fratello dormire e decise di fare una cosa che voleva fare da tempo. Era arrivato il momento giusto. Si sedette al tavolo della cucina e iniziò a scrivere una lettera.

Non era semplice, ma era una cosa che Andrea doveva sapere, era giusto che lui sapesse. Anche se poi qualcosa sarebbe cambiato per sempre. Marco aveva taciuto pensando fosse la cosa migliore per tutti, ma ora aveva capito di avere sbagliato. Quel segreto andava svelato. Aveva riscritto l'inizio già tre volte, non gli venivano le parole, l'argomento era molto delicato. All'ennesimo tentativo ci riuscì, aveva trovato una strada da seguire e scrisse tutto di getto. Si commosse più volte, più volte si dovette fermare perché i suoi occhi erano diventati lucidi e bagnati di lacrime. Quando finì, si accorse di sentirsi più leggero, liberato, più sereno. La lettera era lunga quattro pagine. Decise di non rileggerla, la piegò e la mise nella valigia di Andrea, nascosta sotto il costume da bagno.

Poi, stando attento a non fare rumore, si versò un bicchiere di whisky, prese la vaschetta con i cubetti di ghiaccio dal freezer, si infilò il giaccone, uscì e si sedette fuori sulle scale di casa. Picchiettando la vaschetta sui gradini fece saltare i cubetti e li buttò nel bicchiere, sapendo che lì fuori suo fratello non lo avrebbe sentito, poi si accese una sigaretta. Tra un tiro e l'altro si bagnava le labbra col whisky. Iniziò a pensare a molte cose. Ultimamente pensare alla vita lo divertiva, come se avesse capito che era inutile preoccuparsi e avesse smesso di farlo, perché tanto ogni volta che pianificava qualcosa, che cercava di fare ordine, poi la vita ribaltava tutto e lo metteva di fronte a un bivio diverso da quello che aveva previsto.

"Mentre facciamo progetti, Dio ride" aveva sentito in un film.

Iniziò a pensare a suo padre, a quello che si era tenuto dentro, alla scelta d'amore che gli era costata tutta la vita.

Fece un lungo tiro di sigaretta guardando il cielo scuro, poi alzò il bicchiere e brindò con lui immaginandolo insieme alla madre dopo tutti quegli anni. Finalmente.

Poi rientrò e si mise a letto. Aprì il computer per guardare una puntata di una serie televisiva, ma all'ultimo momento decise di rileggere la mail di Isabella, anche se ormai la conosceva a memoria.

> Ho sempre pensato che quello che c'è tra noi sia qualcosa di molto prezioso. Lo penso veramente. Da sempre. È per questa preziosità che sono rimasta tanti anni al tuo fianco anche quando ero lontana. Non voglio dire di aver sacrificato parte della mia vita per questo sentimento, di aver sacrificato parte di me nell'attesa che tu prendessi una decisione. Non l'ho fatto per te, forse nemmeno per me. Forse è per questa cosa che c'è tra noi, per questo bene, che è sempre stato un'emozione concreta. Ogni volta che nella vita ti sei perso, io ero lì a ricordarti chi eri. E tu lo hai fatto con me. Questo mi ha sempre fatto sentire speciale. Se uno dei due decidesse di scappare da tutto e nascondersi in un angolo di mondo, noi sappiamo che saremmo in grado di trovarci. È una cosa rara. Saperci sempre lì per l'altro è stato meraviglioso per me.
>
> Ora però serve una decisione, serve un atto di coraggio. Trascinare questo momento, posticiparlo ancora lo danneggerebbe. C'è una poesia di Antonio Machado che dice più o meno così: "Nel cuore avevo la spina di una passione, sono riuscito a togliermela e adesso non sento più il mio cuore". Questo è uno dei motivi per cui sono ancora qui, perché anche se sei una spina nel cuore, preferivo sentire il dolore piuttosto che non sentire più nulla per te. Ma ora il livello di amore che provo è arrivato a un punto pericoloso e io non sono più sola, non posso più prendermi questi rischi.

> Non vivere queste mie parole come un ultimatum, vivile come un gesto d'amore. Ora la vita ci pone davanti a un fiume e dobbiamo decidere la sponda su cui costruire la nostra casa. Conosco le tue paure, e non credere che io non ne abbia, ma l'amore che provo per te è molto più vasto. Credo fortemente che se le premesse tra di noi sono diverse, se noi ci poniamo aperti al cambiamento, al possibile, allora il futuro che tanto ti spaventa non è più una cosa rigida, ma un divenire. Possiamo ascoltare ogni piccolo cambiamento in atto dentro di noi e comunicarlo all'altro senza dover indossare maschere.

> Ogni volta che un desiderio nuovo, un pensiero nuovo, una situazione nuova richiederanno un adattamento, saremo pronti ad accoglierlo perché tra noi c'è un rapporto di fiducia.

> Io non vedo l'ora di scoprire grazie a te, grazie a come mi vedi, la possibilità di essere una cosa diversa da ciò che penso di me stessa. Scoprirci diversi dal modo che abbiamo di vederci, scoprirci capaci di altro. Questo per me è stare insieme. Solo così, anche se un giorno uno dei due dovesse non desiderare più di condividere la propria vita con l'altro, ne sarà comunque valsa la pena e non si avrà la sensazione di aver sprecato tempo.

> Se ti conosco bene, in questo momento ti starai accendendo una sigaretta, se ti conosco bene starai già cercando di smontare queste parole. Non importa. So quello che provi per me, me lo hai detto più volte ma soprattutto l'ho sentito quando stavamo insieme. Un giorno mi hai detto di avere la sensazione di essere un'auto con la marcia in folle. Ho pensato molto a quella immagine e credo che le marce che ci permettono di muoverci, di andare da qualche parte, siano le scelte. Ho iniziato a pensare che se non si fanno delle scelte non si va da nessuna parte. In fondo scegliere significa esserci. Scegliere significa dire cosa

riteniamo sia migliore. Altrimenti tutto è uguale e nulla ha valore.

> Ho la sensazione che tu sia una persona che cerca continuamente ma che non vuol trovare, cerchi sempre dove sai che non trovi perché non vuoi possedere, vuoi solo desiderare di possedere. Questo è il motore della tua esistenza, la continua ricerca senza fine. La ricerca di un'autenticità perduta o forse mai esistita. Il tuo cinismo sull'amore è tipico di chi in realtà ha un disperato bisogno di crederci.

> Servono coraggio e forza per accogliere quello che ci fa stare bene quando abbiamo costruito un'intera vita sullo stare male.

> Non so se sono stata una stupida a pensare che in te ci fosse qualcosa che vedevo solo io. Sapessi quante volte dopo averti confidato una mia fragilità, una paura intima, ho avuto bisogno di un abbraccio, una semplice carezza, un piccolo gesto di tenerezza. Tu invece hai sempre preferito le solite parole, le costruzioni logiche perfette. Sapevo che in realtà quelle parole erano la tua via di fuga. So che l'ironia è il veicolo che usi per trasportare carichi emotivi troppo pesanti.

> Ho sperato fino all'ultimo in un cambiamento. Il punto è che tu non scegli. Non mi lasci, non mi prendi.

> Molte persone non sanno ciò che vogliono. Tu sei diverso, nel profondo lo sai, sei solo terrorizzato dall'idea di perdere tutto.

> Se è veramente questo ciò che desideri, ciò che ti fa stare bene, allora proprio perché ti amo come non ho mai amato nessuno ti lascerò andare, senza nessun rancore. Se pensi invece di avermi trovata, allora adesso è arrivato il momento di scegliermi. Oppure lasciami andare.

L'acqua

Marco puntò la sveglia alle cinque e mezza. Non aveva un motivo per alzarsi a quell'ora. Voleva solo iniziare quella giornata presto, viverla. Con intensità. Senza risparmiarsi.

Le volte in cui si era svegliato mentre fuori era ancora buio, per tutto il giorno aveva avuto la sensazione che la giornata fosse sua, come se fosse stato lui a suscitare la luce dell'alba.

Quel giorno doveva essere suo, voleva quella sensazione.

Guardando fuori dalla finestra si intuiva che faceva molto freddo e questo rendeva ancora più accogliente quel suo aggirarsi nell'appartamento silenzioso con le luci soffuse.

Si accorse di avere voglia di qualcosa di salato, si preparò un toast con prosciutto e formaggio. Si ricordò di quando Andrea gli aveva confessato di aver corretto la barista che lavorava sotto il suo ufficio: tosti non era il plurale di toast. Fece un sorriso. Suo fratello era partito per l'Australia da due giorni e in quel momento chissà cosa stava facendo. Era molto felice della chiacchierata che avevano fatto, di questa nuova intimità. Di quel rapporto finalmente fraterno, domestico, sano.

Finito di fare colazione si bevve il caffè e andò a prendere le sigarette. Si accorse di averle finite. *Impossibile.*

Iniziò ad aprire cassetti, a controllare nelle tasche di tutte le giacche, ma non trovò nessun pacchetto di scorta. Non succedeva da anni. *Le compro in stazione.*

Si fece una doccia, poi andò in camera per vestirsi e preparare il suo trolley da viaggio.

I taxi londinesi erano molto spaziosi, per questo Marco li amava. Aveva disteso le gambe e guardando fuori dal finestrino si godeva la città.

Amava Londra, era sempre stata la sua città preferita, quella dove aveva deciso di vivere.

Il primo periodo quando andava sempre a Camden Town, gli odori di cibi orientali, gli incensi. I vestiti usati del mercatino di Portobello Road, le serata al Ministry of Sound a Kennington. Le passeggiate sul fiume fino al Borough Market.

I traslochi, i pranzi al sole a Regent's Park Road per poi sdraiarsi sul prato di Primrose Hill. Il mercatino sotto casa di Camden Passage, le serate indimenticabili da Sketch. Quella città era piena di ricordi, di vita vissuta.

Londra è proprio bella, pensò mentre la vedeva scorrere dal finestrino del taxi. *È arrivato il momento di lasciarla.*

Aveva capito che, se fosse rimasto, avrebbe perso delle cose importanti.

Si ricordò di una frase che gli aveva detto un ragazzo mezzo ubriaco alla prima festa a cui era andato: "Il vero segreto per divertirsi alle feste è capire quando è il momento giusto di andarsene".

Questo per Marco era il momento giusto se non voleva iniziare a vivere nel passato, la giusta opportunità se non voleva rischiare di girare a vuoto.

Arrivato alla stazione andò subito a comprare le sigarette, all'ingresso per i binari c'era una lunga fila e non riuscì a fumare. Quando si sedette al suo posto, il treno partì dopo pochi minuti.

Negli ultimi mesi erano cambiate molte cose, Marco aveva iniziato a pensare a ciò che aveva capito di sé, una consapevolezza che aveva dentro ormai da tempo ma che non era ancora riuscito a decifrare.

Era stato un sogno a rivelargliela: era appena tornato da

un viaggio ed era all'aeroporto di fronte al nastro per il ritiro bagagli. Con lui c'erano gli altri passeggeri del volo. Non si ricordava più come fossero le sue valigie, né per colore né per forma, eppure sentiva che quella che avrebbe scelto sarebbe stata la sua. Era proprio davanti alla bocca da cui escono i bagagli e non riusciva a decidere quale prendere. Aveva di continuo la sensazione che la valigia successiva sarebbe stata più bella. Aveva iniziato a ripetersi: *La prossima è mia,* ma poi aveva avuto paura di scegliere. Mentre aspettava, si accorgeva che le persone vicino a lui iniziavano ad avvicinarsi al nastro per prendere ognuno la propria valigia, con quel sorriso in viso tipico di chi vorrebbe dirti: *La mia è già arrivata e la tua no.*

Passavano i minuti, c'erano sempre meno persone e la sua abbronzatura iniziava a sbiadire, lui diventava sempre più pallido e stanco. Una persona gli si avvicinava e gli chiedeva da che località venisse, ma Marco non se lo ricordava. Alla fine rimaneva solo e le valigie avevano smesso di uscire, il nastro si fermava e in quelle brutte luci al neon si era svegliato. Nei giorni seguenti aveva capito ciò che negli ultimi mesi era stato solo una sensazione, e forse era stata proprio quella sensazione a produrre il sogno.

L'attesa continua di un futuro pieno di cose migliori, un futuro che lo seduceva con tutte le promesse di avventure e tutto il divenire affascinante, l'attesa della prossima novità, della successiva donna da sedurre, in realtà era solo un'illusione, una bugia, un eterno inganno, il risultato di un meccanismo che guidava la sua vita da sempre. Aveva capito di non essere un uomo libero. Aveva capito che la libertà che pensava di esercitare nella sua vita non era reale. Era una finta libertà perché in realtà lui non era padrone di nulla: non era padrone del suo presente, della sua vita e nemmeno delle sue scelte. Erano le situazioni, le occasioni, le tentazioni a scegliere lui. Lui era spinto dalle correnti, lui non volava come un uccello che sceglie la rotta e la direzione, lui era un pezzo di carta mosso dal vento. Aveva sempre pensato di essere onesto perché aveva sempre dichiarato chi fosse, in realtà quella era la fedeltà a un ruolo che aveva scelto per sé, la fedeltà a una maschera.

Aveva sempre confuso la libertà con la mancanza di responsabilità. Aveva impiegato molti anni per accettare di prendersi la responsabilità di se stesso, per prendersi quella di un'altra persona aveva impiegato una vita.

Era sempre fuori dal presente in attesa della valigia successiva. Si impediva di essere nel presente, lì nel momento in cui le cose accadono. E così facendo impediva a se stesso di esistere. Era sempre altrove, proiettato verso quello che doveva ancora accadere e che forse non sarebbe accaduto mai. Aveva sempre vissuto con la sensazione che dietro l'angolo ci fosse una cosa più bella per lui di quella che stava vivendo in quel momento: la ragazza che avrebbe incontrato dopo lo incuriosiva più di quella che aveva tra le braccia. Il futuro luminoso, eccitante e pieno di promesse appena arrivava si trasformava in presente e perdeva il suo fascino. Quell'atteggiamento appiattiva tutto. Era una continua e costante ricerca del piacere che però non era mai appagante. Vivere significa scegliere. Come gli aveva scritto Isabella nella mail.

Mentre era immerso in quei pensieri, il treno entrò nel tunnel, attraverso i finestrini si fece buio. Vide la sua faccia riflessa.

Il sogno gli aveva fatto nascere il sospetto che il suo modo di essere fosse in realtà un grande, sofisticato inganno. Alla fine la sua vita dove lo aveva portato? A grandi momenti di solitudine, che non lo avevano reso una persona felice. L'ossessiva ricerca di novità, di un'eccitazione sempre più grande, di una esperienza sempre più forte e adrenalinica alla fine lo aveva portato a un infinito senso di solitudine. Aveva capito che quel futuro era stato un'ottima scusa per accettare la sua infelicità.

Marco ripensò alle parole di Isabella, quando gli diceva che lui fingeva solo di cercare: non ci aveva mai pensato ma era vero, aveva ragione lei. Aveva vissuto tutta la vita come un lanciatore di coltelli la cui bravura sta nel non colpire il bersaglio e per farlo si allena ogni giorno. Ecco cos'era stato lui.

Il treno uscì dal tunnel, ora si vedeva la luce. Marco era sereno, sentiva di possedere qualcosa quella mattina: possedeva il tempo e finalmente ne avrebbe avuto cura.

Arrivato alla stazione di Parigi, prese la bottiglietta d'acqua che aveva comprato sul treno e la finì in un unico sorso. «Che buona l'acqua.»

Poi la piegò facendola scoppiettare, mise il tappo, la buttò nel cestino dei rifiuti e uscì per strada.

Il cielo era azzurro e la luce del sole ancora delicata. Fece un lungo respiro, l'aria era fresca, la sentiva sulle guance.

Poi prese il pacchetto di sigarette ancora chiuso e iniziò a picchiettarlo sul dorso dell'altra mano. Un gesto che faceva da sempre. Poi lo scartò, tolse la carta argentea e ne fece una pallina. Sfilò una sigaretta e se la mise tra le labbra. Prima di accenderla rimase qualche secondo con la fiamma a pochi centimetri. Poi la spense e rimise la sigaretta nel pacchetto, lo guardò un istante e lo gettò nel cestino della spazzatura.

Prese il telefono e inviò la chiamata.

«Pronto, ciao Isabella, sono Marco. Ci sono.»

Sono leggero

Un istante e non ci vedeva più. Succedeva all'improvviso. Poi tutto tornava normale. Tranne la paura che lasciava. L'Angoscia. Così era cominciato tutto.

Quando la madre aveva iniziato a sentirsi sempre stanca, spossata e senza forze, aveva chiamato un amico medico. Dopo le analisi aveva scoperto di essere malata. Una malattia neurologica degenerativa, per cui non esisteva nessuna possibile cura farmacologica.

Non riusciva a crederci, non riusciva a pensare che fosse possibile, che stesse capitando proprio a lei. Aveva deciso di consultare un altro medico, ma la diagnosi era stata uguale. Era una donna malata.

Un cielo nero, minaccioso e pesante era calato improvvisamente su di lei e sulla sua vita.

Non sapeva come dirlo alla sua famiglia, sentiva il peso del dolore che avrebbe procurato a tutti. Aveva cercato di rimandare il più possibile, ma non poteva evitare di informarli: era successo a loro, il male riguardava tutti. Lo aveva detto prima al marito e poi a sua madre, insieme avevano deciso di tenerlo nascosto ai figli. Ma quando c'è un malato in casa il male è coinvolgente, si annida in ogni parola, penetra ogni azione, condiziona i movimenti. La malattia s'impadronisce delle vite e dei sentimenti.

Il percorso della malattia di Lucia era stato molto duro.

Spesso si chiedeva: *Perché a me? Me lo merito? Dio, è questo che hai scelto per me?*

Quella fase di incredulità era durata qualche settimana. Accettare la nuova condizione era stato difficile. Quando al mattino apriva gli occhi, per qualche secondo pensava che fosse solo un brutto sogno.

C'erano giorni in cui si sentiva meglio, e lei subito pensava che stesse guarendo, le piaceva pensare che i dottori si fossero sbagliati, o che lei potesse essere un caso raro, miracoloso, da studiare. Ma quello stato di grazia durava poco, subito qualcosa le dimostrava il contrario. Quando invece peggiorava, cercava di negarlo. Era una lotta continua nel tentativo di nascondere i peggioramenti: una mano che tremava, un oggetto che cadeva, un inciampo nel camminare. Strani formicolii le capitavano alle gambe, ai piedi, alle mani, poi anche alla faccia. Cominciava a non sentirci più da un orecchio. A non vederci più da un occhio. Il mondo si allontanava e lei arrancava per sentirlo, per vederlo. Lo nascondeva agli altri ma anche a se stessa. Le certezze rassicuranti del mondo in cui era abituata a vivere erano svanite. E quanto lo amava quel mondo.

Quando i sintomi erano diventati sempre più evidenti, l'incredulità aveva lasciato spazio a una fase nuova: la rabbia.

Era arrabbiata per quello a cui doveva rinunciare, i suoi progetti, la vita che aveva sognato, godersi i figli ora che erano cresciuti.

Quando si trovava in una stanza con altri malati, in attesa di una visita, non riusciva ad accettare che quelle persone fossero il suo nuovo gruppo di appartenenza. Le faceva rabbia doversi identificare proprio con ciò da cui si sentiva minacciata. *Non sono come loro,* si ripeteva. Invece sì, lo era, era malata, non sarebbe mai guarita, non sarebbe più stata la persona di prima. Aveva perso la sua identità.

Con i mesi le cose erano peggiorate rapidamente, Lucia era stata obbligata a venire a patti con una serie infinita di perdite quotidiane, di continue sconfitte. Era stata costretta a restare a letto tutto il giorno ed era sempre meno autonoma, doveva chiedere aiuto per tutto, per andare in bagno, per lavarsi, vestirsi, per mangiare.

Cercava di essere positiva, allegra, ma le costava molta fatica. Era grazie ai figli se non aveva ancora smesso di lottare, era per loro che sorrideva quando entravano nella sua stanza.

Non lottava per vincere, sapeva di aver già perso, lottava per resistere, per difendere la propria dignità. Voleva ancora essere donna, madre, moglie.

Con il marito si concedeva delle tregue, si arrendeva per un po', solo con lui sfogava la rabbia, si abbandonava all'angoscia, si permetteva sguardi pieni di ansia e di terrore. Quelli che teneva nascosti ai figli.

Per il marito era difficile trovare le parole giuste da dire, col tempo aveva imparato che ascoltare era la cosa migliore, lasciare che fosse lei a riempire quei silenzi dandole la possibilità di sfogarsi, di aprirsi e lamentarsi liberamente. Si faceva anche trattare male, aveva capito che quella sua aggressività era un mezzo per esprimere tutto il suo dolore, la sua sofferenza.

Imparare a gestire i silenzi era stata la cosa più difficile, non voleva che lei pensasse che fossero dovuti a un senso di smarrimento, una mancanza di coraggio. Tutto si reggeva su delicati equilibri, anche una carezza poteva essere interpretata male. Una volta Lucia gli aveva detto che non doveva avere pietà di lei, non doveva commiserarla.

Quante volte la notte lo aveva tenuto sveglio perché spaventata, terrorizzata dal senso di vuoto che le prendeva la gola, per essersi ritrovata all'improvviso esposta alle sofferenze del corpo e dell'anima. In balia dell'ansia per la paura del futuro e dell'ignoto che si era impadronita di lei.

Lui la teneva per mano, le accarezzava la testa, cercava di tranquillizzarla e, dentro, moriva di dolore per il senso di impotenza che provava nel vederla così. Lei, la donna che amava, la madre dei suoi figli.

Rimanevano in silenzio senza parlare, senza dirsi una

parola per ore, guardandosi negli occhi, mano nella mano o abbracciati, fino a che non si riaddormentavano insieme cercando di scacciare lo spavento.

Nei momenti di disperazione spesso Lucia gli diceva che non ce la faceva più, che voleva arrendersi. Quando era ancora autosufficiente, lui si assicurava che lei andasse a tutte le visite previste da quell'inutile sfilza di specialisti: neurologo, dietologo, psichiatra, fisioterapista, medico di famiglia. Col tempo lei aveva iniziato a non volerci andare più e lui aveva dovuto portarcela con la forza. Quando la situazione era peggiorata, anche lui si era un po' arreso. Non insisteva più. Cercava di trovare un buon equilibrio tra ciò che era giusto fare e ciò che desiderava lei. Aveva capito che non era una cosa da poco il senso di libertà che le regalava un appuntamento saltato.

Era giusto che lei vivesse i mesi rimasti come meglio credeva, scegliere come dare valore al tempo che le rimaneva era un suo diritto.

Quando parlava con i medici, lei pretendeva che le dicessero tutta la verità, che non le tenessero nascosto nulla. "Cosa mi aspetta? Come morirò? Quando?"

Un giorno un medico le aveva risposto che molto probabilmente i muscoli dell'apparato respiratorio avrebbero smesso di funzionare e sarebbe morta soffocata.

Quella notizia l'aveva terrorizzata, non era pronta ad affrontare quel modo di morire. La sera a letto aveva detto al marito che aveva paura. Lui non sapeva come consolarla, l'aveva abbracciata mentre chiedeva a Dio di prendere lui e lasciare lei con i figli.

Lei aveva sentito il collo bagnarsi delle lacrime del marito ed era sprofondata in un dolore acuto. Non lo aveva mai visto piangere prima.

Erano poche le volte in cui si lasciava andare, mai lo aveva fatto di fronte a lei o ai figli. Sapeva che il suo dolore veniva dopo quello di tutti, era l'ultimo della lista.

Spaventata per la fine che l'attendeva, Lucia una notte aveva chiesto al marito di aiutarla a morire.

"Amore mio, ma che dici?"
"Sì, aiutami a morire."
Lui l'aveva guardata negli occhi, erano pieni di terrore.
"È solo una questione di tempo, è una cosa inevitabile. Non ha senso trascinarla così, è logorante per me, per te e soprattutto per Andrea e Marco. L'unica cosa che possiamo evitare è farmi soffrire ancora. Voglio farla finita, non ce la faccio più. Sono esausta. Voglio morire."
Il padre non sapeva che dire, non sapeva che fare, ma capiva il suo discorso, le sue ragioni. "Mi stai chiedendo una cosa troppo grande, non potrei mai riuscire a farlo."
"Non puoi lasciarmi sola, non puoi farlo adesso. Le nostre vite sono legate e ciò che accade a uno è cosa anche dell'altro. Se mi ami non lasciarmi andar via così. Se non vuoi farlo per me, fallo per i nostri figli. Hanno bisogno di essere liberati da questo supplizio, da questo dolore, e di iniziare il prima possibile a tornare a una vita normale. Per quanto sia possibile. Questa attesa non serve a nulla e io non voglio che mi vedano come diventerò."
"Amore mio, smettila, ti prego. Non chiedermelo più. Promettimelo."
Lei quella sera si era arrabbiata.
Era sprofondata nella depressione, aveva iniziato a non interessarsi più di nulla, c'era stato un progressivo distacco da tutto e da tutti.
Andrea per mesi aveva passato i pomeriggi in camera con lei a studiare. Da quel momento era stato allontanato. La madre non parlava praticamente più.
Poi un giorno qualcosa era cambiato. Senza che lei se ne rendesse conto, era riuscita a trovare dentro di sé delle risorse che non sapeva nemmeno di avere. Quella malattia non era solo un vincolo ma anche un atto di conoscenza profondo. Quasi fosse un maestro spirituale, un guru.
E così con grande stupore di tutti e soprattutto di se stessa non era più spaventata. Le persone attorno a lei lo vedevano nel suo sguardo. I suoi occhi esprimevano ora una grazia e una beatitudine contagiosa. Tutto era diverso.

Una notte, con infinita calma e limpidezza, aveva guardato il marito negli occhi e dopo un silenzio gli aveva detto: "Mi ami?".

"Più della mia vita."

Aveva fatto una pausa. "Sono pronta."

Lui aveva sentito un brivido per tutto il corpo, si era spaventato. "Io no."

Lucia aveva sorriso e gli aveva accarezzato il viso con il palmo della mano che non riusciva più ad aprire. "Non posso aspettarti, non ho tempo. Devi farti forza."

Lui non rispondeva.

"So che non è facile ma non puoi tirarti indietro. Ho capito che l'unico modo per me di sopravvivere è morire."

Lui la guardava e non riusciva a capire dove lei avesse trovato la forza. Era lucida, senza esitazioni, definitiva. Presente.

Era lui adesso quello debole, fragile, confuso.

A differenza della prima volta, quella richiesta non veniva da una donna spaventata ma da una donna consapevole. C'era qualcosa di nuovo, come una presenza al di là delle parole.

La decisione di non lottare più non era stata causata da una mancanza di coraggio o dalla paura, ma dal gesto estremo dell'abbandono. Abbandonarsi e affidarsi a qualcosa di invisibile che lei percepiva, che sentiva dentro di sé e che in qualche modo la stava chiamando. Un altrove pieno di forza, di luce. Di totale appartenenza.

La sua non era una resa, era semplice accettazione. Aveva accettato e compreso la propria finitezza, l'inevitabile mortalità, ed era arrivato il momento di lasciarsi andare.

Lui la guardava senza dire nulla. In quel momento gli sembrava una bambina, un angelo disteso.

"Ho sete, dammi dell'acqua." Poi gli aveva sorriso.

Quando Andrea entrò nella stanza dell'hotel di Sydney, appoggiò la valigia e si buttò sul letto, stremato.

«Ce l'ho fatta.»

Era stato un viaggio infinito, era atterrato verso le sei del mattino dopo circa venticinque ore di volo.

«Come primo viaggio dopo anni potevo scegliere anche un posto più vicino» si disse ad alta voce guardando il soffitto. Poi portò il polso vicino agli occhi per controllare l'ora, segnava ancora il fuso italiano. Girò la testa verso la sveglia sul comodino e regolò l'orologio. Si buttò sotto la doccia, si infilò l'accappatoio e iniziò a svuotare la valigia.

Infilò una mano sotto uno strato di magliette, mutande e calzoncini, sollevò tutto in un blocco unico e lo appoggiò nel cassetto. Non si accorse che era caduta una busta ed era andata a finire sotto il letto.

Sistemò tutto il resto, poi mise la valigia nell'armadio, si vestì e scese a fare colazione.

Quando si sedette a tavola rimase affascinato dalla vista stupenda, proprio sul mare. Aveva scelto bene, era un bell'albergo.

Questa dovrebbe essere Coogee Beach, se non ho capito male.

Mangiò della frutta e uno yogurt con del muesli di frutta secca.

Si bevve un caffè doppio guardando il panorama, cercando di capire cosa fare di quella giornata, poi salì in camera e andò in bagno. Stava per chiudere la porta ma poi pensò che non serviva, era solo e poteva anche lasciarla aperta. La porta aperta del cesso gli regalò un soffio di libertà. Quella sensazione gli strappò un sorriso.

Era lì seduto sul water con i gomiti appoggiati alle ginocchia, ancora intontito dal viaggio, e pensava che venticinque ore di volo gli avevano sicuramente complicato un'attività che non gli aveva mai dato problemi: cagare.

È anche vero che non è il mio orario questo, si disse per giustificare un eventuale fallimento.

Mentre aspettava di vedere se fosse successo qualcosa, iniziò a pensare alla sua vita. Non gli era mai capitato di ritrovarsi senza progetti, senza giorni pianificati. Davanti a sé c'era tutto e non c'era niente.

Gli vennero in mente le parole di suo fratello: non doveva farsi prendere dal panico, quella era una condizione meravigliosa. Un regalo.

Mi sa che oggi non cago.

Ripensò alla cosa stupida che aveva fatto prima di partire, quella cosa per cui adesso si vergognava. Aveva saputo che il suo capo aveva prenotato un volo per le Maldive, per sé e la famiglia. Sapeva che era molto superstizioso.

Allora lui gli aveva mandato una lettera in ufficio dicendo di essere una veggente e che non doveva prendere quell'aereo, perché sarebbe successo qualcosa di brutto. Poi era andato in un negozio di giocattoli, aveva comprato un modellino di aereo, gli aveva spezzato le ali e lo aveva lasciato per terra davanti alla portiera della sua macchina, in modo che sembrasse un segno.

Andrea era partito e non sapeva se il capo avesse preso il volo o se avesse rinunciato.

Anche se ha deciso di andare, si farà il viaggio terrorizzato. In ogni caso io sono un idiota.

Stava per alzarsi dal water quando notò qualcosa sotto il letto, forse un foglio, forse dei soldi.

Decise di alzarsi e di capire cosa fosse. Aveva i calzoni calati, camminava come un pinguino. Arrivato al letto si inginocchiò e con il culo per aria prese la busta e tornò a sedersi sul water.

Quando la aprì rimase sorpreso che fosse una lettera scritta da suo fratello.

«Come c'è finita la sotto?» si chiese. Le prime parole gli strapparono un sorriso: "Ciao fratellone, come va?". Non lo aveva mai chiamato così.

Nelle parole successive Marco gli confessava quanto fosse stato felice di averlo visto a Londra, di aver potuto passare del tempo insieme: "Sento che siamo più vicini in questo periodo".

Andrea era contento di avere tra le mani una lettera di suo fratello. Anche se moriva dalla curiosità di sapere cosa gli aveva scritto, decise di non leggerla sul water ma di portarla in spiaggia e leggerla con calma.

La infilò nel libro da portare al mare, riempì una piccola borsa con un po' di cose e uscì.

Si sdraiò su un lettino e, dopo essersi spalmato la protezione solare, riprese in mano la lettera.

Mettiti comodo e trova un posto dove nessuno ti possa disturbare.
Forse quando finirai di leggere sarai arrabbiato con me per non avertelo detto prima o sarai arrabbiato con il papà, o molto più facilmente con la mamma. Ti ricordi cosa ci diceva sempre da bambini? "Sbagliare è umano, perdonare è divino."
In questo momento sono in cucina mentre tu sei di là sul divano che dormi.
Non ti parlerò di noi due, ti parlerò della mamma e soprattutto del papà, di quello che si è dovuto portare dentro, quello che ha dovuto sopportare e soprattutto perdonare. Il papà ha fatto una grande cosa e l'ha portata avanti con il silenzio della volontà.

Andrea leggeva quelle parole e non capiva, avevano passato un sacco di ore insieme a Londra parlando di tutto, perché adesso si ritrovava quella lettera tra le mani? Perché quello che voleva dirgli non glielo aveva detto a voce? Quella domanda trovò risposta qualche riga più avanti.

Non è una cosa che so da molto, l'ho scoperta il weekend in cui traslocavi da Daniela. All'inizio avevo pensato di non dirtelo, poi ho capito che sbagliavo.
Non so da dove cominciare, sono successe molte cose in quei tre giorni, il papà era molto confuso ma aveva anche dei momenti di lucidità. A un certo punto gli ho confessato che una volta lo avevo visto piangere. Ti ricordi che te l'ho raccontato? Ero sceso in cantina e l'avevo visto che si teneva il viso tra le mani e ripeteva: "Non ti perdonerò mai". Morivo di curiosità, volevo sapere se era la mamma che non avrebbe mai perdonato o se parlava di altri e gliel'ho chiesto. "Papà, era la mamma che non perdonavi?" Mi ha risposto di sì.

"Cosa ti aveva fatto?" A quella domanda non ha risposto. L'ho lasciato tranquillo, siamo rimasti in silenzio per un po', poi mi ha detto la stessa frase che aveva già ripetuto una volta in ospedale, c'eri anche tu: "Tua mamma è morta per l'aria". Ho capito che intendeva soffocata, che è morta perché non riusciva più a respirare.
Gli ho chiesto se era per questo che non la poteva perdonare, perché era malata. Non mi rispondeva ma ho capito che era agitato. Mi è venuto il sospetto che magari la mamma lo avesse tradito e che lui lo avesse scoperto. Magari mi diceva che non ero figlio suo, sai come succede a volte nei film, come pensavo fosse con Mathilde.
"La mamma ti ha tradito?" Continuava a non rispondere ma era sempre più nervoso. Ho deciso di lasciar perdere, anche se ero curioso da morire.

Andrea pensava che fosse impossibile che la madre avesse tradito il padre. Non era il tipo. Pensava anche che Marco avesse esagerato a fargli quella domanda, era stato inopportuno.

Mi sono messo a guardare la televisione col papà e non gli ho più chiesto nulla. Lui in realtà aveva la testa rivolta verso la finestra. All'improvviso mi ha chiesto di portargli una siringa, doveva fare l'iniezione. Sono riuscito a calmarlo, a spiegargli che non doveva fare nessuna iniezione, che più tardi gli avrei portato la pastiglia ma che non c'era nessuna puntura da fare. Alla fine si è calmato.

Andrea si fermò un istante, abbassò la lettera e con l'altra mano si strizzò gli occhi. Non riusciva più a rimanere sdraiato. Si alzò un istante e poi si sedette sul lettino con i piedi nella sabbia.

Quella sera dopo cena sono andato a prendere la scatola di latta con le lettere della mamma che avevamo trovato in cantina.

"Vuoi che ti legga le lettere della mamma?"
Mi ha risposto ripetendo la domanda.
Le ho tirate fuori tutte, volevo leggergli quelle che non avevamo letto, ero curioso e ho fatto una scoperta. Sul fondo della scatola c'era un biglietto, un foglio piegato con delle parole, ma non era la calligrafia della mamma. Ho letto quello che c'era scritto e al momento non ho capito bene a cosa si riferisse. Poi mi si è gelato il sangue. Tutto mi è stato chiaro.
Mi sono alzato e sono andato in cucina. Ero sconvolto. Ho iniziato a fumare una sigaretta dietro l'altra e continuavo a rileggere quel biglietto: "Mi stai chiedendo una cosa troppo grande. Insormontabile. E crudele. Dove trovo la forza? Se non lo faccio, soffrirai ancora di più. Non posso parlarne con nessuno".
La mamma ha chiesto al papà di aiutarla a morire, ne sono sicuro. Forse era stanca di vivere così, stanca di stare male, o aveva paura di soffrire di più, non lo so, non so cosa pensare. Probabilmente gli ha chiesto di farle un'iniezione d'aria, o di morfina, chi lo sa. Ho pensato solo che se è andata davvero così, chissà cosa si è dovuto portare dentro tutta la vita il papà. Ha dovuto fare una cosa enorme, contro ogni suo principio, ma se non lo faceva sarebbe stato ancora peggio. Aiutarla a morire come gesto d'amore.
Se invece non è riuscito a farlo, pensa a quanto si sarà sentito in colpa nel vederla morire soffrendo. Sono rimasto in cucina delle ore sconvolto pensando a questa cosa.
Poi mi sono alzato e sono tornato in camera. Avrei voluto abbracciarlo, stringerlo forte.
"Papà, lo hai scritto tu questo biglietto? Te lo ricordi?"
Le sue labbra hanno iniziato a tremare.
"Papà, guardami." Non riuscivo a parlare, mi sono bloccato. Poi non so come ho trovato la forza, l'ho sentita salirmi da dentro. "Papà, lo hai fatto?"
Mi ha guardato. Lo sguardo era limpido. In quel momento c'era, ne sono sicuro. I suoi occhi erano lucidi, la lucidità che appartiene alle mezze lacrime, quelle trattenute. Gli angoli della bocca hanno iniziato a tremare. Poi ha chiuso gli occhi e

si è voltato, sono andato dall'altra parte del letto per vederlo in faccia. Dagli occhi chiusi scendevano delle lacrime. L'ho abbracciato, Andrea, l'ho abbracciato e siamo rimasti così per non so quanto tempo.

La mano di Andrea che teneva la lettera lentamente si era abbassata, priva di forze. Era seduto, sconvolto, paralizzato. La bocca semiaperta, lo sguardo fisso nel vuoto.

Rimase così per un tempo infinito.

Poi, dopo essere stato in quella dimensione sospesa, tornò in sé, mise la lettera nella busta e la appoggiò sul telo da bagno. Piegò la testa in avanti e iniziò a guardare i suoi piedi. Giocherellava con la sabbia, ci nascondeva le dita dentro poi le tirava fuori e le puliva sfregandosele. Rivedeva la sua vita con questa nuova consapevolezza e tutto gli era chiaro. Lui non c'entrava nulla con la tristezza di suo padre. Aveva la sensazione che gli fosse venuto incontro ciò che nella vita aveva sempre cercato.

Un colpo di vento fece cadere la lettera dal lettino. Andrea la prese e la infilò nella borsa. Guardò l'orologio e si accorse che era rimasto così per più di un'ora. *Ho fame.*

Si alzò e si incamminò verso il mare.

Sentiva la sabbia sotto i piedi, quella sotto il sole era calda. Poi quella bagnata. E infine entrò nel mare.

Continuò a camminare fino a quando l'acqua gli arrivò sopra le ginocchia, poi si lasciò andare buttandosi in avanti.

Fece un paio di bracciate e si girò a pancia in su, nella posizione del morto. Galleggiava. Rimase con gli occhi aperti a guardare il colore azzurro del cielo e alcune piccole nuvole bianche come panna. Ogni tanto un movimento più forte delle onde gli bagnava il viso.

Sentiva il suo corpo fluttuare, non aveva peso. Visto dall'alto, sembrava Cristo in croce.

Chiuse gli occhi e si mise ad ascoltare tutto: i suoni, le sensazioni, le emozioni, le presenze interiori, infine il ritmo profondo del suo respiro.

Con gli occhi chiusi vide suo padre, si abbracciarono, si

strinsero forte. «Adesso so chi sei» disse. «Ti voglio bene, papà.»

Le lacrime che uscivano dagli occhi chiusi si mischiavano con l'acqua del mare. Si sentiva leggero, non sentiva il peso del suo corpo.

«Quando torno a casa ci sono molte cose che voglio fare» pensò ad alta voce.

Si fece trasportare dalla corrente con una profonda quiete nel cuore. Gratitudine.

Aprì gli occhi. Il cielo gli sembrò diverso, nuovo, come se lo vedesse per la prima volta. Era vicino, gli sembrava di poterlo afferrare. Fece un lungo respiro. «Sono leggero, sono libero. Sono vivo. Ora.»

Poi sorrise.

Indice

Arnoldo Mondadori Editore S.p.A.

Questo volume è stato stampato
presso ELCOGRAF S.p.A.
Stabilimento - Cles (TN)

Stampato in Italia - Printed in Italy